COLLECTION « BEST-SELLERS »

ROBERT LÖHR

LE SECRET
DE L'AUTOMATE

roman

traduit de l'allemand par Odile Demange

ROBERT LAFFONT

Titre original : DER SCHACHAUTOMAT
© Piper Verlag GmH, München, 2005
Traduction française : Éditions Robert Laffont, S.A., Paris, 2007

ISBN 978-2-221-10636-5
(édition originale : ISBN 3-492-04796-3 Piper, Munich)

Neuchâtel, 1783

Sur la route de Vienne à Paris, Wolfgang von Kempelen fit halte à Neuchâtel avec sa famille. Le 11 mars 1783, il présenta à l'hostellerie du Marché son légendaire automate, le *Joueur d'échecs*, un invincible androïde en costume turc. Les Suisses ne réservèrent pas un accueil des plus chaleureux à Kempelen et à son Turc. Il faut bien dire que les mécaniciens du duché de Neuchâtel avaient la réputation d'être les meilleurs du monde. Et voici qu'un conseiller de la cour royale venu de la province hongroise – un fonctionnaire, dont l'horlogerie n'était pas le gagne-pain mais un simple passe-temps –, prétendait avoir inculqué la *pensée* à son automate. Une machine intelligente. Un assemblage de ressorts, de rouages, de câbles et de cylindres qui avait triomphé de presque tous ses adversaires humains au jeu des rois. Face à l'extraordinaire création de Kempelen, les automates de Neuchâtel n'étaient que des jouets mécaniques surdimensionnés, amusettes triviales pour nobles fortunés.

Tous ces ressentiments n'empêchèrent pas le joueur d'échecs de faire salle comble. Ceux qui n'avaient pas pu se procurer de place assise restèrent debout, derrière les rangées de sièges. Les Neuchâtelois voulaient voir fonctionner ce prodige de la technique, espérant dans leur for intérieur que Kempelen était un imposteur et que, sous leurs yeux avertis, la plus brillante invention du siècle se révélerait n'être qu'un tour de passe-passe. Leurs espoirs furent déçus. Au début de la représentation, lorsque, avec un sourire suffisant, Kempelen dévoila les entrailles de son appareil, on aperçut un mouvement d'horlogerie des plus ordinaires. Et lorsque le mécanisme fut remonté et que le joueur d'échecs turc se mit à jouer, ce fut avec les mouvements saccadés propres à une machine. Force fut aux patriotes locaux d'admettre que Kempelen était un authentique génie de la mécanique.

Le Turc l'emporta avec une rapidité humiliante sur ses deux premiers adversaires, le bourgmestre et le président du cercle d'échecs de Neuchâtel. Kempelen réclama alors un volontaire pour la troisième et dernière partie de la journée. Quelques instants s'écoulèrent avant qu'un candidat ne se présente. Kempelen et son public cherchèrent des yeux l'audacieux mais durent attendre, pour le voir, qu'il se soit frayé un passage entre les spectateurs qui s'écartaient devant lui – l'homme était en effet si petit qu'il arrivait à peine à la hauteur des hanches des gens normaux. Wolfgang von Kempelen recula d'un pas et posa la main sur l'échiquier pour se retenir. De toute évidence, cette apparition l'avait effrayé, et il pâlit comme s'il avait aperçu un fantôme.

Gottfried Neumann – tel était le nom du nain –, horloger de son état lui aussi, était venu tout exprès à Neuchâtel depuis la ville voisine de La Chaux-de-Fonds pour voir jouer l'automate. Ses cheveux noirs, parsemés de quelques fils d'argent, étaient rassemblés sur sa nuque en une tresse prussienne. Il avait les yeux marron, comme le Turc, et le regard sévère. On aurait dit que son front était plissé de nature et qu'il avait froncé ses sourcils noirs dès le jour de sa naissance. Sa stature était approximativement celle d'un garçonnet de six ans, mais bien plus robuste – sa peau semblait contenir son corps à grand-peine. Il portait un justaucorps vert foncé, coupé à ses dimensions peu communes, et un foulard de soie était noué autour de son cou.

Des chuchotements parcoururent la salle lorsque Neumann s'approcha de Kempelen. Personne, dans le public, n'avait jamais vu le nain jouer aux échecs. Le président du cercle d'échecs réclama d'autres volontaires, connus pour leur talent et qui sauraient peut-être arracher une partie nulle à l'automate, mais il se fit huer : le Turc était imbattable, chacun avait pu s'en convaincre. Une *machine* contre un *nain* : ce spectacle-là promettait au moins d'être peu commun.

Kempelen n'aida pas le petit horloger à s'installer, comme il l'avait fait pour ses prédécesseurs. Neumann prit place, comme eux, à une table séparée équipée d'un échiquier distinct, pour éviter de dissimuler le Turc aux regards du public. Kempelen attendit que le nouveau candidat se fût assis, puis il s'éclaircit la voix et réclama silence et attention. Pendant ce temps, Neumann contemplait l'échiquier et les seize pièces rouges qui se trouvaient devant lui comme s'il n'avait jamais rien vu de pareil, le cou enfoncé dans les épaules et les paumes appuyées sur l'assise de sa chaise, tel un enfant.

L'assistant de Kempelen remonta l'automate à l'aide d'une manivelle et les rouages se mirent en mouvement en grinçant. Le Turc redressa la tête, leva le bras gauche au-dessus de l'échiquier et, de trois doigts, posa un pion au milieu du damier – la même ouverture qu'au cours des parties précédentes. L'assistant reproduisit le coup sur l'échiquier de Neumann, mais le nain ne réagit pas. Il n'y prêta même pas attention. Il contemplait toujours chacune de ses pièces, bouche bée, comme de vieilles connaissances qu'il aurait crues mortes depuis longtemps. Le public commença à s'agiter.

Wolfgang von Kempelen était sur le point d'intervenir quand le nain sortit enfin de sa torpeur : il avança le pion du roi de deux cases, faisant ainsi face au pion blanc du Turc.

Venise, 1769

Par un triste matin de novembre de l'an 1769, Tibor Scardanelli s'était réveillé dans une cellule sans fenêtre, du sang séché sur son visage tuméfié et une douleur lancinante à la tête. Il tâtonna vainement dans la pénombre à la recherche d'un pichet d'eau. L'odeur d'alcool dont ses haillons étaient imprégnés lui donna la nausée. Il se laissa retomber sur sa paillasse et s'adossa contre le mur de plomb. Décidément, certaines aventures avaient une fâcheuse tendance à se répéter : la tricherie, le vol, la bagarre, la détention, la faim.

La veille au soir, le nain avait disputé quelques parties d'échecs dans une taverne. Il avait joué pour de l'argent et, au lieu de commander un repas correct avec ses premiers gains, il les avait dépensés en eau-de-vie. Il était déjà bien éméché quand un jeune marchand l'avait mis au défi pour une mise de deux florins. Tibor l'avait battu sans difficulté, mais, quand il s'était penché pour ramasser une pièce de monnaie qui avait roulé par terre, le Vénitien en avait profité pour remettre sur l'échiquier la dame, qu'il lui avait prise depuis longtemps. Tibor avait protesté, mais son adversaire n'en démordait pas, à la plus grande joie de ses compagnons. Finalement, il proposa au nain une partie nulle et fit mine de rempocher sa mise sous les rires goguenards des spectateurs. L'alcool avait troublé l'esprit de Tibor : il empoigna la main du marchand qui tenait son argent. Au cours de la rixe qui suivit, le Vénitien et le nain se retrouvèrent à terre. Tibor allait l'emporter quand un troisième larron lui brisa un pichet d'eau-de-vie sur la tête. Il n'avait pas encore perdu connaissance quand les Vénitiens s'étaient succédé pour le rouer de coups. Ils l'avaient ensuite remis aux carabiniers, accusant le nain d'avoir triché au jeu avant de les agresser pour les dévaliser. Les gendarmes l'avaient conduit à la prison la plus proche, les chambres de plomb situées dans les combles du palais des Doges. On avait retiré à Tibor les quelques sous qui lui restaient ; au moins, il n'avait pas perdu son amulette, une médaille de la Vierge qu'il portait au cou. Il la serra entre ses deux mains et pria la Mère de Dieu de le sortir de ce cachot.

Il priait toujours quand la porte de sa cellule s'ouvrit, laissant le passage à un gardien suivi d'un inconnu. L'homme, manifestement un noble, devait avoir une dizaine d'années de plus que Tibor. Ses cheveux brun foncé encadraient un visage anguleux aux tempes dégarnies. Il était vêtu à la mode, sans l'affectation des Vénitiens cependant : redingote noisette, manchettes de dentelle et culotte de même teinte enfoncée dans de hautes bottes de cavalier. Par-dessus, un manteau noir. Il était coiffé d'un tricorne qui dégouttait de pluie et portait une épée à la ceinture. Il n'était pas italien. Tibor se rappela l'avoir aperçu la veille au soir parmi les buveurs de la taverne. Le noble tenait dans une main un pichet d'eau et un croûton de pain, dans l'autre un échiquier de voyage finement ouvragé. Le geôlier installa un chandelier et désigna un tabouret, sur lequel l'inconnu s'assit après avoir posé l'eau, le pain et son chapeau à côté du grabat de Tibor. Sans un mot, il déplia l'échiquier sur le sol et commença à disposer les pièces. Lorsque le gardien eut quitté la cellule et refermé la porte derrière lui, Tibor, ne supportant plus le silence, s'adressa à lui.

– Que voulez-vous de moi ?

— Tu parles allemand ? Parfait. (Il sortit de sa veste une montre, l'ouvrit et la posa à côté de l'échiquier.) Je veux jouer contre toi. Si tu me bats en un quart d'heure, je paierai ton amende et tu seras libre.

— Et si je perds ?

— Si tu perds, répondit l'homme après avoir posé la dernière pièce, je serai déçu… et il te faudra oublier que tu m'as rencontré. Mais si tu me permets de te donner un conseil, gagne, car, autrement, tu ne sortiras pas d'ici. Depuis le séjour du chevalier Casanova, on a ajouté quelques barreaux.

Sur ces mots, l'inconnu éleva le cavalier blanc au-dessus des pions. Tibor regarda l'échiquier et remarqua une brèche dans ses propres rangs : il manquait la dame rouge. Il leva les yeux. Le noble anticipa sa question. Il tapota la poche de sa veste où se trouvait la reine.

— Ce serait trop facile si tu l'avais.

— Mais, sans dame, comment voulez-vous que…

— À toi de voir.

Tibor joua son premier coup. Son adversaire réagit aussitôt. Tibor déplaça rapidement cinq autres pièces avant d'avoir le temps de goûter enfin au pain et à l'eau. Le noble inconnu jouait agressivement. Pour exploiter son avantage numérique et décimer les pièces de son vis-à-vis, il fit progresser une chaîne de pions dans la moitié d'échiquier de son adversaire. Mais le nain tenait bon. Les pauses de son adversaire s'allongèrent.

— Vos réflexions me coûtent du temps, protesta Tibor, constatant d'un coup d'œil sur la montre que cinq minutes s'étaient déjà écoulées.

— Tu n'as qu'à jouer plus vite.

Tibor joua plus vite : il franchit la ligne des pions blancs et accula le roi. Cinq minutes plus tard, sa victoire était assurée. Son adversaire hocha la tête, coucha son propre roi sur le côté et recula son tabouret.

— Vous renoncez ?

— J'interromps la partie. Tu sais que je ne peux plus gagner. Je préfère employer tes cinq dernières minutes de captivité à meilleur escient. Félicitations, tu as fort bien joué. (Il tendit la main à Tibor.) Je suis le chevalier Wolfgang von Kempelen, de Presbourg.

— Tibor Scardanelli, de Provesano.

— Enchanté. J'ai une proposition à te faire, Tibor. Mais, avant cela, quelques explications seront sans doute nécessaires. Je suis conseiller de Sa Majesté Marie-Thérèse, impératrice d'Autriche et de Hongrie. Depuis que j'ai pris mes fonctions à sa cour, elle m'a confié un certain nombre de missions dont je me suis acquitté, à sa plus grande satisfaction. Mais d'autres hommes de valeur auraient pu les réaliser aussi bien que moi. Je tiens maintenant à accomplir quelque chose d'*extraordinaire*. Quelque chose qui m'élève à ses yeux... et qui pourrait même, qui sait ? m'assurer l'immortalité. Me suis-tu ?

Wolfgang von Kempelen attendit que Tibor ait opiné du chef pour poursuivre :

— Voici quelques semaines, le physicien français Pelletier a présenté à la cour quelques-unes de ses expériences : des enfantillages faisant appel au magnétisme, des tours de passe-passe avec des clous et des pièces de monnaie qui volent, qui se déplacent sur du papier, dirigés par une main invisible, des cheveux qui, soudain, se dressent sur la tête, d'autres vétilles de cet acabit. Le docteur Mesmer fascinait déjà les gens grâce aux mêmes connaissances. Et voilà que ce sorcier de Français arrive et me fait perdre un temps précieux avec ses pitreries, faisant du même coup perdre le sien à l'impératrice. À la suite de cette représentation, Marie-Thérèse m'a demandé ce que je pensais de Jean Pelletier. J'ai été fort clair : je lui ai fait savoir que la science avait déjà largement dépassé ces futilités, et que moi, qui n'avais pas étudié à l'Académie comme Pelletier, j'étais en mesure de lui présenter une expérience qui reléguerait celles de ce Français au rang de jongleries. Bien sûr, sa curiosité a été piquée. Elle m'a pris au mot... et m'a déchargé de toutes mes obligations pendant six mois afin que je mette cette expérience au point.

— De quoi s'agit-il ?

— Je n'en savais rien moi-même sur le moment. Mais j'avais dans l'idée de fabriquer quelque machine extraordinaire. Je ne suis pas seulement conseiller à la cour, vois-tu ; je dispose également de solides connaissances en mécanique. Ma première intention était de construire pour l'impératrice une machine qui saurait parler.

— Impossible, objecta Tibor spontanément.

Le chevalier von Kempelen sourit et secoua la tête, comme s'il s'attendait à cette réaction.

— Mais non. Je présenterai un jour au monde une machine qui parlera aussi distinctement qu'un homme et maîtrisera de surcroît toutes les langues. Mais six mois, j'en ai bien conscience, ne suffiront pas à cette entreprise herculéenne. Je n'aurais même pas le temps de me procurer et d'éprouver les nombreux matériaux indispensables. Or on ne fait pas attendre une impératrice. Je vais donc construire autre chose. (Kempelen sortit la dame rouge de son gousset et la posa à côté des autres pièces.) Une machine à jouer aux échecs.

Le regard interrogateur de Tibor combla Kempelen, qui poursuivit :

— Un automate qui joue aux échecs. Une machine capable de réfléchir.

— Impossible.

Kempelen rit, tout en sortant de sa veste une feuille qu'il déplia.

— Tu te répètes. Mais, cette fois, tu as raison. Jamais une machine ne pourra jouer aux échecs. C'est théoriquement possible, mais en pratique…

Il tendit le papier à Tibor. C'était le croquis d'un être humain assis devant une table ; ou, plus exactement, devant un buffet aux portes fermées. Les deux bras de l'individu reposaient sur le plateau supérieur, entourant un échiquier.

— Voici à quoi ressemblera l'automate, déclara Kempelen. Et, puisqu'il ne peut pas fonctionner seul, il lui faut un cerveau humain.

L'idée fit frémir Tibor, provoquant un nouvel éclat de rire de Kempelen.

— Ne crains rien. Je n'ai pas l'intention de scier le crâne de quiconque. En revanche, quelqu'un pourrait actionner l'automate de l'intérieur. Kempelen posa le doigt sur le buffet fermé.

Tibor comprit enfin pourquoi le chevalier hongrois s'était mis à sa recherche, pourquoi il se trouvait ici et se montrait aussi aimable et, surtout, pourquoi il était disposé à payer une forte somme en échange de sa libération. Kempelen se croisa les bras devant la poitrine. Tibor secoua la tête bien avant de répondre.

— Je ne ferai pas cela.

Kempelen leva les mains dans un geste d'apaisement.

— Tout doux, tout doux. Nous n'avons même pas encore discuté des conditions.

— Quelles conditions ? Ce serait tricher.

— Pas davantage que de magnétiser deux morceaux de fer et de parler d'« attraction magique ».

— *Tu ne mentiras point.*

— Tu ne joueras pas non plus pour de l'argent, si tu tiens aux citations bibliques.

— Les gens voudront vérifier comment fonctionne la machine, et ils découvriront le pot aux roses.

— Ils vérifieront, oui. Mais ils ne trouveront rien du tout. J'y veillerai, c'est *mon* travail.

Tibor n'était toujours pas convaincu, mais il était à court d'arguments.

— Une représentation devant l'impératrice, une seule, ajouta Kempelen, et je démonte la machine. De nos jours, même les inventions les plus sensationnelles ont une durée de vie fort brève. Il suffira que j'impressionne Marie-Thérèse une fois pour que ma fortune soit faite. L'impératrice soutiendra mes autres projets. Et le jour où je livrerai ma machine parlante, tout le monde aura depuis longtemps oublié mon joueur d'échecs.

Tibor examina le croquis de l'automate.

— Voici ce que je te propose : je te verserai un salaire confortable. En sus, tu seras logé et nourri plus que correctement jusqu'à la représentation. Et tu joueras sous les yeux de l'impératrice, peut-être même *contre* elle. Peu de gens peuvent s'en flatter.

— Cela ne marchera pas.

— Admettons que tu aies raison et que j'échoue : qu'as-tu à redouter ? Si quelqu'un essuie des reproches, ce sera moi. Toi ? Tu pourras prendre l'escampette, ton salaire en poche. Tu as tout à y gagner.

Tibor se tut un instant, puis il regarda la montre. Le quart d'heure était écoulé.

— Si je refuse, me ferez-vous tout de même libérer ?

— Bien sûr. Je t'ai donné ma parole. De même que je te donne ma parole que notre joueur d'échecs remportera un succès sans égal.

Tibor replia soigneusement le croquis et le rendit à son interlocuteur.

— Je vous remercie beaucoup. Mais je ne veux pas tricher.

Kempelen regarda Tibor dans les yeux, jusqu'à ce qu'il détourne le regard. Puis il reprit la feuille.

— Dommage, dit-il, et il entreprit de ranger les pièces du jeu d'échecs. Tu renonces à une possibilité unique de participer à une entreprise grandiose.

Sur les marches du palais des Doges, Wolfgang prit brièvement congé après avoir indiqué à Tibor, à toutes fins utiles, le nom de l'auberge où il était descendu. Le nain le suivit des yeux tandis qu'il s'éloignait de l'autre côté de la place Saint-Marc. Le Hongrois n'avait pas l'air plus affecté que si Tibor avait été l'un des nombreux candidats à cette étrange mission.

Il s'était remis à pleuvoir, une petite pluie de novembre froide et opiniâtre. À travers les ruelles désertes, Tibor regagna la taverne du Rio San Canciano, où l'aubergiste et ses deux servantes faisaient encore le ménage. Le tenancier ne fut pas particulièrement enchanté de revoir le trublion de la veille. Il lui annonça que le marchand avait emporté sa mise, ainsi que son jeu d'échecs, en souvenir. Quand Tibor réclama le nom et l'adresse du Vénitien, l'aubergiste le flanqua dehors.

Devant la taverne, Tibor resta sous la pluie, indécis, jusqu'à ce que les deux servantes passent la tête par la porte. Elles voulaient bien lui indiquer le nom et l'adresse de son adversaire, dit l'une. Mais, en échange, il devrait leur montrer ses parties génitales. La veille au soir, déjà, elles s'étaient interrogées : était-il vrai que la verge des nains était plus grande que celle des hommes ordinaires ? Tibor en demeura bouche bée, mais il n'avait pas le choix. Sans son matériel, son jeu d'échecs, il était perdu. Il s'assura qu'ils étaient seuls et découvrit brièvement son sexe. Les servantes gloussèrent, ravies, et Tibor obtint l'adresse souhaitée.

Pendant le reste de la journée, le nain fit le guet en face du *palazzo*. Il ne tarda pas à être complètement trempé, mais la pluie n'avait pas que des inconvénients : les bourgeois, et surtout les carabiniers, pressaient le pas sans faire attention à lui. Sous son capuchon, il ressemblait à un enfant égaré.

Il lui fallut patienter jusqu'au soir. Le marchand sortit enfin de chez lui. Il portait une cape noire au-dessus d'une redingote de couleur, et un chapeau à plume pour se protéger de la pluie. Tibor lui emboîta le pas à distance respectueuse. Le parfum douceâtre du Vénitien était si puissant malgré la pluie que, même les yeux bandés, il aurait pu le suivre à la trace. Quelques pâtés de maisons plus loin, il s'approcha. Le marchand fut surpris de revoir son adversaire de la veille et, posant la main sur le pommeau de son épée, vérifia qu'il était armé. Il ne s'arrêta pas, et Tibor eut quelque peine à se maintenir à sa hauteur.

– Disparais, monstre.

– Rendez-moi ma mise et mon jeu d'échecs.

— J'ignore comment tu es sorti des plombs, mais je peux t'y renvoyer en un tournemain.

— C'est vous qui devriez être en prison ! Rendez-moi mon jeu !

Le marchand glissa la main dans sa cape et en sortit l'échiquier de Tibor.

— Celui-ci ?

Tibor tendit le bras, mais le Vénitien leva le sien hors de portée.

— Je vais disputer quelques parties avec ma bonne amie. Nous avons des échiquiers, bien sûr, l'un en étain, l'autre d'un grand prix, avec des figures de marbre, mais celui-ci... – il brandit le jeu usé de Tibor, dont les pièces cliquetèrent à l'intérieur – a un petit côté rustique, personnel, que je goûte fort.

— Je ne peux pas vivre si je n'ai pas mon jeu !

Le marchand rempocha l'échiquier.

— Tu m'en vois fort aise.

Tibor attrapa l'homme par sa cape. Un mouvement preste, et, déjà, le Vénitien s'était libéré, avait tiré son épée et en avait posé la pointe sur la gorge de Tibor.

— Les esthètes me remercieront si je t'égorge. Alors ne me provoque pas.

Tibor leva les mains en signe d'apaisement. Le Vénitien rengaina sa lame et s'éloigna en riant.

Lorsque, juste avant le point du jour, le Vénitien quitta la demeure de son amie pour rentrer chez lui par le même chemin, Tibor avait eu huit heures pour les imaginer – bien au chaud, enfouis dans des coussins soyeux au milieu de mets délicats et de vins fins – jouer aux échecs en novices, s'aimer tout en se gaussant à loisir du pauvre nain ivrogne et roué de coups qui, dans ses vêtements mouillés, sans abri, languissait après son misérable échiquier. Tibor était prêt : sur le trajet du Vénitien, dans une étroite ruelle proche du canal, il s'était dissimulé parmi les matériaux de construction d'un chantier. Il avait trouvé une corde dont il avait noué l'extrémité libre à un panier de tuiles abandonné au bord du canal.

À l'approche du marchand, Tibor tendit la corde. Son ennemi s'étala de tout son long, et, immédiatement, le nain se précipita sur lui pour lui ligoter les mains dans le dos. Il n'avait jamais rien volé de sa vie ; il voulait simplement reprendre son bien. Il était même prêt à renoncer à sa mise. Quand le marchand comprit ce qui se passait, il appela au secours. Tibor posa une main sur sa bouche. De l'autre, il arracha l'échiquier dissimulé sous la cape du Vénitien. Mais celui-ci se cabra soudain, désarçonnant Tibor. Le jeu tomba à terre et s'ouvrit. Les pièces se répandirent sur le pavé, certaines roulèrent dans l'eau du canal.

Le Vénitien fut plus rapide que son agresseur. Ses bras étant entravés, il administra à Tibor un puissant coup de pied. Le nain s'effondra, le dos contre la corbeille de tuiles qui passa par-dessus bord et glissa dans le canal. La corde se tendit, entraînant le marchand ligoté sur toute la largeur du trottoir. Il cria d'effroi lorsque le poids des tuiles l'entraîna dans le canal. Tibor, qui se trouvait sur son passage, tomba à l'eau, lui aussi.

Le nain se mit aussitôt à battre des bras et des jambes. Un violent coup de pied du marchand le fit couler. En un clin d'œil, ses vêtements imbibés d'eau l'entraînèrent au fond. Sa tête alla cogner contre un mur qu'il suivit pour remonter à la surface. Émergeant, il cracha l'eau fétide du canal et s'agrippa à une saillie de la maçonnerie.

Ce ne fut qu'après avoir aspiré plusieurs profondes goulées d'air qu'il constata que le marchand n'était pas remonté avec lui. Comment l'aurait-il pu ? Les tuiles et la corde le maintenaient au fond. Immobile, Tibor contempla les vagues et les bulles d'air qui disparaissaient peu à peu. Une dernière série vint éclater à la surface, et l'on n'entendit plus rien que les halètements de Tibor.

Il longea le mur jusqu'à ce qu'il trouve une échelle. Alors qu'il progressait tant bien que mal, son pied heurta la tête du noyé. Ce contact lui inspira un effroi sans nom ;

il s'attendait à ce que le mort l'agrippe et l'attire à lui. Paniqué, il se cramponna aux barreaux de l'échelle et se hissa.

Quand il eut regagné la terre ferme, il se retourna vers l'eau noire du canal. Il crut voir un rat nager, mais ce n'était qu'une des figures d'échecs qui flottait. Contre le mur d'en face, le ridicule chapeau à plume du Vénitien glissait, poussé par le vent, comme un canard multicolore. Il ne restait rien d'autre de lui. Tibor rassembla quelques pièces à la hâte, mais son jeu était incomplet. Dans sa précipitation, il jeta le tout à l'eau et se rendit compte trop tard que l'échiquier et les pièces ne couleraient pas. Il prit ses jambes à son cou.

L'église la plus proche était San Giovanni Elemosinario, mais les portes ne s'ouvraient pas. San Polo et San Stae étaient fermées, elles aussi. Par une brèche entre deux palais, Tibor vit le jour se lever. Le soleil était l'œil de Dieu, et Tibor devait absolument lui échapper. Il ne reverrait la lumière du jour qu'après avoir confessé son acte abominable devant l'autel.

Enfin, la porte de chêne de San Maria Gloriosa céda devant lui. Seul dans l'église, Tibor poussa un profond soupir. L'odeur des cierges et de l'encens l'apaisa. Il prit de l'eau bénite et en humecta son front trempé. Par la nef latérale, il se dirigea droit vers l'autel de la Vierge, car il ne pouvait supporter la vision de Jésus en croix : le Sauveur enchaîné lui rappelait trop l'aspect que devait avoir désormais le Vénitien dans le canal.

Devant la madone, Tibor tomba à genoux, il se repentit et pria. De temps en temps, il relevait les yeux et il lui semblait parfois que Marie lui souriait avec compréhension. La tension se relâchant, il se mit à grelotter. Le froid montait depuis les dalles dans ses vêtements trempés et il ne tarda pas à frissonner de tous ses membres. Il aurait voulu se réfugier bien au chaud, dans les bras de la Mère de Dieu, là où était blotti le Petit Jésus, tout nu.

Mais il était juste qu'il souffre : il venait de tuer un homme.

Pendant toute la durée de la guerre, Tibor avait réussi à éviter ce péché. Après que ses parents l'eurent chassé de la ferme, de son village natal de Provesano et de la république de Venise, parce que les voisins accusaient ce gnome de quatorze ans d'importuner les filles du village, un régiment de dragons autrichiens qui passait près d'Udine l'accueillit dans ses rangs. Les soldats marchaient vers le nord pour aller arracher la Silésie à ces brigands de Prussiens et Tibor fut recruté comme mascotte tire-bottes.

Ainsi, au printemps de l'an 1759, Tibor se trouva-t-il plongé en pleine guerre de Sept Ans, laquelle faisait rage depuis trois ans déjà. Le tire-bottes accompagna son régiment en Silésie, en passant par Vienne et Prague, et les dragons attribuèrent à son influence bénéfique la défaite des troupes prussiennes à Kunersdorf. Tibor fut témoin de l'occupation de Berlin et vécut agréablement dans les camps et dans les villes dont ils prenaient possession. Il apprit l'allemand, on lui confectionna un petit uniforme à sa taille, il mangeait copieusement et participait parfois aux beuveries des soldats.

Mais la chance abandonna les Autrichiens en novembre 1760. Le régiment de Tibor fut décimé par les Prussiens à la bataille de Torgau. Bien qu'il n'eût pas participé aux combats, le tire-bottes reçut une balle de mousquet dans la cuisse. La retraite nocturne ne le conduisit pas bien loin et des soldats à cheval le firent prisonnier. Les cuirassiers prussiens ayant perdu plus de la moitié de leur propre bataillon sur le champ de bataille, ils étaient assoiffés de vengeance. Le nain était un butin original ; il eût été dommage de l'expédier trop prestement dans l'autre monde. Les Prussiens vidèrent donc un tonneau de poissons en saumure et remplacèrent son contenu par Tibor. Ayant cloué le couvercle, ils jetèrent le malheureux dans l'Elbe.

Tibor resta enfermé deux jours et deux nuits durant. Il ne pouvait pas bouger, et moins encore se libérer. Sa blessure à la cuisse n'était que sommairement pansée et l'eau glaciale de l'Elbe suintait par une fente, entre les planches du tonneau. Il lui fallait diriger la fuite vers le haut ou la boucher tant bien que mal pour éviter de couler. Le tonneau était tout à la fois sa prison et son radeau de sauvetage, car il ne savait pas nager. La puissante odeur de poisson lui donna d'abord la nausée, mais deux jours plus tard, affamé, il léchait la saumure à même les douves. Le nain, à bout de forces, appela à l'aide jusqu'à en perdre la voix. Il se souvint alors de la médaille de la Vierge qu'il avait au cou et chercha le salut dans la prière. Il fit serment à la Mère de Dieu de ne plus boire une goutte d'alcool si elle le délivrait de sa geôle flottante. Six heures plus tard, il lui promit sa virginité en sus et, trois heures après, il faisait vœu d'entrer au couvent.

S'il avait patienté encore une heure, il aurait pu s'épargner cette promesse car, entre-temps, le tonneau avait atteint Wittenberg. Là, des bateliers repêchèrent Tibor de l'Elbe et le libérèrent, et, dans la ville de Luther, il se jeta à terre, couvrit le sol de baisers et bredouilla des actions de grâce catholiques, comme si un nain salé, puant le poisson et vêtu d'un uniforme de dragons ensanglanté n'offrait pas un spectacle suffisamment pittoresque.

Tibor fut emprisonné, sa blessure soignée et l'uniforme nauséabond brûlé. Il se remit rapidement, et, tout aussi rapidement, l'impatience le gagna : il avait donné sa parole à la Vierge et voulait la tenir dès que possible. Il dut attendre trois mois avant d'être libéré. La guerre n'était pas terminée, mais le coût de la détention de Tibor pour les Prussiens dépassait l'utilité qu'il pouvait avoir pour les Autrichiens.

Ayant recouvré la liberté, Tibor se joignit à une troupe de forains qui se rendaient en Pologne. C'était le plus court chemin pour rejoindre une terre catholique.

Lorsque les cloches tirèrent Tibor de ses méditations, l'eau du canal avait noirci la dalle, sous ses genoux. Quelques paroissiens matinaux s'étaient regroupés sur les bancs et devant le confessionnal. Tibor alluma un cierge pour le mort et se dirigea vers l'auberge de Wolfgang von Kempelen.

Le baron hongrois était déjà parti. Alors que Tibor sentait la panique le gagner, le portier ajouta que Kempelen lui avait confié qu'avant de rentrer chez lui, il avait l'intention de faire halte chez un verrier de Murano.

Tibor se rendit aussitôt à Murano et, malgré sa mise dépenaillée, fut immédiatement introduit dans le cabinet de travail du *signore* Coppola. Un domestique lui fit traverser la verrerie jusqu'à une porte à laquelle il frappa trois fois. Tandis qu'ils attendaient tous deux une réponse, le domestique examina Tibor, ou, plus exactement, un de ses yeux examina Tibor tandis que l'autre, doté d'une vie propre, restait fixé sur la porte. Plus étrange encore, l'homme avait un œil brun et l'autre vert. Tibor envisageait déjà de faire demi-tour, quand une voix les pria d'entrer. Le bigle ouvrit la porte.

Le cabinet de travail de Coppola avait tout d'un atelier d'alchimiste, à cette différence qu'on s'y intéressait aux verres, aux cornues et aux fioles eux-mêmes, et non à leur contenu. À la seule table dégagée, au centre de la pièce aveugle, Wolfgang von Kempelen était assis en face du maître verrier, un homme bedonnant, au menton fuyant, vêtu d'un tablier de cuir. Entre eux, sur la table, était posé un coffret plat. Kempelen ne sembla pas particulièrement surpris de revoir Tibor.

— Tu arrives à point nommé, le salua-t-il. Assieds-toi.

De la tête, Coppola désigna un escabeau que Tibor approcha du siège de Kempelen. Le maître verrier resta silencieux, et ne parut pas troublé par la singulière constitution physique de Tibor. Il lui adressa cependant un regard si pénétrant que le nain fut contraint de détourner les yeux.

D'un geste de la main, Kempelen invita le Vénitien pansu à poursuivre. Coppola tourna le coffret, le fermoir vers Kempelen et Tibor, et l'ouvrit solennellement. À l'intérieur, de petites orbites de velours rouge contenaient douze globes oculaires – six paires d'yeux –, dont les pupilles étaient rivées sur Tibor. Le nain se signa, pris d'effroi. Kempelen éclata d'un rire tonitruant, et Coppola se joignit à lui d'une voix éraillée.

— Magnifique ! s'exclama Kempelen, félicitant le verrier dans un italien irréprochable. Vous ne pouviez offrir meilleure preuve de la qualité de votre travail.

Coppola enfila un gant, sortit un œil bleu foncé de sa niche de velours et le posa sur un morceau d'étoffe, devant Kempelen. Celui-ci prit l'œil avec moins de précautions et le tourna entre ses doigts, révélant par intermittence l'éclat de la pupille. Puis il le reposa dans le coffret, à côté de son pendant, en le tournant de façon à infliger un affreux strabisme à la paire d'yeux inanimés. Coppola en proposa d'autres à Kempelen.

Tibor comprit alors qu'il s'agissait d'objets de verre et non de globes oculaires prélevés sur des cadavres, comme il l'avait cru. Mais l'aspect des six paires d'yeux n'en était guère plus supportable.

Quand Kempelen eut regardé tout son soûl, il demanda à Tibor :

— Lesquels veux-tu ?

— Lesquels je… ?

— Pour l'automate. Lesquels choisirais-tu ?

Tibor désigna les iris bleus qui louchaient. Coppola souffla pour marquer son approbation, mais Kempelen secoua la tête.

— Un Turc aux yeux bleus ? L'impératrice flairerait la supercherie.

Wolfgang von Kempelen avait hâte de regagner Presbourg, ce qui convenait parfaitement à Tibor. Tôt ou tard, une gondole heurterait le cadavre du marchand, et l'on se mettrait à la recherche du nain. Kempelen ne demanda pas à son compagnon pourquoi il avait changé d'avis. À Mestre, sur le continent, il lui acheta de nouveaux vêtements, et ils montèrent dans une calèche.

Le lendemain, Tibor manifestait tous les symptômes d'une forte grippe. Kempelen soigna le malade à grand renfort de médicaments et de couvertures mais se refusa à interrompre leur voyage. Il en profita pour définir avec Tibor les termes de leur contrat. Il lui proposait un salaire hebdomadaire de cinq florins, le logis et le couvert, auxquels s'ajouterait une prime de cinquante florins si la représentation devant l'impératrice était un succès. Ces chiffres impressionnèrent si bien Tibor qu'il ne songea même pas à marchander.

Son dernier emploi stable remontait à l'été 1761, au monastère polonais d'Obra, où il s'était retrouvé après avoir fui la Prusse. Il y travailla comme jardinier, y apprit à lire et à écrire et y rendit quotidiennement grâce au Seigneur, au Sauveur et, surtout, à la Bienheureuse Mère de Dieu de l'avoir mis à l'abri des murailles du couvent. Il ne se fit pas moine mais, après tout, il ne l'avait pas promis à la Sainte Vierge.

Malgré l'interdiction du supérieur, un petit groupe de novices s'adonnaient aux échecs, et c'est ainsi que le jeune homme fut initié au jeu des rois. Dès sa première partie, le nain l'emporta contre ses adversaires. On avait peine à croire qu'il n'avait encore jamais joué. Au fil des semaines, il devint une véritable attraction : de plus en plus nombreux, les moines rejoignaient la société secrète des échecs, jouaient et perdaient contre le génie nouvellement révélé. Tibor jouit du respect des frères jusqu'au jour où un mauvais perdant signala au père abbé que l'enfer du jeu s'était ouvert dans l'enceinte même du couvent. Il fallait un bouc émissaire, et le sort tomba sur Tibor. On lui versa son salaire et on lui remit l'échiquier car – telle était la version que les novices avaient présentée au supérieur –, il l'avait introduit subrepticement dans le monastère.

À l'automne de l'an 1765, quatre années après son arrivée, Tibor se retrouva donc à la rue ; le temps étant froid, il décida de partir vers le sud. Il mit trois ans à regagner la république de Venise. Les échecs lui avaient fait perdre sa place au couvent, à charge pour eux de le nourrir : dans les tavernes, le long de sa route, il gagna sa vie en remportant les mises de ses adversaires. Il lui arrivait aussi de jouer pour des gains en nature : un repas par-ci, une nuitée par-là, ou une place dans la diligence. Il aurait certainement pu gagner plus gros en ville, mais il évitait les agglomérations importantes. Les yeux ronds des villageois étaient déjà assez difficiles à supporter.

Le petit joueur d'échecs faisait sensation, mais on ne l'aimait pas. On l'aimait moins encore une fois qu'il avait plumé ses adversaires. Tibor se consolait de cette hostilité en priant la Madone et prenait le temps de s'arrêter à chaque reliquaire, à chaque chapelle qu'il rencontrait. Mais la Mère de Dieu était bien loin et ne se montrait pas toujours secourable. Il découvrit alors un autre réconfort, plus accessible : l'eau-de-vie. Passant dans les auberges l'essentiel du temps où il n'était pas sur la route, il devait, tôt ou tard, faire la connaissance du schnaps. À la frontière de la République vénitienne, Tibor, ivre, fut roué de coups et dévalisé sur une route obscure par des villageois qui avaient perdu la veille plus de quarante florins contre lui.

À l'été 1769, Tibor, âgé de vingt-quatre ans, revenait ainsi dans sa patrie, à pied, pochard déguenillé. Quelques mois plus tard, il en repartait, en calèche, décemment vêtu et la bourse pleine.

Dans l'après-midi de la Saint-Nicolas, le chevalier Wolfgang von Kempelen et Tibor Scardanelli arrivèrent à destination. Peu avant le Danube, qu'il fallait traverser pour gagner Presbourg, Kempelen fit arrêter la calèche sur une butte. Des flocons légers tombaient du ciel, qui fondaient au contact du sol.

Après avoir vidé sa vessie, Tibor observa la ville. Par rapport à Venise, Presbourg paraissait bien terne : une ville parfaitement ordonnée, qui s'était étendue hors de son enceinte, dont les abords étaient, d'un côté, hérissés de huttes de pêcheurs et de mariniers et, de l'autre, plantés de vignobles. Seule la cathédrale Saint-Martin, coiffée d'un clocher vert, attirait le regard. Sur la gauche, une colline était surmontée d'un château massif semblable à une table renversée, ses quatre tours dressées comme des pieds contre le ciel gris.

Le Danube roulait ses flots languides devant Presbourg, partagé en son centre par une île. Kempelen s'approcha de Tibor et lui montra un pont qui reliait les deux rives.

— Vois-tu cela ? Un pont qui flotte. Quand des bateaux veulent passer, les deux moitiés du pont se séparent pour se rejoindre ensuite.

— Un pont flottant ?

— Exactement. Une construction extraordinaire, n'est-ce pas ? Maintenant, demande-moi le nom du maître d'ouvrage.

— Quel est-il ?

— Wolfgang von Kempelen. Ne crois-tu pas qu'un homme capable de construire un pont flottant sur le plus grand fleuve d'Europe réussira à dissimuler un nain dans un buffet ? (Kempelen s'agenouilla à côté de Tibor et lui posa la main sur l'épaule.) Contemple bien cette ville, car tu n'en verras pas grand-chose au cours des mois à venir.

— Comment cela ?

— C'est fort simple. Parce que aucun habitant de Presbourg ne doit te voir.

— Et pourquoi ?

— Réfléchis : Kempelen héberge un génie des échecs haut comme trois pommes, et, quelques mois plus tard, le chevalier présente une machine qui joue aux échecs. Ne crois-tu pas que l'un ou l'autre pourrait découvrir le pot aux roses ?

Tibor tourna les yeux vers la cathédrale Saint-Martin. Il aurait bien aimé y prier la Madone.

— Je regrette, mais telles sont mes conditions. Je joue beaucoup plus gros jeu que toi, ne l'oublie pas. (Kempelen donna une petite tape encourageante dans le dos de Tibor.) Ne t'inquiète pas, ma demeure est toute une ville en soi. Tu n'y manqueras de rien.

Kempelen se redressa, frotta ses flancs souillés de terre et rejoignit la calèche. Là, il tint la porte à Tibor comme un laquais et lui fit une révérence.

— Je t'en prie : première épreuve de dissimulation.

Tibor monta en voiture, et, peu après, les deux hommes franchissaient le fleuve sur le pont flottant de Kempelen.

Presbourg, rue du Danube

La maison de Kempelen était située non loin de la porte Saint-Laurent, hors de l'enceinte de la ville, au carrefour entre la rue Saint-Clément et la rue du Danube. Elle comportait trois étages, et, à la différence des demeures voisines dont seules les fenêtres du rez-de-chaussée étaient munies de grilles, celles du premier étage l'étaient également. Il faisait déjà sombre ; personne ne vit le nain descendre de voiture et s'introduire dans la maison. Dès qu'ils furent dans le vestibule, Kempelen le pria de passer devant lui pour gagner l'atelier, situé au dernier étage. Tibor gravit l'escalier faiblement éclairé et retira l'écharpe, le bonnet et le lourd manteau que le chevalier lui avait achetés. Des portraits et des cartes géographiques ornaient les murs ; au premier étage, il aperçut les armes de la famille – un arbre au-dessus d'une couronne. Arrivé au sommet des marches, Tibor ouvrit la porte à deux battants qui menait à l'atelier.

Le lieu où Tibor allait passer presque toutes ses heures de veille au cours des mois à venir mesurait environ huit pas de long sur six de large. Le côté gauche était percé de trois hautes fenêtres et les rideaux ouverts laissaient pénétrer un peu de la lumière des réverbères de la rue. Sur le mur de droite et en façade, deux portes donnaient sur d'autres pièces. Des livres à n'en plus finir remplissaient des étagères de chêne ; la plupart étaient vitrées pour protéger les ouvrages de la poussière de l'atelier. Des outils de menuisier, de serrurier et d'horloger étaient posés sur deux tables et sur un établi – équerres, rabots, scies, marteaux, forets, burins, gouges, ciseaux, serre-joints, cisailles, couteaux, clés, râpes et surtout des limes et des pinces de toutes dimensions ; des instruments, aussi, que Tibor n'avait encore jamais vus, et enfin des loupes et des miroirs qui réfléchissaient la faible lueur du dehors. Sous les tables et contre les murs, il aperçut des matériaux divers : planches et tringles, peinture, fils de métal, câbles et cordes, pointes de fer et clous, de minces disques de métal et les étoffes les plus variées. Aux endroits qui n'étaient pas occupés par des meubles, les tapisseries à la française étaient presque intégralement recouvertes d'eaux-fortes et de dessins. La plupart des croquis étaient des plans de construction inintelligibles pour Tibor. Mais, dans le demi-jour, il reconnut quelques esquisses plus concrètes qui lui rappelèrent celle que Wolfgang von Kempelen lui avait présentée dans sa cellule de Venise.

Cependant, il n'avait aperçu tout cela que du coin de l'œil. Un autre objet retenait son attention. Au centre de la pièce, recouvert d'un drap, il attendait le retour de son créateur : aux contours qui se dessinaient sous l'étoffe, le nain reconnut le joueur d'échecs. Il distinguait la tête et les épaules et, devant elles, le buffet portant l'échiquier. Il s'approcha de l'automate avec autant de circonspection que s'il se fût agi d'un cadavre ; comme on écarte un linceul, il releva le drap de lin.

Ce qu'il découvrit le fit frissonner. Assis en tailleur sur un tabouret, derrière le buffet, le joueur d'échecs – ou la joueuse, car il était encore impossible de définir le sexe de cet être artificiel – n'était qu'un squelette mutilé. Le torse et le dos grands ouverts laissaient apparaître des tringles et des câbles en place de côtes et de muscles ; le bras gauche s'arrêtait au-dessus du poignet, comme si on lui avait tranché la main, et du moignon s'échappaient trois cordons qui pendaient dans le vide. Le plus affreux était son visage, ou plus

30

exactement sa tête, car il n'avait pas de visage. L'orifice d'un tuyau s'ouvrait là où aurait dû se trouver la bouche et, à la place des yeux, deux ficelles sortaient comme des nerfs optiques privés de fonction. Derrière, dans l'ombre, la boîte crânienne était vide. La vision de ce monstre de bois fascina si bien Tibor que, pendant un long moment, il oublia de se signer.

La porte qu'il avait refermée derrière lui s'ouvrit soudain sur un homme portant une lampe à huile, qui n'était pas Kempelen. Devait-il se cacher ? Sa tête dépassait à peine du plateau de l'échiquier, et l'inconnu ne le vit pas. Tournant le dos au nain, il alluma toutes les lampes de la pièce. Élancé, des mèches de ses cheveux châtain clair lui tombant dans les yeux, il portait des lunettes et ses mains étaient enfoncées dans des mitaines. Il devait avoir à peu près l'âge de Tibor. Une planche grinça et l'homme s'approcha. En apercevant le nain, il lança un juron, une main sur le cœur.

Pendant un long moment, les deux hommes, silencieux, se mesurèrent du regard puis le visage de l'inconnu se fendit d'un large sourire qui se transforma en rire tonitruant.

— Fantastique, s'écria-t-il après avoir retrouvé son sérieux. Voilà qui est vraiment une… une petite sensation.

La plaisanterie déclencha un nouveau fou rire qui ne s'apaisa qu'à l'arrivée de Kempelen.

— Vous avez fait connaissance ? Tibor, voici mon assistant, Jakob. Jakob, je te présente Tibor Scardanelli, de Provesano.

À contrecœur, Tibor saisit la main tendue. L'auxiliaire de Kempelen la secoua énergiquement.

— Vous serez amenés à passer beaucoup de temps ensemble, annonça Kempelen. Jakob m'aide à réaliser le joueur d'échecs. Il a construit le buffet et va maintenant s'attaquer au Turc.

— Au Turc ?

— Oui. Nous avions d'abord pensé à une jeune femme pour notre automate, une charmante créature au teint de porcelaine revêtue d'une robe de soie, mais nous avons changé d'avis. (Kempelen posa la main sur l'épaule de l'androïde inachevé.) Ce ne sera pas une jolie demoiselle, mais un farouche mahométan. Un sarrasin, la terreur des croisés, l'assassin des petits chrétiens, qui ne rend raison qu'à lui-même et à Allah. Cela devrait impressionner quelque peu nos adversaires. Après tout, les échecs sont originaires d'Orient. De qui attendre une parfaite maîtrise de ce jeu, sinon d'un Oriental ?

Jakob fit mine de débarrasser Tibor de son manteau.

— Assez parlé. J'aimerais voir comment notre cerveau s'adapte au crâne.

— Pas maintenant, Jakob. Nous avons fait un long voyage et je ne veux pas obliger notre hôte à passer d'une boîte à une autre. Montre-lui plutôt sa chambre.

Jakob conduisit Tibor dans une petite pièce située au fond d'un couloir qui s'ouvrait derrière la porte de droite. Elle ne contenait que le minimum, un lit, une table, une chaise et une cuvette. Une lucarne donnait sur la cour intérieure ; elle était placée si haut qu'un homme de taille normale lui-même n'aurait pu l'atteindre qu'en se hissant sur la pointe des pieds. L'assistant de Kempelen apporta à Tibor des draps, un édredon et un vase de nuit. Le chevalier arriva un peu plus tard avec un plateau sur lequel était disposé le dîner du nain : du pain bis et du jambon, du thé chaud et deux verres. Pendant qu'ils buvaient, Kempelen décrivit sa demeure à Tibor.

— J'y vis avec mon épouse, mon enfant et trois domestiques. Je te présenterai bientôt mon épouse. Quant aux gens de maison, tu n'auras guère l'occasion de les rencontrer. Je ne me fais aucun souci pour mon valet, mais la servante et la cuisinière sont des femmes simples et, malheureusement, le sexe faible n'est pas connu pour sa discrétion. Elles ne doivent donc pas être informées de ta présence. Elles ont pour instruction de n'entrer dans mon appartement qu'avec mon autorisation, et de ne mettre les pieds à l'atelier sous aucun prétexte. Tu ne les verras donc jamais à l'étage supérieur. Si tu veux prendre un bain ou te soulager, tu devras attendre la nuit. En cas de besoin, quel qu'il soit, adresse-toi d'abord à Jakob. Il habite le Schlossgrund, mais il lui arrive souvent de dormir à l'atelier quand il se fait tard. Je n'ai pas peur des espions, mais le petit peuple de Presbourg, les paysans, les domestiques, les gens du Sud ont un grave défaut : la curiosité. Celle-ci n'est surpassée que par leur superstition. (Kempelen avala une gorgée de thé.) Je regrette de devoir t'imposer autant de contraintes, mais c'est un projet fort ambitieux et je ne peux me permettre d'échouer. Il suffirait d'une infime négligence pour tout réduire à néant.

Tibor hocha la tête.

— Tu es satisfait de ta chambre ? Il te manque quelque chose ?

— Oui. Un crucifix.

Kempelen sourit.

— Bien sûr. (Il se leva.) Bonne nuit, Tibor. Je me réjouis de travailler avec toi. Je suis certain que cette rencontre nous sera très profitable, à toi comme à moi.

— Oui. Bonne nuit, *signore* Kempelen.

Le lendemain, à la lumière du jour, Tibor put examiner l'automate tout à loisir. La table, ou plus exactement le buffet devant lequel l'androïde était assis, mesurait à peine deux aunes de large et une aune et quart de profondeur et de hauteur. Les quatre pieds étaient munis de roulettes. Trois portes s'ouvraient sur l'avant : l'une à gauche et, à droite, une autre à deux battants. Un long tiroir occupait toute la largeur du buffet, sous les portes. Comme celles-ci, il était équipé d'une serrure. Sur l'arrière de la table, deux autres portes fermant à clé étaient également disposées de part et d'autre du joueur d'échecs. Elles étaient nettement plus petites que celles de la face antérieure. L'avant du tabouret sur lequel était assis l'androïde était assujetti au buffet. La table était en noyer, les panneaux des portes plaqués de bois de loupe. Le plateau de la table à jouer reposait sur des coulisses et ne pouvait être retiré que sur l'avant, en l'écartant de l'androïde. Au milieu du plateau, on avait ménagé un espace carré, vide : l'échiquier, qui se trouvait encore sur un des établis, y serait bientôt encastré.

Jakob et Kempelen firent doucement coulisser le plateau du buffet et ouvrirent les cinq portes, permettant ainsi à Tibor d'examiner les entrailles de la machine. Le fond était intégralement recouvert de feutre vert. Comme les portes de la façade, l'intérieur était divisé en deux compartiments, séparés par une cloison de bois, celui de gauche occupant le tiers de l'espace et celui de droite les deux tiers restants. Le compartiment de droite était vide, à l'exception de deux tiges de laiton cintrées rappelant le limbe d'un sextant.

Les rouages de l'automate occupaient le compartiment gauche, le plus petit : tout au fond, Tibor distingua un cylindre d'où sortaient des goujons, à distances irrégulières. On avait équipé le cylindre d'un peigne formé de onze tiges métalliques que les goujons, songea-t-il, devaient venir frapper ou pincer à tour de rôle comme les cordes d'un clavicorde ou d'un clavecin. Il avait déjà vu un dispositif de ce genre, en beaucoup plus petit, sur une boîte à musique : quand on tournait une manivelle, le petit cylindre se mettait en rotation et les chevilles frappaient des languettes métalliques de différentes longueurs. Les sons ainsi produits composaient une mélodie.

Kempelen demanda à Jakob de remonter le mécanisme. L'assistant enfonça une manivelle dans un orifice percé sur la gauche du buffet et la tourna plusieurs fois. Le cylindre se mit lentement en mouvement, tandis que l'enchevêtrement de roues dentées et de ressorts de différentes tailles disposé derrière le cylindre et le peigne qui le surmontait commençait, lui aussi, à bouger. Tibor observa attentivement le mécanisme, s'attendant à ce qu'il se produise quelque chose, mais, hormis le cliquetis régulier des rouages, il ne se passa rien.

— À quoi sert ce mécanisme ? demanda-t-il enfin, lorsqu'il estima l'avoir regardé assez longtemps pour satisfaire aux règles de la courtoisie.

— À faire du bruit, répondit l'assistant de Kempelen avant que celui-ci n'ait pu le faire.

— Jakob a raison, confirma Kempelen. Ce mécanisme n'a d'autre fonction que de présenter l'apparence d'un système complexe et de produire le bruit requis. Puisque c'est toi qui feras le travail, toute cette machine n'est qu'ornement. Accessoire.

— Illusion, corrigea Jakob.

Tibor fut surpris par l'insolence de l'assistant, mais, une fois de plus, Kempelen n'eut pas l'air de s'en offusquer.

— Ou illusion, oui, si l'on veut.

Tibor se replongea dans la contemplation de l'automate. Il était petit, bien sûr, mais pas suffisamment pour tenir dans une partie quelconque du meuble – sans compter qu'il devrait bouger. Le compartiment de droite aurait peut-être convenu, s'il n'y avait eu les tiges de laiton.

Kempelen anticipa sa question :

— Là commence la magie.

Enfonçant la main dans le meuble, Jakob écarta la cloison entre les deux compartiments – car il n'y avait pas *une* cloison, mais deux demies, ce qui permettait d'assurer une communication entre les espaces. Ce n'était pas tout : Jakob replia une trappe recouverte de feutre qui masquait le véritable fond du compartiment de droite. La dernière mystification était le tiroir situé sous les trois portes : sa profondeur n'atteignait que la moitié de celle du meuble, si bien qu'après avoir retiré le double fond on gagnait encore une dizaine de pouces.

Jakob apporta un escabeau à Tibor, qui, prenant appui sur les deux hommes, s'introduisit par le haut à l'intérieur de l'appareil, s'assit à gauche, derrière le mécanisme, et étendit les jambes dans l'espace libre ménagé derrière le demi-tiroir. La place était suffisante. Il ne se cognait nulle part, pas même au mécanisme situé près de son épaule droite. On aurait dit que Wolfgang von Kempelen avait fabriqué cet automate à sa mesure. Les traits de l'inventeur reflétaient une fierté manifeste.

— Mais comment voulez-vous que je joue aux échecs là-dedans ? demanda Tibor. Je peux à peine bouger.

Sur sa gauche, là où était assis l'androïde, une planche était fixée contre la paroi. Kempelen détacha un loquet et elle se rabattit sur les genoux du nain, dégageant une ouverture qui lui permettait de voir ce qui se passait à l'intérieur de l'homme de bois. Kempelen tira une tige de laiton du ventre de l'androïde, la posa sur le plateau qui se trouvait sur les genoux de Tibor et lui fit esquisser quelques mouvements. Le bras gauche du Turc bougea.

— C'est un pantographe, expliqua-t-il. Un instrument qui permet de reproduire un tracé en l'agrandissant. Dès que tu fais un mouvement, ici, en bas, le Turc le reproduit là-haut à plus grande échelle. Pour le moment, il ne peut remuer que le bras, mais il aura bientôt une main, et alors il pourra également tenir les pièces.

— Comment verrai-je l'échiquier ?

Kempelen inspira entre ses dents serrées.

— C'est un problème que nous n'avons pas encore parfaitement résolu. Mais j'ai quelques idées.

— Et les pièces ? Comment… ?

— Il nous reste quatre mois de travail, Tibor. D'ici là, nous aurons répondu à toutes tes questions. (Kempelen et Jakob soulevèrent le plateau de la table qu'ils avaient retiré.) Maintenant, nous allons te plonger dans le noir.

Les deux hommes firent coulisser le plateau sur le buffet. Jakob ferma toutes les portes. Un instant, Tibor eut l'impression d'être assis au fond d'un puits carré, car une faible lueur tombait encore par l'ouverture située au milieu du plateau de la table. Mais Kempelen mit alors l'échiquier en place et il fit nuit noire. Les bruits extérieurs ne parvenaient plus à Tibor que de manière assourdie. Il entendait surtout sa propre respiration.

— Et, à présent, une petite partie de colin-maillard.

C'était la voix de Jakob. Le meuble bougea. Jakob le faisait tourner sur ses roulettes autour de son axe.

L'oscillation rappela immédiatement à Tibor ses deux journées sur l'Elbe, enfermé dans un tonneau, sans espoir de salut. Il serra les poings involontairement. Il avait le cœur au bord des lèvres ; à chaque mouvement, sa tête lui donnait l'impression d'enfler et de se dégonfler tour à tour. Le sang qui bourdonnait à ses oreilles faisait le même bruit que le courant du fleuve. La paroi de gauche et le mécanisme qui se trouvait sur sa droite semblèrent soudain se déplacer comme pour l'écraser entre eux ; il avait l'impression que les dents acérées des rouages cherchaient à le déchiqueter. L'air se raréfiait et l'intérieur du buffet répandait une forte odeur de bois et d'huile. Tibor s'apprêtait à demander poliment qu'on voulût bien retirer le plateau de la table, mais lorsqu'il ouvrit la bouche, ce fut un cri qui s'échappa ; il appela au secours, d'abord en allemand, puis en italien. Il avait vu les planches dont était fait le meuble et savait qu'elles étaient si épaisses qu'il ne pourrait se libérer par ses propres forces. Sans aide extérieure, il resterait enfermé, vivant, dans ce cercueil et pourrait tambouriner jusqu'à l'asphyxie, jusqu'à mourir de soif ou sombrer dans la folie.

Quand Jakob et Kempelen eurent fait glisser le plateau et extrait Tibor de la machine en le hissant par les bras, il était en nage, et aussi livide que le visage inachevé de l'androïde. Kempelen lui apporta un gobelet d'eau et Jakob un torchon. Le nain se sentit encore plus petit lorsqu'il s'assit sur un tabouret et épongea sa transpiration, sous les regards de Kempelen et de son assistant.

— M'aurais-tu caché quelque chose ? demanda enfin Wolfgang von Kempelen, quand Tibor eut fini de boire.

— Non. C'est à cause du noir.

— Tu auras une bougie.

— Je m'y habituerai. Je vous le promets.

Kempelen hocha la tête en signe d'approbation, sans quitter pourtant Tibor des yeux. Jakob recommençait déjà à sourire d'un air béat.

— Un nain qui a peur du noir ! Prodige des prodiges ! Il doit pourtant faire noir comme dans un four au fond de vos mines, non ?

La journée de travail de Tibor était achevée, et il se retira dans sa chambre. Kempelen lui remit un petit échiquier et tous les manuels d'échecs en sa possession – *Schach oder Königs-Spiel* de Selenus, *Kunststück des Schachspiels* du rabbin

Ibn Ezra, l'*Essai sur le jeu des échecs* de Stamma, ses propres *Schachspiel-Geheimnisse*, évidemment le célèbre ouvrage de Philidor, l'*Analyze des Échecs contenant une Nouvelle Méthode pour apprendre en peu de temps à se perfectionner dans ce Noble Jeu*, et enfin, apporté de Venise où il venait d'être imprimé, *Il giuoco imcomparabili degli scacchi*. Il le pria de les étudier consciencieusement au cours des semaines à venir afin de perfectionner son jeu. Tibor avait entendu parler de ces ouvrages, mais il n'en avait jamais vu aucun. Et voici que d'un coup il avait les six entre les mains. Il mit le livre du Juif tout en bas de la pile et ouvrit d'abord le Stamma pour découvrir à son grand regret que ce n'était pas une traduction allemande, mais une édition française. Il chercha à en déchiffrer le contenu grâce à sa langue maternelle, mais la tâche était laborieuse et il finit par se déconcentrer en imaginant que Kempelen et son méchant assistant discutaient entre eux et se demandaient si lui, Tibor, était vraiment celui qui convenait pour présenter la machine à échecs à Sa Majesté l'impératrice. Le projet continuait, certes, à lui inspirer quelque répugnance, mais il lui déplaisait que d'autres pussent douter de lui.

Dans l'après-midi, Tibor fut appelé au salon du premier étage pour y être présenté à l'épouse de Kempelen, Anna Maria, et à leur fille, Mária Teréz. Anna Maria von Kempelen était une jeune femme brune, charmante et élancée, dont la physionomie était cependant gâtée par une expression de méfiance. Elle garda son enfant dans ses bras tout le temps de leur entrevue, même lorsque la petite dormait, uniquement pour éviter d'avoir à lui serrer la main, sembla-t-il au nain. Kempelen avait fait porter du café et des biscuits ; Tibor était donc assis là, à grignoter du pain d'épice et à boire du café à la crème dans de la porcelaine fine, tandis que le chevalier cherchait désespérément à meubler le silence qui menaçait de devenir pesant : il parlait sans discontinuer, s'efforçait d'éveiller l'intérêt d'Anna Maria pour Tibor et inversement ; il évoqua quelques-unes des aventures de Tibor ainsi que le temps où Anna Maria avait été dame de compagnie de la comtesse Erdödy, mais son enjouement ne fut pas communicatif. La jeune femme ne réagissait que par monosyllabes aux propos de son mari et, lorsque Tibor se décida à faire preuve de quelque audace et la félicita pour ces délicieux gâteaux de l'avent, elle déclara sèchement et sans lui jeter un regard que ce n'était pas elle qui les avait faits mais sa cuisinière. Le moment le plus déplaisant fut celui où Kempelen quitta la pièce pour aller chercher d'autres pains d'épice. Le silence dura une minute entière, durant laquelle Tibor contempla un portrait de l'impératrice, écouta la respiration de l'enfant endormie et le balancier de l'horloge tout en espérant que Kempelen ne s'attarderait pas à la cuisine. Au terme d'une demi-heure, celui-ci mit fin à leur petite réunion en disant : « Nous avons à faire », et Tibor fit le vœu de ne plus jamais avoir à affronter Anna Maria. Si les choses s'étaient passées comme elle l'aurait souhaité, sans doute ne l'eût-il effectivement plus revue. Il ignorait si elle le trouvait personnellement insupportable ou si elle désapprouvait le rôle qu'il jouait dans la supercherie de l'automate. Les deux, probablement.

Au cours des journées qui précédèrent Noël, les trois hommes cherchèrent le moyen de permettre à Tibor de voir l'échiquier. Ils firent l'essai d'un échiquier translucide, puis d'un périscope installé dans le tronc du Turc, mais les deux solutions étaient insatisfaisantes. Il était difficile de chauffer correctement l'atelier, ce qui les obligeait à travailler en manteau et en gants. Pendant les pauses, Tibor s'asseyait à l'une des fenêtres et observait en contrebas, dans la rue du Danube, les habitants de Presbourg qui marchaient dans la neige. Les paysans et les pêcheurs se rendaient au marché, les nobles se promenaient à cheval ou en calèche, les charbonniers tiraient des traîneaux chargés de charbon et de bois de chauffage, les artisans et les domestiques vaquaient à leurs occupations. Tous ces gens que Tibor ne rencontrerait jamais... Il pouvait les voir, mais il demeurait invisible à leurs regards, et cela lui convenait.

Wolfgang von Kempelen sortait fréquemment. Bien que l'impératrice l'eût dégagé de ses obligations, nombre de tâches réclamaient encore sa présence. Il se rendait ainsi plusieurs fois par semaine à la Chambre royale de Hongrie. Durant ces moments, Tibor aurait préféré se retirer dans son réduit pour y lire les livres que Kempelen lui avait donnés et reproduire les parties des maîtres qui y étaient décrites, mais la mise au point de l'automate passait avant tout. Cela l'obligeait à collaborer avec Jakob, dont la compagnie lui était tout aussi intolérable que celle d'Anna Maria.

Un jour qu'ils s'exerçaient au maniement du pantographe, Jakob entonna, comme il le faisait souvent, une petite chanson égrillarde :

Le pape mène grand train dans le monde en vendant des indulgences.
Il boit les vins les plus fins. Ah ! que ne suis-je pape !
Mais non, pauvre bougre ! Jamais gueuse ne l'embrasse,
Il dort seul dans son lit, je n'aimerais pas être pape !

Le sultan mène joyeuse vie, il habite une grande maison
Remplie de jolies filles. Ah ! que ne suis-je sultan !
Mais non, pauvre bougre, il respecte le Coran,
Et ne boit pas une goutte de vin, je n'aimerais pas être sultan !

Point ne voudrais partager leur sort un seul instant.
Mais voici ce qui me plairait : être tantôt pape, tantôt sultan.
Allons, fillette, embrasse-moi, car je suis le sultan !
Allons, mon frère, buvons un coup, pour que je sois pape en même temps !

— Il y a une chose curieuse, lança ensuite Jakob. Sais-tu que même si tu vivais cent ans tu ne pourrais jamais être grand maître aux échecs ?

— Pourquoi cela ? demanda Tibor, méfiant.

— Regarde-toi ! Grand maître ? Avec ta taille ?

L'éclat de rire moqueur qui salua ces propos plongea Tibor dans une telle colère qu'il saisit le bras du Turc et en frappa le visage de Jakob, qui se penchait précisément sur l'automate. Les lunettes de l'assistant tombèrent dans la machine ouverte et il se tint le nez. Quand il retira sa main, elle était rouge vif. Incrédule, il essuya le sang qui coulait de ses narines et le contempla.

— Tu as vu cela ? demanda-t-il, furieux, à Tibor.

Celui-ci se préparait à parer l'attaque. Il était peut-être petit, mais il était vigoureux et avait déjà eu raison d'autres adversaires.

Mais Jakob ne bougea pas.

— Il m'a frappé ! (S'adressant directement à l'androïde, il se mit à vociférer :) Je suis ton créateur, espèce d'ingrat ! Comment peux-tu agresser ton père ? Si tu recommences, tu finiras en petit bois.

Puis il éclata de rire, comme d'habitude.

C'était la dernière réaction à laquelle Tibor s'attendait. Jakob administra encore au Turc une taloche sur la nuque, et se nettoya le visage. Puis il se remit au travail comme si de rien n'était. Le nain n'en revenait pas.

Le jour même, un échiquier fut inséré dans la planche qui se rabattait sur les genoux de Tibor. Celui-ci pouvait ainsi reproduire la partie qui se déroulait au-dessus de lui, sur la table de jeu. Wolfgang von Kempelen avait eu l'idée d'utiliser cet échiquier comme échelle pour définir la position de la main de l'automate : il régla le pantographe de telle manière que, lorsque Tibor en posait l'extrémité sur une case, la main du Turc planait au-dessus de la case correspondante. Le pantographe disposant désormais d'une pince en guise de doigts, Tibor pouvait prendre et déplacer les pièces du Turc. Le seul inconvénient était que son échiquier à lui était placé dans la même position que celui qui se trouvait devant l'androïde un étage plus haut, donc, pour lui, latéralement. Dans un premier temps, cette rotation de quatre-vingt-dix degrés empêcha Tibor de réfléchir correctement. Et, bien qu'il eût continué à remporter toutes les parties, ce changement d'habitudes lui valut de sérieuses migraines.

Les chutes de neige des jours précédents cédèrent la place à un froid calme et brumeux. Le 22 décembre, l'automate fut recouvert de son drap.

— Assez travaillé, accordons-lui et accordons-nous une semaine de repos.

Pendant que Kempelen s'était retiré dans son cabinet de travail, Jakob fit ses adieux à Tibor.

— Une belle fête. Tu vas t'ennuyer à périr. J'espère que tes livres t'offriront une plaisante compagnie.

— Où vas-tu ? Tu vas fêter la naissance du Christ ? Retrouver ta famille ?

— Ni l'un ni l'autre. Mes parents sont à Prague, ou morts, ou encore les deux. Et je ne fête rien du tout.

— Comment cela ?

— Noël n'a rien à voir avec ma religion.

Tibor fronça les sourcils.

— Tu n'es quand même pas luthérien ?

Jakob leva les mains pour protester.

— Dieu m'en préserve, non ! Je suis juif.

Tibor en demeura sans voix, pour la plus grande joie de l'assistant de Kempelen, qui le frappa sur l'épaule.

— Nous nous reverrons l'année prochaine. Je t'inviterais bien entre-temps à aller boire un vin chaud, mais tu sais aussi bien que moi qu'il t'est interdit de quitter ce lieu saint.

Après le départ de Jakob, Tibor s'adressa à Kempelen.

— Il est vraiment juif ?

— Oui.

— Mais il est blond.

— Tous les Juifs n'ont pas les cheveux noirs, une bosse et le nez crochu, tu sais.

— Pourquoi ne me l'avez-vous pas dit ?

— Qu'est-ce que cela aurait changé ? (Sans laisser à Tibor le temps de répondre, Kempelen poursuivit :) Peu m'importe sa religion. Il pourrait aussi bien être musulman, brahmane, ou croire au grand manitou, cela me laisserait parfaitement indifférent. Ce qui compte, c'est qu'il soit excellent menuisier et excellent sculpteur. Remercie d'ailleurs les Juifs de pouvoir vivre des échecs. Sans eux, nous y jouerions encore avec des dés, ou plus du tout.

La révélation de la religion de Jakob ne fut pas la seule surprise que Kempelen fit à Tibor. La seconde fut un cadeau qu'il lui remit à midi, la veille de Noël : une pièce d'échecs que Jakob avait sculptée pour lui – un cheval blanc monté par un nain dont les traits ressemblaient à ceux de Tibor. La figure n'était pas très finement travaillée, mais Jakob y avait consacré au moins une heure ou deux. Tibor examina de près le cheval et le cavalier mais ne put y distinguer ni raillerie ni caractère juif marqué.

Le présent que Kempelen lui fit en son nom était infiniment plus précieux : c'était l'échiquier de voyage sur lequel ils avaient disputé leur première partie à Venise – y compris la reine rouge, qu'il lui avait alors confisquée.

Le chevalier invita Tibor à passer la fête avec eux, mais il refusa en remerciant. Il ne voulait pas compromettre davantage la paix conjugale entre Kempelen et son épouse. Le soir de Noël, Kempelen quitta la maison avec sa famille pour se rendre à la messe de minuit à la cathédrale Saint-Martin. Tibor les y aurait volontiers accompagnés, en revanche. Cela faisait plus d'un mois qu'il n'avait pas mis les pieds dans une église, qu'il ne s'était pas confessé et n'avait pas reçu la communion. Il resta seul à la maison et pria devant son crucifix nu, jusqu'à ce qu'à minuit, le carillon des cloches déferlât dans les rues de la ville.

La prophétie du Juif se réalisa : Tibor s'ennuyait. Il aurait encore préféré la compagnie de Jakob à cette solitude pesante. Il lisait peu et ne jouait pas du tout car, pendant quelques jours au moins, il voulait oublier l'échiquier posé de travers, contre nature, devant lui. Au lieu de quoi, il dormit plus que de raison.

Trois jours après Noël, alors qu'il faisait la sieste, il fut réveillé par des cris d'enfant. Il se redressa dans son lit et attendit que le bruit reprenne. Ce n'était pas vraiment un cri, plutôt une sorte de cocorico, un son indiscutablement animal, qui ne variait ni en hauteur ni en intensité. Un peu comme un enfant qui hurlerait machinalement, sans éprouver pourtant de vraie douleur. Cela ne pouvait être que Teréz. Tibor sauta du lit, sortit de sa chambre et chercha la provenance de ces bruits ; ils sortaient du cabinet de travail de Kempelen. Tibor traversa l'atelier et, sans frapper, poussa brutalement la porte entrebâillée.

La pièce était nettement plus petite que l'atelier. Des placards couvraient les murs de droite et de gauche, tandis que le centre était occupé par un secrétaire disposé de telle façon que la lumière du jour tombait dans le dos de celui qui y était assis. Une carte de l'Europe et un portrait de Marie-Thérèse lors de son couronnement étaient suspendus à côté de la porte. Une épée dans un fourreau richement orné était appuyée contre le mur. Sur le secrétaire, parmi les outils, se dressait un buste de plâtre coloré : une tête humaine coupée en deux, comme tranchée par un coup de sabre parfaitement net, révélant l'intérieur. On voyait la boîte crânienne, le cerveau, les dents, l'espace naso-pharyngien, deux grandes cavités débouchant dans un gosier étroit qui se dirigeait vers le bas, à travers le cou. Au lieu d'être longue et aplatie, la langue était un gros amas de chair. Aussi effroyable fût-elle, ce n'était pourtant pas cette maquette qui avait poussé des cris. C'était un petit objet que Wolfgang von Kempelen tenait dans sa main : deux coques superposées, comme une noix à demi ouverte, qu'alimentait un soufflet qu'il actionnait. Quelque part, à l'intérieur de ces coques, il devait y avoir une languette sur laquelle l'air passait, produisant ce son perçant. La perplexité de Tibor amusa visiblement Kempelen.

– Bonjour, dit-il en découvrant le visage encore ensommeillé de Tibor.

– Qu'est-ce ? demanda celui-ci.

– Ma machine parlante. Un début, du moins. Le *a.* Je me refuse à la négliger entièrement. Je t'en ai parlé à Venise, t'en souviens-tu ? Pour le moment, elle n'émet qu'une note – Kempelen produisit à nouveau le même cri –, mais, un jour, j'en aurai toute une série, je pourrai former des syllabes et je les arrangerai comme les notes sur un orgue. Il suffira de les jouer dans un ordre défini pour la faire parler. Une machine parlante.

– Mais pour quoi faire ?

44

— Pour quoi faire, la belle question ! Voilà un excellent exemple de l'étroitesse d'esprit que tu partages avec un grand nombre de tes contemporains. Une machine parlante, mon bon, est infiniment plus utile qu'une machine qui joue aux échecs. Songe simplement aux muets qui recouvreront la parole ! Ceux qui ne peuvent rien dire auront enfin une voix ! Quel gain pour l'humanité !

Kempelen fit un geste de la main en constatant que Tibor ne partageait pas son avis.

— Mais toi, comment vas-tu ? As-tu encore de quoi lire ? Sers-toi, si tu veux, ma bibliothèque est bien pourvue. Et prends un peu de vacances. Pourquoi ne pas lire un livre qui ne concerne pas les échecs ?

— Je n'arrive plus à lire. Les lettres dansent devant mes yeux.

— Bien, bien. Dans ce cas, en quoi puis-je t'être agréable ?

— Je voudrais sortir.

— Ah ! nous y voilà.

Kempelen se tourna vers la fenêtre et regarda dehors, vers la cour intérieure du bâtiment, comme pour y discerner la raison qui poussait Tibor à vouloir quitter la maison. C'était le début de l'après-midi. Une légère brume voilait l'atmosphère de gris. La nuit n'allait pas tarder à tomber. Le chevalier tambourina du bout des doigts sur le plateau de la table. Puis il sortit du tiroir de droite une clé, qu'il fourra dans la poche de sa redingote. Il se leva.

— Allons-y. Habille-toi chaudement ; hier, j'ai vu un bloc de glace dériver sur le Danube, transportant deux canards grelottants.

Ils descendirent dans la cour intérieure et franchirent la porte cochère pour rejoindre la rue. Kempelen fit enfiler à Tibor un capuchon qui dissimulait presque entièrement son visage et lui demanda de lui donner la main.

— Craignez-vous que je ne me sauve ? demanda Tibor, indigné.

Kempelen rit.

— Mais non. Je veux simplement faire croire que je me promène avec un enfant. Je te l'ai dit : personne à Presbourg ne doit savoir que Wolfgang von Kempelen héberge un nain.

Main dans la main, ils s'engagèrent à droite dans la rue du Danube, s'éloignant de la ville. Les inquiétudes de Kempelen étaient infondées : le froid était si vif que peu d'habitants avaient mis le nez dehors ; ceux qui en avaient eu le courage avaient trop envie de regagner au plus vite la chaleur de leur foyer pour adresser la parole à ce couple mal assorti. À droite, entre les maisons, Tibor vit couler les flots toujours indolents du Danube et, en se retournant, il aperçut l'enceinte de la ville, les clochers pointus des églises et la masse puissante du château, au fond. Il y avait si peu de vent que les panaches de fumée s'élevaient à la verticale dans le ciel gris. On entendait très distinctement les cris des corneilles, qui tournoyaient à coups d'ailes paresseux.

Ils atteignirent leur but : le grand cimetière Saint-André. Par une journée pareille, les morts y restaient entre eux. Constatant qu'ils étaient seuls, Kempelen lâcha la main de Tibor. Celui-ci fut un peu déçu que la destination de sa première, et probablement seule excursion fût le cimetière de la ville. Il aurait préféré un marché, une fête, une promenade au cœur de la cité. Il inspira avidement l'air pur, contempla les plantes racornies et les arbres dénudés par le froid, déchiffra les inscriptions sur les dalles et les pierres mortuaires. Le cimetière était encore couvert de neige qui crissait sous ses pas. Les deux hommes étaient silencieux.

Là où Tibor reconnut le nom *Kempelen*, son compagnon s'arrêta. Il avait conduit Tibor sur la tombe de sa famille, un petit mausolée en forme de temple, entouré de lierre dont quelques feuilles émergeaient de la neige. Sur le fronton se dressait un ange aux mains écartées, de marbre blanc noirci par la pluie et les années. Les deux fenêtres sans vitre étaient pourvues d'une grille, comme la porte.

Kempelen sortit la clé de sa poche et ouvrit celle-ci. Sans un mot, il s'effaça pour laisser passer Tibor.

Le monument était exigu, et les sons y résonnaient aussi peu qu'à l'intérieur de l'automate fermé. Dans la pénombre, Tibor lut les noms, les dates de naissance et de mort, inscrites en lettres d'or dans la pierre. Kempelen avait retiré son chapeau. Il ramassa des feuilles mortes que le vent avait poussées à l'intérieur. Tibor déchiffra *Andreas Johann Christoph von Kempelen.*

— Votre père ?

— Non. Mon père est Engelbert, là-bas. Andreas était mon frère aîné. Il est mort quand j'avais dix-huit ans. Il devait entrer au service du jeune empereur comme précepteur, mais la phtisie l'a emporté.

Kempelen fit un pas sur la droite ; les lettres dorées étaient plus brillantes, plus neuves : *Franzciska von Kempelen née Piani,* décédée en 1757.

— Franzciska. Ma première épouse. Elle est morte moins de deux mois après notre mariage, tu te rends compte ! La petite vérole.

— J'en suis désolé.

Tibor l'était d'autant plus, en vérité, qu'il imagina immédiatement que Franzciska avait été incomparablement plus charmante que la présente épouse de Kempelen.

— Sans doute t'est-il arrivé souvent de t'affliger d'avoir été chassé par ta famille, murmura Kempelen. Mais vois-tu, qui n'a pas d'êtres chers ne risque pas de les perdre. N'oublie jamais cela.

Kempelen s'agenouilla comme pour prier, car les trois dernières inscriptions étaient à ras de terre : *Julianna, Marie Anna* et *Andreas Christian von Kempelen.* Dans les trois cas, l'année de naissance coïncidait avec celle du décès : 1763, 1764, 1766. De sa main libre, Kempelen essuya la poussière déposée sur l'arête supérieure des lettres.

— Le petit Andreas. Il portait le nom de son défunt oncle. Peut-être était-ce de mauvais augure. Il est né dans la nuit de Noël. Pendant trois jours, il a eu grand-peine à respirer ; il est mort dès que la fête a été finie. Il aurait eu cinq ans aujourd'hui.

Tibor aurait voulu prononcer quelques paroles sages et réconfortantes comme Kempelen venait de le faire, mais rien ne lui vint à l'esprit. Le chevalier se taisait ; son regard s'était écarté des lettres pour se poser bien plus loin. Les feuilles mortes que tenait sa main crissèrent au milieu du silence.

— Je sais, dit-il enfin. (Tibor se tourna vers lui.) Je sais comment faire pour que tu puisses suivre de l'intérieur les déplacements des pièces. (Il se releva, jeta les feuilles de l'autre côté de la porte, remit son tricorne et frotta ses gants l'un contre l'autre pour en faire tomber la poussière.) Rentrons. Ma femme a acheté du cacao. Elle nous préparera un chocolat chaud.

Dès la nouvelle année et le retour de Jakob, Kempelen leur exposa son idée : il était inutile que Tibor voie l'échiquier. Il suffisait qu'il sache quelle pièce avait été déplacée. Il allait donc insérer un puissant aimant dans chacune d'elles et mettre en place, sur la face inférieure de l'échiquier, quelque chose que cet aimant attirerait ou laisserait tomber à chaque déplacement.

— Ça ne sert à rien, objecta Jakob. Tibor verra seulement quelle pièce on bouge. Pas où on la replace.

— Réfléchis un peu, âne bâté. L'attraction de l'aimant s'exercera de nouveau sous une autre case. Il suffira que Tibor observe soigneusement l'échiquier.

Ces quelques jours de repos avaient été bénéfiques aux trois hommes. Ils travaillaient avec plus d'entrain que l'année passée, et Kempelen lui-même se laissa contaminer par l'humeur facétieuse de Jakob.

— En définitive, nous marcherons sur les traces de ce charlatan français quand nous nous présenterons devant l'impératrice. Après tout, notre machine ne fonctionne qu'avec des aimants cachés.

Ils installèrent soixante-quatre clous de laiton sous les cases. Sur chacun d'entre eux était posée une petite plaque de fer percée d'un trou en son centre. La pièce de jeu aimantée attirait, en se posant sur une case, la petite plaque de fer correspondante ; quand on l'éloignait, celle-ci retombait sur la tête du clou.

Kempelen envoya à Vienne Branislav, son factotum, pour acheter des aimants de facture absolument identique. Trois jours plus tard, Branislav rapporta une caisse pleine d'aimants en forme de tige, couchés dans la paille pour les préserver des secousses du voyage. Jakob et Tibor durent alors se livrer à un travail à la fois laborieux et cocasse : détacher tous ces aimants qui refusaient opiniâtrement de se séparer. La solution fonctionna à merveille ; même si Tibor ne repérait pas toujours la plaque qui venait d'être relevée ou de retomber, il pouvait reconstituer l'état de la partie grâce à son propre échiquier. En s'inspirant du système de Philippe Stamma, on dota l'échiquier de Tibor et celui de l'androïde d'une notation, les rangées étant désignées par les lettres *a* à *h* et les colonnes par les chiffres 1 à 8.

Les obstacles majeurs avaient ainsi été aplanis. Maintenant que l'on n'avait plus à s'occuper des tringles et des câbles situés dans les entrailles de l'androïde, Jakob put lui ajouter de la chair sur les côtes et agrémenter sa tête d'un visage. Il commença par incruster dans le crâne les deux yeux de verre bruns que Kempelen avait achetés à Murano au *signore* Coppola. Tibor pouvait les faire tourner en actionnant un câble. L'effet était saisissant. Il suffisait qu'il fasse bouger les yeux de verre pour que l'androïde parût observer les faits et gestes de son adversaire. Kempelen bricola également la tête de manière que Tibor pût l'incliner en avant et la redresser.

Jakob s'attaqua ensuite à la réalisation des pièces, seize rouges et seize blanches, contenant chacune une tige aimantée. L'assistant dessina plusieurs projets, mais, à la déception de Jakob, Kempelen se décida pour une forme classique, un peu massive, qui permettait d'insérer aisément les aimants.

— Ce n'est pas le jeu d'échecs que nous voulons réinventer, expliqua-t-il, mais le joueur.

Jakob se mit donc au travail et tourna les trente-deux figures non sans une certaine mauvaise humeur.

Pendant ce temps, Tibor apprit, sous la conduite de Kempelen, à actionner l'automate : attraper, déplacer et relâcher les pièces à l'aide du pantographe, identifier les coups joués par l'adversaire, lui prendre les pièces, sans oublier de rouler des yeux de temps en temps. Ce travail exigeait une immense concentration et énormément de doigté ; Tibor n'osait imaginer ce qu'il adviendrait lorsque, en plus de tout cela, il devrait réellement disputer une partie d'échecs et, qui plus est, contre un adversaire de force égale à la sienne. Bien qu'on laissât les cinq portes de l'automate grandes ouvertes pour ces essais et que le mois de janvier fût bien froid, Tibor sortait chaque fois de la machine en nage.

À la fin du mois, les portes du buffet furent refermées. Tibor dut désormais se repérer à la seule lueur d'une bougie. La lumière était suffisante, mais la fumée remplit rapidement l'étroite cavité où se tenait le nain, qui se mit à tousser. Une cheminée était indispensable. Ils trouvèrent à ce problème une solution peu conventionnelle : dans la mesure où le buffet communiquait directement avec le corps de l'androïde, Jakob lui perça un trou dans le crâne afin de permettre l'évacuation de la fumée. Le fez dont ils avaient eu l'intention de coiffer le Turc ne se bornerait pas à dissimuler l'ouverture ; il filtrerait également la fumée, la rendant plus ou moins invisible.

Au cours d'un essai – Anna Maria passait la journée dans la famille de son beau-frère, Nepomuk, le frère de Kempelen –, les trois hommes reçurent une visite inattendue : avant que Branislav n'ait pu s'interposer, une femme poussa la porte de l'atelier.

– C'est donc ici que tu te caches ! s'exclama-t-elle avec un fort accent hongrois.

Ses cheveux noirs retombaient en boucles sur ses épaules, et, sous son manteau de fourrure, elle portait une robe grenat garnie de brocart dont le corset était si serré que la naissance des seins dessinait comme deux vagues au-dessus de l'étoffe. C'est exactement sous ces traits que Tibor s'était représenté la femme avec laquelle le marchand vénitien avait passé la nuit avant de mourir dans le canal. Son parfum, qui évoquait la fragrance des pommes mûres, s'insinua rapidement jusqu'aux narines de Tibor – bien qu'il fût assis à l'intérieur de la machine et que la seule porte ouverte fût celle qui masquait les rouages. Caché derrière eux, il était invisible, mais, pour plus de sûreté, il souffla promptement la bougie. L'odeur de la mèche rougeoyante couvrit le parfum de la visiteuse.

– Ibolya, dit Kempelen sans entrain. Quelle surprise !

La femme s'arrêta sur le seuil, tandis que, derrière elle, Branislav faisait comprendre avec force gesticulations qu'il n'avait pas pu l'arrêter. Kempelen renvoya son domestique une fois que celui-ci eut débarrassé la dame de son manteau et de son manchon. Le regard de la Hongroise passa alors de Jakob – qui la salua d'un « madame la baronne » – au Turc, sur lequel il s'arrêta.

– C'est lui ? Il est magnifique.

Elle s'approcha de l'automate, si bien que Tibor ne voyait plus que sa robe. Avant qu'elle eût atteint le meuble, Kempelen se glissa devant elle et, d'un geste nonchalant, referma la porte sur le nain.

– Que puis-je pour toi ? demanda-t-il. Comme tu peux l'imaginer, je manque cruellement de temps.

– Je t'ai apporté une surprise.

– Passons dans mon cabinet de travail.

Tibor entendit des pas s'éloigner et la porte du bureau se refermer derrière eux.

– Je n'imagine que trop bien ce que peut être cette surprise, observa Jakob.

– Une baronne ? demanda Tibor.

Jakob ouvrit la trappe postérieure et regarda à l'intérieur.

– Ne fais pas si grand cas des titres, Tibor. La baronne Jesenák offre un excellent exemple de la communauté de pulsions qui unit la noblesse et le plus humble des paysans.

— Que fait-elle ici ?

— Ce qu'elle fait en cet instant précis, je ne saurais te le dire ; mais je conçois aisément pourquoi elle est venue. *Post-scriptum* : la coïncidence entre sa visite et l'absence d'Anna Maria aujourd'hui n'a certainement rien de fortuit.

Le banat

Wolfgang von Kempelen est né le 23 janvier de l'an de grâce 1734. Il est le benjamin de trois fils. Leur père, Engelbert Kempelen, douanier au bureau municipal du trentième, gravit les échelons de la société presbourgeoise grâce à son mariage avec Teréz Spindler, fille du bourgmestre d'alors, et au titre nobiliaire que lui confère l'empereur Charles VI pour services rendus.

Le frère aîné de Kempelen, Andreas, fait des études de philosophie et de droit, est employé comme secrétaire d'ambassade à Constantinople et combat avec le grade de capitaine dans la guerre de Silésie. Une maladie pulmonaire l'empêche de devenir précepteur du prince héritier Joseph, et les sources sulfureuses de Pouzzoles elles-mêmes ne peuvent prévenir sa disparition prématurée.

Nepomuk von Kempelen, le cadet, sert lui aussi dans l'armée où il atteint le rang de colonel. Plus encore qu'Andreas, il devient un proche de la famille impériale grâce à sa nomination à la tête de la chancellerie du duc Albert de Saxe-Teschen, à Presbourg. Son amitié avec le duc Albert, gouverneur de Hongrie, est si étroite qu'ils adhèrent ensemble à la loge maçonnique La Pureté.

Wolfgang, le plus jeune, étudie lui aussi la philosophie et le droit, à Raab, d'abord, puis à Vienne. Après un voyage en Italie, il entre, à vingt et un ans, au service de Marie-Thérèse et se fait immédiatement remarquer en traduisant, en un temps record, le Code de lois de l'impératrice du latin en allemand. Cette prouesse impressionne si bien Marie-Thérèse qu'elle le nomme personnellement rédacteur à la Chambre royale de Hongrie, à Presbourg.

À l'été 1767, grâce à ses remarquables réalisations, Kempelen devient secrétaire de la Chambre royale. Cette ascension professionnelle rapide trouve un écho dans sa vie privée car, le même été, il épouse Francziska Piani, camériste de la grande-duchesse Maria Ludovika. Deux mois plus tard, à peine, Franzciska von Kempelen contracte la variole et en meurt. Ce coup du sort affecte durablement Kempelen, qui s'abîme corps et âme dans le travail.

Un an plus tard, une nouvelle femme entre dans sa vie : la baronne Ibolya Jesenák, née baronne Andrássy, arrivée de Tyrnau à Presbourg en compagnie de son frère János pour épouser le baron Károly Jesenák, chambellan royal, un homme deux fois plus âgé qu'elle. L'union est harmonieuse, sans être véritablement heureuse ; Ibolya n'a pas d'enfant, et ses fonctions de chambellan conduisent Károly à être plus souvent en voyage que chez lui. Ibolya, qui n'a guère que vingt ans, commence à s'ennuyer. Elle trouve quelque distraction dans les nombreuses réceptions et les multiples bals qui se donnent à Presbourg, puis, en l'absence de son mari, elle noue une liaison, puis une deuxième, puis une troisième, avec Nepomuk von Kempelen. S'étant lassé d'elle, celui-ci la présente à son frère, et ses vœux se réalisent au-delà de toute espérance : Ibolya se consume pour Wolfgang von Kempelen – veuf intelligent, élégant, qui pleure sa femme avec tant de réserve mais tant de persévérance aussi et de façon tellement émouvante –, qui n'appartient sans doute pas à la haute noblesse, mais à qui le monde entier semble ouvert. Ibolya parle à son mari des multiples talents de Kempelen, et Jesenák transmet cet éloge à Vienne. Peu après, Kempelen est promu membre du Conseil royal, et, lorsqu'ils se rencontrent à une soirée, Ibolya lui fait savoir à qui il doit cette faveur inespérée. Malgré les risques, Kempelen s'engage dans une aventure avec la baronne, dont il ne tire que des avantages : il surmonte enfin le chagrin dû à la mort de Francziska ; le baron Jesenák, qui ne se doute de rien, devient son protecteur et ceux qui connaissent sa liaison avec Ibolya lui manifestent un respect silencieux mais gardent soigneusement le secret, conformément aux usages du temps. Le duc Albert lui-même, qui, en règle générale, ne s'entretient que d'affaires sérieuses avec Kempelen, le prie de lui confier quelques détails piquants sur la fougueuse baronne hongroise.

Mais le chevalier sait que cette liaison est sans avenir et peut être dangereuse à long terme. D'un commun accord, ils mettent fin à leurs tête-à-tête. Au terme de cinq années de deuil, Kempelen songe à se remarier. Sur la recommandation de la grande-duchesse Christine, il épouse Anna Maria Gobelius, dame de compagnie de la comtesse Erdödy. Comparée à Ibolya, la plupart des femmes manquent singulièrement d'attraits aux yeux de Kempelen, et Anna Maria ne fait pas exception : si l'estime et la courtoisie président à leur union, la passion en est absente. Et son désir de fonder une famille semble voué à l'échec : les trois premiers enfants qu'Anna Maria donne à son époux meurent en bas âge.

En 1765, Kempelen est nommé mandataire chargé des affaires de la colonisation dans le banat. En cette qualité, il surveille, avec des collègues de Vienne, l'établissement dans le territoire situé entre la Mures, la Tisza, le Danube et la Transylvanie de paysans et de mineurs originaires de Souabe, de Bavière, de Hesse, de Thuringe, du Luxembourg, de Lorraine, d'Alsace et du Palatinat électoral, qui doivent exploiter la terre et les richesses du sol au profit de l'Autriche. De petits hameaux s'emplissent d'immigrants allemands et des villages se transforment en bourgades, tandis que l'on implante de nouvelles agglomérations. En l'espace de cinq ans, ce sont quarante mille personnes qui s'installent dans le banat. Tous ces individus ne sont pas à proprement parler recommandables : deux fois par an, le transport fluvial de Temeschburg conduit dans le banat des sujets que l'on a dû expulser de leur pays d'origine – vagabonds, braconniers, contrebandiers, femmes de mauvaise vie. Kempelen a pour mission de régler les querelles, de vérifier les transactions, de rendre la justice, et ses jugements objectifs lui valent le respect de toutes les catégories de la population. Son incorruptibilité est une nouveauté dans la région. Le banat est une contrée sauvage, et, plus d'une fois, Kempelen et ses compagnons doivent se défendre contre les brigands qui quittent leurs repaires des Carpates pour lancer des razzias en plaine. Kempelen interdit de pendre ou d'abattre les bandits sur place ; il panse lui-même leurs plaies pour les déférer sains et saufs au tribunal le plus proche. Il livre régulièrement au Conseil de guerre de la cour des rapports sur les problèmes et les succès de l'immigration.

Kempelen écrit également des récits sur ses voyages à travers ce banat sauvage, lesquels sont publiés dans la *Gazette de Presbourg*. C'est ainsi qu'il fait la connaissance de Karl Gottlieb Windisch, éditeur de cet hebdomadaire, dont il devient l'ami. Cette amitié se poursuit quand Windisch, simple conseiller municipal, est élu sénateur, capitaine municipal et enfin bourgmestre de la ville de Presbourg : il est le maire de plus de vingt-sept mille habitants, dont cinq cents nobles, sept cents ecclésiastiques et deux mille Juifs. Près de la moitié des habitants de Presbourg sont allemands, l'autre moitié se répartit entre Slovaques et Hongrois – ces derniers composant la majorité de la noblesse.

Alors que la colonisation du banat progresse et que les lois impériales finissent par s'imposer, Kempelen est nommé *director salinaris*, chargé du contrôle des salines hongroises. Il dirige une administration de plus d'une centaine de collaborateurs dans laquelle son père a travaillé jadis comme simple employé. Il emploie le peu de temps libre que lui laissent ses responsabilités à s'initier à la mécanique et à l'hydraulique, deux sciences indispensables pour comprendre et, le cas échéant, améliorer les machines utilisées dans les mines de sel. Il se prend rapidement d'intérêt pour les automates, lit des ouvrages de et sur Regiomontanus, Schlottheim, Leibniz, Vaucanson et Knaus, et aménage un atelier à l'étage supérieur de sa demeure. À une fête de village, entendant un joueur de cornemuse émettre des sons étonnamment proches de la voix d'un enfant, il envisage pour la première fois de construire une machine parlante.

Le baron Károly Jesenák rend l'âme en 1768. Ibolya s'installe alors chez son frère, János Andrássy. Elle pleure un peu son mari, mais, bientôt, elle se rappelle au bon souvenir de Wolfgang von Kempelen. Ses tentatives demeurent cependant infructueuses, car le mois de mai 1768 voit la naissance de Mária Teréz von Kempelen – qui reste en vie. La naissance de leur fille lie Wolfgang et Anna Maria von Kempelen plus solidement que le mariage n'a su le faire.

En septembre de l'année suivante, Kempelen présente à Vienne un rapport définitif sur la colonisation du banat. L'impératrice est satisfaite de son travail et, en récompense de ses efforts, le prie de rester quelque temps à la cour de Vienne. Wolfgang von Kempelen s'installe dans un logement du faubourg d'Alser. Il est présent le jour où le savant français Jean Pelletier se rend au palais de Schönbrunn. Lorsque, après la représentation saluée par des applaudissements frénétiques, Marie-Thérèse regrette que seuls des étrangers, et jamais des Autrichiens, étonnent le monde par leurs nouvelles inventions et leurs expériences inédites, Kempelen prend la parole. Il promet à l'impératrice de lui présenter dans un délai de six mois une expérience plus remarquable que celles de Pelletier. Les courtisans viennois flairent un scandale, car ce Kempelen, qui a eu l'audace d'intervenir ainsi, est un haut fonctionnaire, sans doute, mais de petite noblesse ; il est, par ailleurs, originaire de province et n'a jamais fait parler de lui en tant que savant. Mais Marie-Thérèse l'écoute, lui accorde six mois de congé pour se consacrer à cette tâche et lui promet cent souverains d'or si son tour de force éclipse les prodiges scientifiques de Pelletier.

Kempelen sait que ni ses compétences ni le temps imparti ne lui permettront de construire sa machine parlante. Mais ils devraient suffire à la construction d'un faux automate. Il décide de fabriquer une machine à jouer aux échecs et se souvient d'un récit de son ami Georg Stegmüller, un apothicaire, qui, au cours de ses voyages à travers l'empire, a vu dans une taverne de Steinbrück un nain jouer et gagner successivement contre trois colons. S'il arrivait à dissimuler un nabot, un garçonnet ou une fillette dans une machine et à remporter ne fût-ce que quelques parties, il serait assuré de soulever des ovations.

Pendant qu'il réalise l'automate, Kempelen comprend que son joueur d'échecs ne peut pas se contenter de gagner quelques parties. Il doit être invincible. Il faut absolument qu'il retrouve le nain vagabond que Stegmüller a vu jouer autrefois. L'entreprise paraît désespérée, mais il se rend tout de même par le plus court chemin à Steinbrück, où il s'informe. Bien des gens se souviennent du nain qui ne quitte jamais son échiquier de voyage, et c'est ainsi que Kempelen suit Tibor à la trace jusqu'à Venise, où il le déniche en novembre au fond de sa prison, ne demandant, ou presque, qu'à se laisser emmener.

Wolfgang von Kempelen a déjà montré à l'impératrice qu'il était un fonctionnaire travailleur et loyal. Il va lui prouver à présent que ses compétences vont bien plus loin. Et, cette fois, il n'aura besoin ni du baron ni de la baronne Jesenák.

Kempelen s'appuya contre son secrétaire et tourna entre ses mains le présent d'Ibolya : un petit livre contenant un récit en vers de Wieland. Assise sur une chaise en face de lui, la baronne l'observait, les yeux brillants.

— Bon anniversaire, Farkas. Et je te souhaite le plus grand succès avec ton automate.

— Merci. Tu sais sans doute que mon anniversaire n'est qu'après-demain.

Ibolya sourit.

— Et je sais aussi que ta femme ne m'invitera sans doute pas à venir prendre le café. Je voulais te voir seul. Donne congé à ton Jakob, passons le reste de la journée ensemble.

— Je ne peux pas. J'ai beaucoup de travail.

— Tu travailles tout le temps.

— Je suis désolé.

Ibolya soupira.

— Farkas, je suis triste. Ne feras-tu rien pour me tirer de ma mélancolie ?

— C'est le temps. Prends un tokay brûlant.

— Quel vilain conseil ! Tu es un butor, car tu ignores les convenances. Devine plutôt ce que j'ai bu avant de monter en calèche ?

La baronne Ibolya Jesenák se leva, s'avança vers Kempelen, approcha son visage du sien, leva le menton pour que sa bouche soit à la hauteur de ses narines et souffla tout doucement. Son haleine embaumait le tokay, à peine, comme si Kempelen avait eu le nez au-dessus d'un gobelet contenant de l'eau bouillante mêlée de vin.

— Exquis, dit-il simplement.

— J'irai voir ta grosse impératrice et je lui dirai quel homme abominable tu es, elle te condamnera aux travaux forcés dans tes mines de sel ou, au moins, elle te bannira dans les mers du Sud, où tu seras ambassadeur chez les cannibales. Voilà ce que je ferai.

— Je t'en crois bien capable.

La Hongroise posa la main sur la cuisse de Kempelen.

— Non. Je ne ferai jamais une chose pareille. Je continuerai à lui dire que tu es un homme de grand talent et que les tâches les plus ardues ne sont qu'enfantillages pour toi.

Elle commença à caresser l'étoffe du bout des doigts, puis elle feignit de sortir les griffes et ses ongles s'enfoncèrent dans la culotte de Kempelen, le long des petites rainures de l'étoffe. Elle l'embrassa, et son baiser avait encore la suavité du vin. Les mains de Kempelen ne quittèrent pas le plateau de la table. Ibolya s'écarta et, du pouce, essuya le rouge à lèvres qui maculait la bouche du chevalier.

— Quelle tristesse ! Je te comprends. Nous sommes comme les deux enfants du roi. Quand tu es marié, je ne le suis pas ; avant, tu étais veuf et j'étais mariée, maintenant, c'est le contraire. Il y a de quoi désespérer.

Kempelen hocha la tête.

— Les choses redeviendront-elles un jour comme avant ?

— Non. Il ne faut pas l'espérer. Mais quand ma machine sera terminée, j'aurai un peu plus de temps.

— Plus de temps… Mais en auras-tu pour moi ?

— Nous nous verrons à Vienne, Ibolya. Je m'en réjouis.

Kempelen lui fit retraverser l'atelier et demanda à Branislav de lui apporter sa fourrure. Ibolya prit congé de Jakob et contempla une dernière fois le Turc avec une admiration non dissimulée. Sur le seuil de la maison, le chevalier lui fit le baisemain puis regagna son atelier. Pendant ce temps, Jakob avait aidé Tibor à s'extraire du buffet et, par la croisée, ils regardaient la baronne monter dans sa luxueuse calèche. En apercevant les deux badauds à la fenêtre, Kempelen leur adressa un regard lourd de reproches. Mais nul n'aurait su dire s'il déplorait ce qui venait de se passer en présence de Tibor et de Jakob.

La répétition générale, la première partie disputée par le joueur d'échecs, eut lieu peu de temps après. Dorottya, la servante slovaque de la maison, eut l'honneur d'être le premier être humain à jouer contre l'automate actionné par Tibor. Ce dernier était déjà installé dans le buffet quand Kempelen alla chercher Dorottya au rez-de-chaussée. Tibor entendit Jakob faire plusieurs fois le tour de la machine, s'arrêter et déclamer des paroles inintelligibles : *Shem hamephorasch ! Aemaeth !* Tibor eut peine à reconnaître la voix de Jakob.

— Que fais-tu ? demanda-t-il.

— *Aemaeth ! Aemaeth !* Vis !

— Cesse donc !

— Ne m'interromps pas, mortel, l'admonesta Jakob d'une voix rauque. Si tu interromps les sept formules de l'existence, jamais plus le rabbin Jakob ne pourra éveiller à la vie l'homme de bois et de toile.

— Cesse immédiatement ou je sors !

— Aurais-tu oublié que cela t'est impossible ? Tu peux chanter, petit oiseau, mais tu ne t'envoleras pas, dit Jakob de sa voix habituelle. Et voilà ! La matière vit.

— Pas du tout.

— Bien sûr que si, méchant gnome. Et maintenant, tais-toi, la servante va arriver d'un moment à l'autre. Parle peu, agis bien.

Tibor entendit Jakob poser la main sur le plateau de la table et pianoter du bout des doigts.

— Drôle de phénomène, murmura-t-il au bout d'un moment, un mahométan doté d'un cerveau chrétien et d'une âme juive.

— On devrait t'enfermer.

— Non. Toi, plutôt. Je suis juif, moi, j'ai droit au bûcher.

Le Turc était terminé. Jakob avait tourné les trente-deux pièces rouges et blanches au cœur d'aimant et, ensemble, ils avaient habillé l'automate. L'androïde portait une chemise à rayures brunes, sans col, en soie turque, sous un caftan aux manches trois-quarts. En soie rouge, celui-ci était bordé de fourrure blanche, ce qui ajoutait à la majesté du personnage. Ses mains étaient enfoncées dans des gants blancs, dissimulant tout soupçon de peau. Même au repos, les trois doigts préhensiles de la main gauche formaient une griffe assez vilaine ; aussi y avait-on placé une pipe orientale dotée d'un tuyau long de plus d'une aune que Jakob avait achetée chez un fripier de la rue des Juifs. Cela donnait à ces doigts repliés une raison d'être même quand le Turc ne jouait pas. Pour protéger le mécanisme délicat, la main et la pipe reposaient sur un coussin de velours rouge jusqu'à ce que l'automate soit mis en marche. On lui retirait alors son coussin et sa pipe. En guise de pantalon, il portait une culotte bouffante de drap indigo, et ses pieds de bois étaient chaussés de mules, de bois elles aussi, aux extrémités recourbées, que Kempelen avait rapportées de Venise, comme les yeux de verre. Le Turc était coiffé d'un turban blanc enroulé autour d'un fez rouge. La coiffe était formée de plusieurs épaisseurs de feutre destinées à filtrer la fumée de la bougie.

C'était à la tête du Turc – papier mâché sur crâne de bois – que Jakob avait consacré le plus de temps. Plusieurs opérations successives avaient modifié sa physionomie. Le nez avait été allongé, les joues étaient plus anguleuses, la bouche plus mince, les moustaches plus pointues, et, de temps en temps, le Turc jetait des regards sévères, proprement sinistres. Pour finir, Kempelen demanda à Jakob de remonter les extrémités extérieures des sourcils, donnant ainsi l'impression que l'androïde était furieux contre son adversaire. Le chevalier était extrêmement satisfait du résultat ; Jakob lui rappelait de temps en temps qu'une jolie joueuse d'échecs lui aurait, Dieu le sait, donné davantage de plaisir.

Kempelen revint, accompagné de Dorottya et d'Anna Maria. La vieille servante pénétra dans l'atelier à petits pas. Le Turc avait été disposé de manière à la regarder droit dans les yeux et Kempelen dut la prier d'avancer, tant cette figure l'intimidait.

– Mesdames, permettez-moi de vous présenter la machine qui joue aux échecs, déclara Kempelen, tout à son rôle de conférencier.

La Slovaque contempla l'automate avec un mélange de curiosité et de crainte. Kempelen contourna l'appareil et remonta plusieurs fois la manivelle disposée du même côté que le mécanisme. À travers le bois, on entendit les rouages qui se mettaient lentement en marche. Le bras gauche se leva, passa au-dessus de l'échiquier jusqu'à ce que la main ait atteint le pion blanc situé devant le roi. Là, il s'immobilisa. Le pouce, l'index et le majeur s'ouvrirent en même temps, la main s'inclina vers la tête du pion, puis les doigts se refermèrent, attrapèrent la pièce par le cou, la soulevèrent et la reposèrent deux cases plus loin. Son travail accompli, le bras se dirigea vers la gauche pour se reposer à côté de l'échiquier.

Dorottya avait observé la scène, bouche bée.

Kempelen lui donna une petite bourrade.

— À toi de jouer, Dorottya.

La servante secoua la tête.

— Non, Monsieur. Je ne veux pas.

— Allons. Tu vois bien qu'il t'attend.

— Je ne sais pas jouer.

— Dans ce cas, il est grand temps d'apprendre. C'est un passe-temps tout à fait passionnant. (Kempelen accompagna Dorottya jusqu'à la table à jouer et désigna la rangée de pions rouges.) Tu peux par exemple avancer chacune de ces petites pièces d'une ou deux cases.

Dorottya finit par soulever un pion situé sur l'extrême bord qu'elle posa une case plus loin, sans quitter des yeux les mains du Turc, comme si celles-ci risquaient à tout moment de la prendre à la gorge. Elle recula d'un pas et renifla.

— Il y a une chandelle qui brûle, ici ?

— Non, répondit Kempelen d'un ton sec.

L'androïde leva de nouveau le bras pour jouer son cavalier droit, mais il n'arriva pas à attraper correctement la figure. La pièce tomba sur le flanc alors que le bras continuait à se déplacer.

— Arrête, ordonna Kempelen. Tu ne l'as pas pris.

Kempelen remit le cavalier en place, alors que l'on entendait distinctement Tibor remuer à l'intérieur de la machine.

Anna Maria toussota pour attirer l'attention sur cet impair. Mais Dorottya crut au contraire que Kempelen parlait à la machine et que celle-ci pouvait le comprendre. Elle se signa et murmura quelque chose dans sa langue maternelle. Tibor échoua encore à attraper le cavalier et Kempelen interrompit la partie.

— Arrête. (Le Turc posa le bras à côté de l'échiquier.) Dorottya, tu peux y aller. Merci beaucoup pour ton aide.

La servante fit un signe de tête, quitta l'atelier, visiblement soulagée, et referma la porte derrière elle.

— Eh bien, elle va en avoir des choses à raconter, ces prochains jours, au marché, dit Jakob en riant. Il n'y en aura que pour elle.

— Qui comptez-vous berner de la sorte ? demanda Anna Maria sévèrement. L'impératrice d'Autriche, de Hongrie et des Pays-Bas autrichiens ainsi que toute sa cour ? Je vous souhaite bonne chance.

Jakob retira le plateau de la table et aida Tibor à sortir de la machine.

— Nous n'y arriverons jamais, affirma ce dernier. Je vous l'avais dit. Je vous l'avais déjà dit à Venise.

— Tu sembles effectivement tout à fait acharné à me prouver que nous échouerons, répliqua Kempelen d'un ton cassant. Et si tu t'obstines dans cette attitude, ce sera le cas, je te l'accorde.

— Le nain a raison, reprit Anna Maria. Si tu ne veux pas m'écouter, tu pourrais au moins l'entendre, lui. Décommande-toi auprès de l'impératrice, elle comprendra. Enterre ce Turc et remets-toi à ton vrai travail.

— Il n'en est pas question. Il nous reste plus de trois semaines. Jakob, va chercher du papier et une plume ; nous allons réfléchir aux aménagements à apporter.

Voyant sa proposition refusée, Anna Maria soupira bruyamment. Kempelen se tourna vers elle.

— Veux-tu bien nous excuser un instant ?

Elle jeta un regard implorant à Jakob, le seul à ne s'être pas encore exprimé, et, devant son silence, quitta la pièce à grands pas et referma la porte derrière elle.

Kempelen dicta à Jakob la liste des problèmes à résoudre : primo, la précision des gestes de Tibor, secundo, l'odeur de la bougie qui se consumait, et enfin, tertio, les bruits qui trahissaient sa présence.

— Cherchons des solutions, aussi farfelues soient-elles. Tibor, tu es cordialement invité à y participer, à moins que tu ne t'en désintéresses parce que tu es convaincu que nous ne réussirons pas. Dans ce cas, tu es évidemment excusé.

Docile, Tibor secoua la tête.

— Non. Je veux vous aider.

— Bien. Commençons par la bougie.

— Nous pourrions utiliser une lampe à huile, proposa Jakob.

— L'odeur n'en est pas moins forte. Tout au plus est-elle différente.

— Et si nous laissions la trappe postérieure ouverte ?

— Il faudrait dans ce cas que l'arrière de l'automate soit constamment caché. Mais je préférerais qu'on le voie de tous les côtés ; qu'on puisse le tourner librement.

— Dans ce cas, il faut que Tibor joue dans le noir. Qu'il se repère au toucher.

— Je ne peux pas, intervint Tibor, tout penaud.

— Qu'est-ce que tu ne peux pas ? Toucher ?

— Je ne peux pas jouer en aveugle. J'ai essayé, mais je n'y arrive pas. Il faut que je voie l'échiquier et les pièces.

D'un geste, Kempelen confirma le refus de Tibor à Jakob. Mais ce dernier refusait de s'avouer vaincu.

— Alors, nous parfumerons l'automate. De toutes les senteurs d'Arabie. Nous imprégnerons si bien notre Turc de musc et de santal que plus personne ne sentira l'odeur de la bougie. (Devant le regard sceptique de Kempelen, il se borna à répéter :) *Aussi farfelues soient-elles.*

Tibor ne voulut pas demeurer en reste.

— Nous jouerons le soir, n'est-ce pas ? Pourquoi ne pas poser un chandelier sur la table ? Ainsi, personne ne se demandera pourquoi ça sent la fumée.

Kempelen et Jakob échangèrent un regard. Le chevalier sourit et, sans un mot, Jakob biffa le mot *bougie* de la liste. Kempelen donna une petite tape dans le dos du nain.

— Voilà comment tu me plais, Tibor. Simple, mais parfait. Nous aurons du mal à trouver d'autres solutions aussi évidentes. Poursuivons.

Ils se consacrèrent ensuite au problème des bruits. Jakob décida de recouvrir l'intérieur de l'automate d'une couche de feutre supplémentaire pour assourdir les mouvements de Tibor, et Kempelen entreprit de régler les rouages qui fonctionnaient, certes, mais ne remplissaient aucune fonction concrète, de manière qu'ils grincent et cliquettent dès qu'ils seraient remontés. Non seulement le stratagème couvrait les bruits que pourrait faire Tibor, mais il renforcerait l'impression que le Turc était actionné par un puissant mécanisme.

— Est-ce suffisant ? demanda Kempelen. Nous ne jouerons pas devant des benêts propres à se laisser aveugler par les roulements d'yeux du Turc. Notre public sera formé d'hommes instruits, de savants, peut-être même de mécaniciens. Aucun détail, aucun bruit suspect ne leur échappera.

Jakob raconta alors que, l'année précédente, au marché, il avait vu un prestidigitateur qui attirait constamment l'attention du public sur celle de ses mains qui était inutile à la réalisation du tour. Si le magicien faisait disparaître un mouchoir en le serrant dans son poing droit, il faisait immédiatement un grand geste pour montrer sa main droite qui ne contenait rien alors que, discrètement, il dissimulait le mouchoir dans la gauche, derrière son dos.

— Comptes-tu que j'esquisse quelques pas de danse pour faire diversion ? demanda Kempelen.

— L'idée ne serait pas mauvaise. Je peux aussi enfiler un costume hors du commun. Ou mettre un chapeau extravagant. Non ! Bien mieux : procurons-nous deux dames du harem, directement venues d'Orient, légèrement vêtues, le visage voilé, et faisons-les tourner autour du Turc comme deux chattes sur un pied de valériane.

Enchanté par ce projet, Jakob plissa les yeux et mima un coup de griffe.

— Nous n'en aurons l'air que plus suspects. Et puis tu sembles oublier que je ne suis pas un forain mais un savant. Tout de même, j'aurais bien voulu voir ton chapeau.

— Et moi, les dames du harem.

— Gardons cette idée dans un coin de notre esprit. Peut-être en sortira-t-il quelque chose de plus... de plus sérieux.

Restait la question de la dextérité de Tibor dans le maniement du pantographe. Il promit de s'exercer nuit et jour à mieux maîtriser la main du Turc au cours des semaines à venir. Tibor ne voulait plus décevoir Wolfgang von Kempelen. Il n'avait oublié qu'un instant l'importance de l'enjeu pour le chevalier.

Neuchâtel. Après-midi

La partie avait commencé en début d'après-midi et plus d'une heure s'était écoulée depuis. Dehors, le jour déclinait déjà et la lumière était un peu chiche dans la salle. Les bougies posées sur la table de l'androïde étaient désormais indispensables pour que l'on puisse suivre la partie. De temps en temps, par exemple quand l'assistant de Kempelen courait d'un échiquier à l'autre pour reproduire les coups, ou lorsqu'on ouvrait un instant les fenêtres pour laisser pénétrer un peu d'air frais, un souffle faisait frémir l'habit de soie verte du Turc. Pour le reste, il était aussi immobile que Gottfried Neumann. Kempelen se tenait à l'arrière, les bras croisés derrière le dos. Contrairement à son habitude, il posait le regard non sur le public, mais sur le nain.

La partie promettait d'être décevante : Neumann jouait avec une lenteur désespérante et réfléchissait plusieurs minutes avant tous ses coups, même les plus simples. De surcroît, chacun de ses mouvements avait été la réplique en miroir de ceux du Turc : le déplacement et la capture des premiers pions et cavaliers, le petit roque, la tour sur la case du roi libérée. Ce ne fut qu'au bout d'une douzaine de coups que la partie prit un peu de caractère ; Neumann ne jouait sans doute pas plus vite, mais il était plus opiniâtre, plus agressif. Son fou menaçait les blancs et, dix coups plus tard, on avait assisté à d'importants échanges à l'issue desquels trois pions et quatre figures avaient été balayés du terrain. L'automate jouait toujours mieux que l'homme, c'était incontestable, et le président du cercle d'échecs ne se lassait pas de le faire savoir à son entourage avec force chuchotements, mais, pour la première fois de la journée, il était sur la défensive, ce qui était déjà un événement sensationnel. La partie devenait palpitante. Après chaque coup, les Neuchâtelois tendaient le cou pour mieux voir. Ceux qui avaient eu la prévoyance d'apporter leur échiquier s'en félicitaient car ils pouvaient suivre la partie plus aisément.

Au bout du vingt-quatrième coup, les rouages s'arrêtèrent pour la deuxième fois ; l'assistant ne les remonta pas. Kempelen s'avança d'un pas et présenta ses excuses au public : il se voyait contraint d'interrompre la partie, car la machine avait besoin d'un peu de répit. Au nom du Turc et en reconnaissance des prouesses de son adversaire, il était prêt à proposer une partie nulle. De bruyantes protestations s'élevèrent. Les spectateurs tenaient à voir la fin de la partie, et la solution proposée ne leur convenait pas. Kempelen leva les mains dans un geste d'apaisement. Il remercia l'assistance pour le vif intérêt qu'elle témoignait à son invention, mais il avait signalé, avant même la représentation, qu'il interromprait les parties si elles duraient plus d'une heure. Au demeurant, il devait repartir pour Paris le lendemain matin ; il ne pouvait faire attendre le roi et la reine de France. Enfin, ajouta-t-il en souriant, son automate avait besoin de repos, car, après tout, ce n'était « qu'un homme, lui aussi ».

Les spectateurs se calmèrent. Quelques-uns faisaient déjà mine de se lever quand Jean-Frédéric Carmaux, propriétaire de la manufacture de drap, s'interposa.

— Monsieur von Kempelen, je comprends fort bien que votre automate ne puisse jouer toute la nuit, mais comment trouverons-nous le sommeil avec cette partie inachevée en tête ? Remontez une fois encore votre Turc et laissez-le poursuivre la partie jusqu'à son terme. Je suis prêt à vous offrir quarante thalers en échange de cet effort.

La salle applaudit, mais Kempelen secoua lentement la tête.

— L'offre est très généreuse, monsieur, mais cela est impossible.

Carmaux ne s'avoua pas vaincu et vérifia le contenu de sa bourse.

— Soixante thalers ? Et quelques florins ? Avec la meilleure volonté du monde, je n'ai rien d'autre sur moi.

On rit. Lorsque Kempelen repoussa cette nouvelle offre, le célèbre facteur d'automates Henri-Louis Jaquet-Droz prit la parole.

— J'en ajoute quarante, ce qui fait cent.

On applaudit encore. Les gens se tournèrent vers le jeune Jaquet-Droz. Le regard de Carmaux se posa sur lui, avant de revenir à Kempelen, qui ne cédait toujours pas. C'est alors qu'un troisième homme se présenta, puis un quatrième et un cinquième ; chaque nouvelle mise était applaudie et acclamée, les montants s'additionnaient comme à des enchères jusqu'à cent cinquante thalers – une somme nettement plus élevée que le total des entrées de la représentation. Kempelen regarda son assistant, comme pour lui demander conseil, mais celui-ci se contenta de hausser les épaules, embarrassé. Ils échangèrent quelques mots à voix basse. Le chevalier semblait vouloir s'obstiner dans son refus, quand Neumann – qui, au cours de ces enchères animées, s'était contenté de contempler son échiquier avec des yeux ronds – leva la main comme un écolier et dit :

— J'aimerais bien continuer à jouer. Je paierai cinquante thalers.

Les rumeurs s'apaisèrent. Kempelen et toute l'assistance se tournèrent vers le nain. Cinquante thalers représentaient déjà une grosse somme pour Carmaux. C'était sûrement une fortune pour le petit horloger.

Toujours est-il que ces deux cents thalers eurent raison des hésitations de Kempelen.

— Bien, bien, messieurs, comment pourrais-je dire non ? Je m'avoue vaincu, annonça-t-il. Ma machine va poursuivre le combat.

Sur un signe, son assistant remonta les rouages, et le calme revint dans la salle.

— *Merci bien*[1] pour votre intérêt. Soyez certains que nous l'apprécions à sa juste valeur. Que le meilleur gagne.

Deux domestiques allumèrent des bougies dans la salle, et l'assistant de Kempelen échangea celles qui s'étaient consumées dans les chandeliers posés sur la table à jouer. Les flammes se reflétaient dans les yeux de verre apparemment humides du Turc, prêtant un surcroît de vie à l'automate inanimé. De trois doigts, il attrapa sa dernière tour.

---

1. Tous les passages en italique sont en français dans le texte. (*N.d.T.*)

Schönbrunn

Le 6 mars 1770, un mardi, ils partirent pour Vienne avec le Turc, qui devait être présenté le vendredi suivant au palais de Schönbrunn. L'androïde fut démonté de la table de jeu et les deux éléments descendus séparément dans la cour. Ils furent aidés dans cette tâche par Branislav, le valet de Kempelen, que Tibor avait observé à plusieurs reprises par la lucarne de sa chambre mais qu'il n'avait encore jamais rencontré. De toute évidence, Kempelen avait fait un bon choix en embauchant ce Slovaque trapu, car Branislav était solide, taciturne et si peu curieux qu'il n'accorda au nain qu'un rapide coup d'œil – une indifférence rare. Tandis que le valet descendait l'androïde avec Jakob, Tibor songea que Branislav lui-même ressemblait à un automate, silencieux et s'acquittant sans renâcler de toutes les tâches qu'on lui confiait.

Jakob avait fait venir une voiture attelée de deux chevaux dans laquelle on rangerait le joueur d'échecs – soigneusement protégé des cahots de la route –, avec les bagages et notamment les habits et les perruques de Kempelen. Tibor serait, lui aussi, dissimulé au fond du véhicule jusqu'à ce qu'ils aient rejoint la grand-route de Vienne. Branislav les accompagnerait et partagerait avec Jakob le siège du cocher, tandis que Kempelen chevaucherait à leurs côtés sur son cheval moreau. Katarina, la cuisinière, avait préparé des victuailles pour les voyageurs – pâtés froids, pommes, pain et fromage. Au moment des adieux, Anna Maria se montra remarquablement chaleureuse ; elle étreignit plusieurs fois son époux et lui souhaita bonne chance pour la présentation de son automate.

Bien qu'une bruine froide tombât sur la campagne, Tibor insista, dès qu'ils eurent franchi le Danube, pour échanger sa place à l'abri dans la voiture contre celle de Jakob, sur le siège du cocher. S'enveloppant dans des couvertures, il contempla jusqu'à satiété le paysage banal, le ciel gris qui s'étendait au-dessus de l'horizon plat, les champs en jachère et la lande rougeâtre, d'où émergeait, çà et là, un bosquet dénudé. Au cours de sa longue errance entre la Pologne et Venise, Tibor s'était convaincu qu'il détestait ces interminables grands-routes et n'y voyait qu'un mal nécessaire entre deux auberges, où il pouvait se reposer au chaud et au sec ; mais, après avoir passé trois mois au chaud et au sec dans la demeure de Kempelen, il était ravi de les retrouver.

Ils arrivèrent à Vienne dans la soirée et s'installèrent dans l'appartement de Kempelen, à la Trinité, dans le faubourg d'Alser. Le mercredi et le jeudi furent consacrés à de nouveaux essais. Kempelen leur présenta un artifice qui devait contribuer à préserver le secret du Turc : il avait confectionné une petite caisse de bois de cerisier d'un empan et demi de côté sur deux de haut environ. Il posa le coffret sur une table, à côté de l'automate. Tibor et Jakob le contemplèrent, bouche bée.

– Qu'y a-t-il dedans ? demanda Tibor.

– Je ne vous le dirai pas, répondit Kempelen. Mais cela distraira les gens.

– Ce n'est pas une dame de harem. C'est une – Jakob chercha ses mots –..., une caisse. Difficile d'imaginer plus différent.

– Le clinquant et le scintillant auraient manqué de mystère. Ce coffret, en revanche, est tellement ordinaire qu'il n'en intriguera que davantage. Tous les spectateurs se demanderont ce qu'il peut bien dissimuler.

— Mais oui, que dissimule-t-il ? demanda Tibor.

— Je ne vous le dirai pas ! répliqua Kempelen avec une joie malicieuse. Mais la curiosité de Tibor nous le prouve : le stratagème est efficace ! Peu importe ce que contient ce coffret ; il pourrait aussi bien être vide.

Tibor et Jakob échangèrent un regard. Ils étaient loin de partager l'enthousiasme de Kempelen.

— Alors, il est vide ? demanda Tibor.

Kempelen sourit.

— Si tu me poses la question encore une fois, je te congédie.

Le chevalier reçut la visite de deux officiers d'ordonnance de l'impératrice qui lui transmirent tous ses vœux de succès pour la présentation de son expérience, avant de discuter du déroulement de celle-ci et de la place qu'elle occuperait dans le cérémonial. Kempelen exposa ensuite à ses collaborateurs la liste des invités et le protocole.

— Vers midi, quatre dragons de Sa Majesté viendront nous chercher pour nous escorter jusqu'à Schönbrunn, leur expliqua-t-il. La représentation aura lieu dans la Grande Galerie, mais nous pourrons au préalable remiser l'automate dans un cabinet contigu où nous ne serons pas dérangés. Jakob, il nous faudra suffisamment d'eau pour lui, dans la machine aussi, car il pourrait y faire très chaud, et un vase pour ses besoins.

— Pensez-vous qu'ils y croiront ? demanda Tibor une dernière fois.

— *Mundus vult decipi*. Le monde veut être trompé. Ils y croiront parce qu'ils ont envie d'y croire.

Ils attendaient d'entrer en scène dans le cabinet chinois. Le brouhaha de la galerie voisine leur parvenait à travers les portes richement décorées, sur le fond sonore d'un orchestre de chambre qui jouait une pièce *alla turca* de Haydn. Cinq laquais avaient rejoint Kempelen dans la petite chambre ovale ; deux pour ouvrir et fermer les portes ; deux pour pousser l'automate dans la salle et le dernier pour présenter Wolfgang von Kempelen et son invention. Tandis que l'un d'eux, debout à la porte, attendait qu'on lui fît signe de l'extérieur, les quatre autres devisaient tout bas sans se laisser troubler par la présence du chevalier et de Jakob. Le premier grignotait des fruits secs, le deuxième fermait soigneusement la rangée de boutons de son gilet, tandis que le troisième frottait le cuir de ses souliers sur sa culotte. De temps en temps, ils jetaient un coup d'œil furtif à l'automate, qui se trouvait au milieu du salon noir et or, couvert d'un drap descendant jusqu'à quelques pouces du sol. Derrière le drap, derrière le bois et le feutre, Tibor était assis, déjà plongé dans un état de concentration intense, s'efforçant d'être parfaitement silencieux. Il vérifiait inlassablement l'emplacement de l'échiquier, le fonctionnement du pantographe et surtout la mèche de la bougie : si, pour quelque raison que ce fût, la flamme s'éteignait, il était perdu.

Kempelen portait un habit de satin bleu pâle à rayures en damas. Le reste de son costume, exception faite de ses souliers, était blanc : les revers des manches comme le col, le gilet et le jabot, la culotte et, enfin, les bas de soie, comme s'il voulait par sa tenue rappeler que, si son expérience mettait en œuvre de la *magie*, celle-ci était exclusivement blanche. Sur la tête, il portait une perruque courte. D'après Tibor, il ne lui manquait qu'un sceptre pour ressembler à un roi. Le nain avait compris désormais qu'il ne connaissait qu'un des visages du chevalier : le Kempelen de la maison et de l'atelier qui, sans être négligé, s'habillait sans façon, portait des pantalons larges et remontait ses manches jusqu'aux coudes quand il avait trop chaud ; le Kempelen qui, à la fin d'une longue journée, sentait la transpiration tout autant que Tibor. Mais, à Schönbrunn, c'était un autre Wolfgang von Kempelen, le courtisan, le même être sans doute, mais dans une enveloppe différente. Tibor avait envié les belles tenues de Kempelen et de Jakob. Lui-même, dans les entrailles de la machine, ne portait qu'une chemise de toile, des culottes serrées aux genoux et des bas ; il avait même renoncé aux souliers pour se mouvoir rapidement et silencieusement.

Au début, Jakob avait eu du mal à se faire à son costume. Kempelen lui avait acheté pour l'occasion un pourpoint jaune pâle orné d'un motif de fleurs. Selon Jakob, on aurait dit « une prairie fleurie de pâquerettes sur laquelle on aurait pissé ». Il s'était opposé avec véhémence, mais vainement, au fard et à la poudre. À maintes reprises, il tira de côté sa perruque à natte noire pour se gratter le crâne – entreprise ardue, car ses mains étaient gantées.

— Te conduis-tu de la sorte quand tu portes la kippa ? lui demanda doucement Kempelen, et Jakob renonça à enlever sa perruque.

Dans la pièce voisine, la musique s'arrêta, des applaudissements polis éclatèrent. Le laquais de faction à la porte claqua dans ses doigts et les quatre hommes rejoignirent leur place, se figeant dans une attitude irréprochable. On entendit l'impératrice prononcer quelques mots, suivis de nouveaux applaudissements. Deux laquais écartèrent ensuite les portes à doubles vantaux et le petit cortège entra dans la Grande Galerie : en tête, le héraut, puis Kempelen lui-même, l'automate poussé par deux domestiques et, en bon dernier, Jakob, portant le coffret avec une feinte prudence, comme s'il contenait la couronne royale de Hongrie. Le courant d'air pressa le drap contre le visage du Turc, permettant de distinguer clairement le nez, le front et le turban. Ce seul détail suffit à provoquer quelques chuchotements. Le héraut fit halte devant l'impératrice, assise sur un trône au centre de la pièce. Il attendit que les hommes qui le suivaient se fussent arrêtés et proclama alors d'une voix forte :

— *Votre Honorée Majesté, mesdames et messieurs* : le chevalier Johann Wolfgang de Kempelen de Pázmánd et son expérience.

Kempelen fit une longue et profonde révérence. Derrière lui, deux laquais apportèrent une petite table sur laquelle Jakob déposa précautionneusement le coffret, tandis que deux autres valets refermaient les portes du cabinet chinois. Lorsque Kempelen leva les yeux, il vit que Marie-Thérèse souriait, et il lui rendit son sourire. L'impératrice avait encore pris de l'embonpoint depuis leur dernière rencontre, ce qui, loin de nuire à son autorité et à sa dignité, ajoutait encore à sa prestance. Sa silhouette corpulente était vêtue d'une robe noire – témoignage du chagrin éternel dû à la disparition de son époux – d'où dépassait, aux poignets et au col, l'éclat d'un soupçon de dentelle blanche. Autour du cou, elle portait un collier d'onyx noir, et, sur les boucles blanches de sa perruque, un minuscule diadème soulignait modestement son rang d'altesse. À chaque expiration, des rides creusaient son décolleté, mais, quand elle souriait, elle était sans âge.

– Mon cher Kempelen, commença-t-elle, voici une demi-année de cela, vous vous teniez ici même et nous annonciez que vous vous faisiez fort de nous étonner en nous présentant une de vos expériences. Nous vous avons pris au mot, et vous revoici.

– Je remercie Sa Majesté pour son accueil, pour sa confiance et pour le temps précieux qu'elle a la bonté de m'accorder, répondit Kempelen d'une voix forte. Mon expérience, que je présente ici pour la première fois *en public*, n'est que bagatelle, réalisation bien modeste au regard des conquêtes actuelles de la science ; je songe plus particulièrement aux réalisations des nombreux et remarquables savants qui ont le bonheur de travailler ici, à la cour de Votre Majesté, et qui, grâce à vos généreux encouragements, multiplient les découvertes et les inventions, plongeant l'Autriche et le monde entier dans la stupeur. (Ici, Kempelen pivota sur ses talons et tendit le bras vers la salle, désignant les visages de Gerhard Van Swieten, directeur de l'École de médecine de Vienne, de Friedrich Knaus, mécanicien de la cour, de l'abbé Marcy, directeur du Cabinet de physique de la cour, et du père Maximilian Hell, professeur d'astronomie. Les quatre hommes le remercièrent de cette mention flatteuse d'un hochement de tête à peine perceptible.) Mais si, à la suite de ma *présentation*, Votre Majesté me faisait la grâce de m'accorder quelques applaudissements ou une parole aimable, tous ces mois de travail émaillés d'échecs et de déceptions s'effaceraient instantanément de ma mémoire. Si mon expérience pouvait contribuer à ajouter ne fût-ce qu'une once de gloire à votre règne et à votre empire, je serais, que Dieu m'en soit témoin, le plus heureux des hommes.

— Un homme plus riche, de surcroît, de cent *souverains d'or*, si je n'ai pas oublié les termes de notre accord.

Marie-Thérèse balaya la salle du regard et de petits rires courtois vinrent se briser sur les miroirs et les fenêtres.

— Quand bien même s'agirait-il de mille souverains, reprit Kempelen, la merveilleuse approbation de Votre Majesté me serait infiniment plus précieuse.

Il conclut son hommage par une nouvelle révérence. Marie-Thérèse fit un signe de tête en direction de l'automate.

— Ne nous mettez pas plus longtemps au supplice, mon cher Kempelen. Dévoilez-nous votre secret.

Deux laquais firent mine de retirer le drap, mais Kempelen les devança. Il prit l'étoffe par deux angles et la souleva d'un geste plein d'élan, presque dansé, révélant ce qu'elle dissimulait jusque-là. En même temps, il s'écria :

— Le *Joueur d'échecs* !

Pendant une fraction de seconde, un silence absolu régna dans la salle, le temps que les spectateurs prennent conscience de ce que Kempelen venait de dévoiler. Les premiers commentaires s'échangèrent tout bas dans l'assistance, et une nuée d'éventails s'ouvrirent devant des visages en mal d'air frais. Ceux qui occupaient les rangs les plus éloignés se pressaient vers l'avant ou se haussaient sur la pointe des pieds pour mieux voir l'automate. Quelques-uns préféraient contempler l'image du Turc reflétée dans les nombreux miroirs.

— Un automate, dit l'impératrice d'un ton dont on n'aurait su dire s'il s'agissait d'une interrogation ou d'une affirmation.

— Un automate, confirma Kempelen après s'être retourné vers Marie-Thérèse. Et il m'a semblé entendre dans ces paroles : « seulement un automate ». Car un automate, en vérité, n'a rien de très nouveau et ne justifierait sans doute pas que je dilapide ainsi le précieux temps de Votre Majesté et de ces *messieurs et dames* ici présents. (Tout en parlant, Kempelen tenait toujours le drap.) Nous connaissons toutes sortes d'automates : des automates qui roulent ou qui marchent ; d'autres qui jouent du chapeau chinois, de l'orgue, de la flûte, de la syrinx, de la trompette ou du tambour ; des automates crapauds, cygnes, homards ou ours, et même des carlins mécaniques – ou encore le charmant canard si fidèle à la nature de M. de Vaucanson, qui mange son avoine, la digère et – *mes pardons* – est capable de l'éliminer. (Quelques dames lancèrent de petits rires pudiques.) Sans oublier bien sûr le représentant jusqu'alors le plus fameux de cette race nouvelle : un automate qui sait écrire, œuvre du mécanicien de Votre Majesté, Friedrich Knaus.

Friedrich Knaus fit un pas en avant et reçut d'un signe de tête les applaudissements courtois qui s'élevèrent. Bien que le raffinement de son justaucorps vert et de sa perruque fût indéniablement plus poussé encore que celui de la tenue de Kempelen, l'harmonie en était si piètre qu'il en avait l'air misérable – impression que renforçait son visage décharné aux pommettes saillantes. Ses yeux d'un brun presque noir observaient attentivement Kempelen, comme s'il devinait ce qui allait suivre.

— Votre *Merveilleuse Machine à tout écrire*, monsieur Knaus, fut en son temps un chef-d'œuvre. Mais écrire est une chose. Que diriez-vous si j'avais créé un automate capable non pas d'écrire, mais bien plus – Kempelen leva l'index et posa le regard sur Marie-Thérèse –..., de penser !

C'est avec satisfaction qu'il releva les murmures qui saluèrent sa déclaration, mais il ne quitta pas l'impératrice des yeux.

— En effet, Knaus, qu'en diriez-vous ? demanda-t-elle.

Knaus adressa un sourire poli au chevalier.

— Ne le prenez pas en mauvaise part, je vous prie, mais je vous traiterais de fou. Les automates peuvent faire bien des choses et ils en apprendront d'autres encore, mais jamais ils ne sauront penser.

— Ma machine vous prouvera le contraire. Grâce à la perfection de sa mécanique, cet automate triomphera de tous les humains qui le mettront au défi, et ce dans le plus ardu de tous les jeux, le jeu des rois, les échecs. L'idée de cette expérience m'est venue après une partie d'échecs que Votre Altesse impériale m'a fait jadis l'honneur de disputer avec moi.

— Aurais-je donc joué comme un automate ? Ou m'en auriez-vous trouvé l'aspect ? demanda l'impératrice, à l'amusement général.

— Point du tout. Mais quand bien même. Lorsque vous aurez vu jouer mon automate, vous conviendrez qu'un tel jugement ne pourrait que vous faire honneur. Bien. Qui aura l'audace de tenir tête à mon Turc mécanique et de relever son défi ?

Kempelen parcourut la galerie du regard, mais aucun membre de l'assistance ne fit le moindre geste. Aucun ne se leva. Ils étaient nombreux à être venus pour assister à la faillite de Kempelen, espérant bien qu'il serait incapable de tenir l'audacieuse promesse faite six mois plus tôt ; nul ne souhaitait donc être l'instrument de son triomphe. Jakob disposa une chaise devant l'échiquier, en face du Turc.

— Knaus, pourquoi ne jouez-vous pas ? demanda l'impératrice. Vous êtes, me suis-je laissé dire, un joueur d'échecs habile. De surcroît, les automates n'ont pas de secret pour vous.

Quand le choix de l'impératrice s'était porté sur lui, Knaus avait tressailli, imité par Kempelen. Le mécanicien de la cour s'inclina.

— Ce serait trop d'honneur, Votre Majesté. Mes talents aux échecs sont plus que médiocres et je ne voudrais pas ennuyer vos invités par mes manœuvres maladroites.

— Ne faites donc pas tant de manières. Ce Turc de bois lance un défi au genre humain ; à vous de le relever.

Avec un signe de tête, Friedrich Knaus prit place devant l'échiquier, sur la chaise que Kempelen redressa pour lui. Le chevalier se dirigea ensuite vers la manivelle qu'il tourna énergiquement à plusieurs reprises, jusqu'à ce qu'on eût l'impression que le ressort ne pouvait être tendu davantage. Pendant ce temps, Jakob retira le coussin de velours rouge et la pipe de la main du Turc.

— La machine va exécuter l'ouverture, annonça Kempelen, et, avant même que l'automate ne se mette en mouvement, ils reculèrent d'un pas, Jakob et lui, en direction de la seconde table, sur laquelle était posé le coffret de cerisier. Le chevalier resta là jusqu'à la fin de la partie.

Les rouages se mirent à cliqueter, et, sous les regards ébahis du public, le bras de bois du Turc s'éleva, pivota au-dessus de l'échiquier, se baissa au-dessus du pion du roi et l'avança de deux cases, le posant au centre de l'échiquier. La partie n'avait encore rien de dangereux. Aussi, au lieu d'observer l'échiquier, Friedrich Knaus n'avait-il d'yeux que pour le Turc et pour ses gestes. Il opposa ensuite son pion rouge au pion blanc. Le coup n'était pas inhabituel, mais de brefs applaudissements permirent aux spectateurs de relâcher la tension après ce premier échange entre homme et machine.

Le Turc déplaça un pion sur la droite, à côté de celui qui venait d'être posé. Knaus contempla les pièces avec attention. Ne décelant aucun piège, il s'empara du pion blanc à l'aide du sien et le retira de l'échiquier. Cette première victoire contre l'automate lui valut de nouveaux applaudissements. Friedrich Knaus se permit la coquetterie de lever brièvement les yeux et de sourire au public. Mais il constata en même temps que ce coup ne troublait manifestement pas Wolfgang von Kempelen. Celui-ci ne s'était pas éloigné d'un pouce de son coffret et avait même pris part aux applaudissements.

Le Turc souleva alors son cavalier au-dessus des rangées.

Tibor était obligé d'incliner la tête en arrière pour voir le dessous de l'échiquier. Il commençait déjà à avoir des crampes, mais aucun coup ne devait lui échapper. Le disque métallique de g7 retomba avec un léger cliquetis sur la tête du clou ; celui de g5 se colla sous la case. Son adversaire avait déplacé un pion. Tibor reproduisit le coup sur l'échiquier posé sur ses genoux. Puis il releva l'extrémité du pantographe, la déplaça sur l'échiquier jusqu'à ce qu'elle se trouve au-dessus de f1. Il appuya sur la poignée, ouvrant les doigts du Turc. Puis il inclina le pantographe autant qu'il le pouvait et relâcha la poignée. Il avait saisi le fou. Relevant le pantographe, il lui fit traverser la moitié de l'échiquier et, par la même méthode, le posa en c3. Le cliquetis du disque métallique au-dessus de lui confirma qu'il avait correctement attrapé le fou. Il reproduisit ensuite ce coup sur son propre échiquier. Son adversaire lança lui aussi son fou à l'attaque. Son jeu était encore sans surprise ; Tibor devrait attendre la fin des dix ou douze premiers coups pour se faire une idée de sa valeur réelle.

Kempelen avait réglé le mécanisme pour qu'il soit bruyant, tant même qu'au début le vacarme indisposa Tibor ; il avait l'impression d'être enfermé dans l'horloge d'un clocher. Mais, après quelque temps, il s'habitua au bruit et y vit même un avantage : il entendait à peine ce qui se passait à l'extérieur, évitant ainsi de se laisser distraire du fonctionnement de l'appareil. Il fallait qu'il colle l'oreille contre la paroi pour distinguer les paroles de l'assistance. Un léger courant d'air passait par les fentes et les serrures, alimentant Tibor et la bougie en oxygène. La flamme s'élevait à la verticale, à peine dérangée par les mouvements du nain. Le noir de fumée montait ; une partie des vapeurs traversait comme prévu le corps de l'androïde pour ressortir au niveau de sa tête, l'autre restait accrochée autour du plateau de la table, où elle dessinait des motifs. Si, au début de chaque séance, la cage de Tibor sentait encore le bois, le feutre, le métal et la graisse, ces odeurs étaient rapidement couvertes par celle de la bougie qui se consumait. Il ne sentait même plus sa propre transpiration.

Deux nouveaux coups, et Tibor eut enfin le loisir de se servir des yeux du Turc. Enfonçant le bras dans l'abdomen de l'automate, il tira à plusieurs reprises sur les deux cordons qui actionnaient les nerfs optiques artificiels du Turc. Les chuchotements de l'assistance lui parvinrent à travers l'épaisseur de bois ; il sourit en songeant aux crédules qui se laissaient piéger par ce simple subterfuge. Kempelen lui avait demandé d'exploiter toutes les facultés de l'automate, et le nain obéit : lorsque le deuxième fou rouge arriva du côté de Tibor, il exécuta un petit roque, un peu déçu qu'aucun applaudissement ne vînt saluer ce tour d'adresse. Attrapant l'outre qu'il avait dissimulée dans une niche, il avala une gorgée d'eau et attendit la danse des disques métalliques, au-dessus de lui.

Peu à peu, les cliquetis et les grincements du mécanisme se ralentirent avant de s'arrêter complètement. Tibor fit en sorte qu'au moment même où les rouages s'immobilisaient il fût en train d'exécuter un coup ; le bras du Turc se paralysa à mi-course et ne bougea plus, donnant l'impression que l'automate s'était arrêté, comme une montre dont on a oublié de remonter le ressort. Le silence qui s'était fait dans les entrailles de la machine permit à Tibor d'entendre distinctement les courtisans s'entretenir à voix basse, se demandant, de toute évidence, si l'invention de Kempelen avait subi des dégâts, mais son créateur détrompa immédiatement le public et pria son assistant de bien vouloir remonter l'automate une nouvelle fois. Jakob tourna la manivelle, et les cliquetis reprirent avec une intensité égale. Le Turc acheva son coup.

Au dixième coup, le piège tendu par Tibor se referma : il dégagea sa dame, que Knaus prit avec son fou. Il entendit les applaudissements des spectateurs et imagina son adversaire regarder à la ronde avec superbe, lever peut-être la main pour accepter les félicitations. Il s'était réjoui trop tôt : le fou rouge s'était éloigné, laissant le roi encore un peu plus à découvert. À l'aide de son cavalier, Tibor fit échec au roi. Puis, enfonçant à nouveau la main dans les entrailles du Turc, il ne lui fit pas rouler des yeux mais hocher la tête. Dehors, Kempelen allait expliquer ce geste : un hochement de tête du Turc signifiait « Échec », deux « Échec à la dame » et trois, enfin, « Échec et mat ».

On arrivait au dénouement de la partie, peu glorieux pour le mécanicien de la cour. Le Turc s'empara de la dame rouge avant que ses fous et ses cavaliers ne pourchassent le roi adverse à travers l'échiquier, décimant les figures rouges sur son passage. L'androïde hochait la tête et profitait des pauses pour rouler des yeux. Il fallut bientôt se rendre à l'évidence : les blancs allaient gagner, mais les rouges refusèrent de s'avouer vaincus. Le roi rouge passait d'une case à l'autre, allant et venant pour échapper à ses poursuivants, jusqu'à ce qu'il fût enfin mat. Vingt et un coups. Tibor laissa retomber le pantographe, tira trois fois sur le cordon de la tête comme sur une corde de cloche. Puis il appuya l'oreille contre la paroi pour savourer les applaudissements frénétiques qui saluèrent la fin de la partie. Toute tension l'avait abandonné, laissant place à un sentiment de béatitude aussi délicieux que s'il s'enfonçait dans un baquet d'eau chaude. Kempelen arrêta le mécanisme grâce à une cheville située près de la manivelle. Tibor n'en entendait que mieux les applaudissements, les bravos, et même les remerciements assourdis que le chevalier adressait au public.

Wolfgang von Kempelen constata que Friedrich Knaus était en nage ; un filet de transpiration sourdait de sa perruque pour rejoindre ses tempes, et la main qu'il lui tendit était moite. Sans doute aurait-il préféré regagner promptement sa place dans les rangs des spectateurs, mais Kempelen ne le laissa pas partir : il avait besoin de ce premier perdant pour parachever l'image de l'automate génial – et le hasard avait voulu que ce fût Knaus, alors que l'un comme l'autre eussent préféré que ce fût un autre. Lorsque Kempelen le libéra enfin, il s'inclina devant Knaus et demanda à l'assistance d'applaudir avec enthousiasme le mécanicien de la cour qui avait eu le courage de s'opposer à la machine, et s'était fait battre en vingt et un coups rapides. Knaus lui rendit son sourire, dents serrées. Le chevalier chercha dans la foule des spectateurs qui avaient été témoins de son triomphe. Il y reconnut le visage de son frère Nepomuk. Ibolya Jesenák, qui se tenait à côté de son frère János, lui adressa un petit signe plein de fierté. Quelques autres invités se détournèrent quand le regard de Kempelen se posa sur eux, craignant sans doute qu'il ne fût capable, comme jadis la tête de Méduse, de les transformer en pierre ou, pis, en automate sans vie.

Lorsque les applaudissements décrurent, l'impératrice prit la parole.

— *Cher* Kempelen, vous nous voyez *enthousiasmée*. Cette machine intelligente… ce prodige éclipse jusqu'aux travaux les plus audacieux des maîtres horlogers de Neuchâtel. Vous avez tenu votre promesse. Qu'en pensez-vous, Knaus ?

— Une merveille, en vérité, confirma celui-ci. On croirait presque à de la magie. J'aimerais beaucoup… mais non, pardonnez-moi, la curiosité m'emporte.

— Parlez donc.

— Ma foi, Votre Majesté, si cela devait ne point trop importuner le chevalier von Kempelen (il regarda alors celui-ci bien en face), je ne serais que trop heureux de pouvoir admirer l'intérieur de ce fabuleux automate, où siège sans nul doute l'esprit de la machine qui vient de m'infliger une si cuisante défaite.

Les intentions de Knaus n'étaient que trop limpides. Pendant un bref instant, le sourire de Kempelen s'évanouit. Le silence se fit dans la salle. Le chevalier se tourna alors vers l'impératrice.

— Fort bien, Kempelen. Accédez à son désir.

Friedrich Knaus avait retrouvé son air affable. Kempelen se dirigea vers l'automate et sortit une clé de la poche de son habit.

Entre-temps, Tibor avait éteint la bougie et rangé son échiquier avec ses pièces. Puis il s'était glissé dans le grand compartiment et avait refermé derrière lui la cloison coulissante. Lorsque Kempelen ouvrit la porte de gauche, Tibor avait disparu ; on ne voyait que le mécanisme.

— Voici les rouages qui donnent vie et raison à mon automate, déclara-t-il.

Puis il ouvrit la porte opposée, donnant sur l'arrière, et la lumière qui tomba sur les engrenages, les ressorts et les cylindres prouva que l'espace était vide. Pour le confirmer encore, Kempelen prit la bougie posée sur la table et éclaira le vide, ménagé derrière le mécanisme, qu'avait occupé Tibor quelques instants auparavant. Les spectateurs curieux se penchèrent ou s'accroupirent pour regarder de part et d'autre dans les entrailles de l'automate.

Kempelen referma la porte postérieure, revint du côté de la façade et ouvrit le tiroir jusqu'au bout. Il contenait deux échiquiers complets avec leurs pièces – « en réserve », expliqua-t-il. Tibor avait profité du temps nécessaire à cette dernière opération pour écarter à nouveau la cloison verticale et se glisser dans l'espace situé derrière le mécanisme. Ses jambes se trouvaient sous la planche recouverte de feutre qui formait le double plancher. La porte avant, donnant sur le mécanisme, était encore ouverte, mais l'entrelacs d'engrenages factices était si dense qu'il était impossible de distinguer le nain.

Kempelen put alors ouvrir la porte à deux vantaux et celle de la partie inférieure droite, offrant ainsi le compartiment vide aux regards.

— J'ai laissé un peu de place, car j'envisage d'apprendre un jour à mon Turc à jouer aux dames ou au tarot.

La cour était convaincue : le tiroir était ouvert et quatre portes sur cinq également – aucun homme, ni même un enfant, ne pouvait se dissimuler dans ce buffet. Seul Friedrich Knaus examina encore l'espace entre le meuble et le parquet.

— Je vois que M. Knaus éprouve encore quelques doutes. Je vous assure pourtant qu'il n'y a pas de passage secret vers le bas.

Pour en donner la preuve, Kempelen et Jakob firent pivoter l'automate sur son axe avant de le faire reculer puis avancer de quelques pas.

— Me permettrez-vous de vous demander ce que contient cette cassette ? s'enquit alors le mécanicien en désignant le petit coffre de cerisier.

— Je vous permets de me le demander, monsieur Knaus, mais je suis au regret de ne pouvoir vous répondre. Voyez-vous, avec votre permission, il est quelques petits secrets que je souhaite garder par-devers moi.

— Accordez-la-lui, dit l'impératrice à son mécanicien.

— Certainement, Votre Majesté. Je n'en reste pas moins persuadé qu'un automate ne saurait penser. Il faut donc...

— Ne soyez donc pas aussi têtu, mon bon Knaus. Vous avez bien vu que ce Turc est un pantin sans vie.

Le ton de l'impératrice était sans réplique, et Knaus s'inclina aimablement.

Sur un signe de la souveraine, des laquais apportèrent des rafraîchissements – des plateaux d'argent chargés de vin et de confiseries –, et l'orchestre de chambre se remit à jouer. Quelques invités se regroupèrent autour de l'automate, dont les portes étaient toujours ouvertes, et à côté du mystérieux coffret. Jakob surveillait l'un comme l'autre, répondait poliment aux questions et acceptait les louanges avec force remerciements.

Nepomuk von Kempelen fut parmi les premiers à venir féliciter son jeune frère. D'une stature nettement plus robuste que Wolfgang, et vêtu d'un élégant ensemble brun complété de l'écharpe rouge-blanc-rouge, il salua le héros en lui tapant dans la main et en l'empoignant par la nuque, l'air jovial.

— Chaque fois que l'on est persuadé que les frères Kempelen ne pourront aller plus loin, l'un de nous deux survient et accomplit un nouvel exploit. Tous mes respects, Wolf. Holà !

Rattrapant un laquais par ses basques, Nepomuk prit sur le plateau deux verres de vin. Il en tendit un à son frère.

— À la famille von Kempelen. Qu'elle continue à étonner le monde.

— À nous.

— Quel dommage que notre père ne soit plus là !

Nepomuk avala promptement une gorgée, avant de tourner les yeux vers l'automate.

— Il y a un mois encore, Anna Maria poussait les hauts cris à propos de ce joueur d'échecs. Elle prétendait que tu allais te couvrir de ridicule.

—Tu la connais. Ce n'est pas la première fois qu'elle essaie de conjurer le sort en prédisant le pire.

Dans le même temps, Kempelen ne cessait de parcourir la salle du regard, s'assurant que personne ne cherchait à lui parler.

—Je trouve ton Turc éblouissant, tout bonnement éblouissant. Cette figure sinistre est une brillante réussite. En vérité, ton Juif est un second Phidias. Quand tu auras une minute, je veux absolument que tu m'expliques l'artifice qui se dissimule derrière cela. Le Souabe, ce vieux fossile de Knaus, donnerait son bras droit pour le savoir.

— Je te le révélerai pour un prix plus modique.

— En fait, non, attends, je ne veux pas le savoir. Je préfère mourir dans l'ignorance. Tu sais que j'ai horreur d'être déçu. Mais accroche-toi à ton verre et boutonne ta culotte ; j'aperçois notre nymphe.

Ibolya se frayait un passage à travers la foule, laissant négligemment les plis de sa robe rose effleurer en passant les mollets des hommes qui se retournaient sur elle. Le profond décolleté carré de son corselet vert pâle permettait de discerner chacune de ses inspirations au gonflement de sa poitrine poudrée de blanc. Elle portait du rouge à joues et une mouche juste au-dessus de sa bouche fardée. Sa perruque était remontée en un audacieux échafaudage orné de plumes, de fleurs de soie et de rubans. Un éventail et une bourse étaient suspendus à son poignet. Elle arborait un sourire enchanteur.

— Nepomuk, dit-elle en guise de salut, et le susdit lui prit la main, qu'il porta à sa bouche, déposant un baiser sur le gant de dentelle.

— Ibolya. Tu es belle comme le printemps.

— C'est que je me sens comme le printemps.

— Ton parfum est aussi suave que le sien.

— Cesse donc, dit-elle en assénant à Nepomuk, qui faisait mine de lui humer l'épaule, une petite tape du plat de son éventail.

Elle se tourna ensuite vers le frère. Farkas, je suis fière de toi.

Wolfgang von Kempelen lui baisa la main à son tour.

— Merci. Mais, je t'en prie, pas de Farkas ici. Je m'appelle Wolfgang.

— Pourquoi cela ?

— Nous ne sommes pas à Presbourg, mais à Vienne. On parle allemand, ici.

Ibolya fit une moue faussement offensée et se tourna vers Nepomuk.

— Kempelen Farkas de Pozsony ne veut plus être hongrois.

Nepomuk rit et prit Ibolya par la taille.

— C'est que Kempelen Farkas est célèbre, maintenant, Ibolya. L'impératrice a applaudi Farkas.

Kempelen esquissa un petit geste de la main.

— Moquez-vous !

Ibolya but longuement au verre de Nepomuk, s'étrangla et s'essuya précautionneusement le menton du dos de la main. Le baron János Andrássy rejoignit leur petit groupe et salua les frères Kempelen en s'inclinant. Un bref instant, il demeura interdit, car la main de Nepomuk reposait toujours sur le dos d'Ibolya. Il la retira. Comme sa sœur, Andrássy avait le teint mat. Il était le seul, dans la galerie, à l'exception du Turc, à n'être pas glabre : il portait une moustache noire aux extrémités pointues. Andrássy était revêtu de l'uniforme de lieutenant des hussards – un dolman vert foncé aux boutons jaunes, une culotte rouge enfoncée dans de hautes bottes, la pelisse ouverte accrochée sur l'épaule gauche ; à la ceinture, le sabre d'officier et la sabretache de son régiment.

— Promettez-moi, dit-il en s'adressant à Kempelen, de m'inscrire sur la liste. Je tiens absolument à disputer une partie contre ce Turc et à lui montrer qu'un hussard ne se laisse pas pourchasser sur le champ de bataille comme vient de le faire l'inepte horloger de Sa Majesté.

— Je suis certain que mon automate suerait sang et huile s'il devait se battre contre vous, baron. Mais je crains qu'il n'y ait point d'autre partie. Je prévois en effet de démonter cette machine dès demain afin de me consacrer à d'autres projets.

Tandis qu'Andrássy protestait, une ordonnance de l'impératrice s'approcha de Kempelen et lui chuchota quelques mots à l'oreille.

— *Excusez-moi*, dit Kempelen. Mais Sa Majesté souhaite s'entretenir avec moi.

— Voyons, il ne faut pas faire attendre Sa Majesté, s'écria Nepomuk. Vite, vite.

— Bonne chance, ajouta Ibolya, et Andrássy lui adressa un petit signe de tête.

Kempelen savoura les regards envieux des courtisans qu'il croisa en se dirigeant vers l'impératrice. Elle avait à présent à ses côtés Friedrich Knaus, qui se tamponnait le front avec un mouchoir de soie. Kempelen s'inclina devant l'impératrice et salua Knaus.

— *Mon cher* Kempelen, je parlais à l'instant à Knaus de votre extraordinaire invention, dit Marie-Thérèse. Et nous avons admis l'un comme autre que vous aviez largement mérité vos cent souverains d'or. *N'est-ce pas*, Knaus ?

— Certes. Une machine qui pense, qui eût imaginé pareil prodige ? J'ai encore peine à y croire.

— Pourquoi nous avoir caché si longtemps les talents qui sommeillent en vous ? Quand je songe que durant toutes ces années je vous ai accablé des tâches administratives les plus vaines et qu'il vous a fallu si peu de temps pour nous fabriquer pareille merveille !

— Je tenais à n'apparaître au grand jour, Votre Majesté, que lorsque l'on ne pourrait plus trouver la moindre chose à y redire.

— Dites-moi, quels sont vos projets, à présent ?

— Regagner le giron de la vaine bureaucratie, répondit Kempelen avec un sourire, et accessoirement, dans la mesure où j'en trouverai le temps, me consacrer à d'autres inventions.

— Accepteriez-vous de nous confier à quoi vous songez ?

L'impératrice jeta un rapide coup d'œil à Knaus, qui suivait ce dialogue, les mains dans le dos, le sourire figé.

— Il l'acceptera bien évidemment. N'êtes-vous pas l'impératrice ?

— Je nourris le projet de fabriquer une machine qui parle. Un appareil dont la maîtrise de la parole n'ait rien à envier à celle d'un homme de chair et de sang. Qui sache parler toutes les langues.

— *C'est drôle*, Knaus. N'aviez-vous pas l'intention, jadis, de fabriquer une machine parlante, vous aussi ? Qu'est-elle devenue ?

— Ce... projet a dû... être repoussé. Le Cabinet de physique m'a imposé trop d'obligations de toutes sortes, Votre Majesté.

— Peut-être pourriez-vous vous livrer à quelques échanges de vues l'un et l'autre, comparer vos résultats. Si vous travailliez ensemble, un tel projet pourrait se réaliser plus promptement, *n'est-ce pas* ?

Les deux hommes hochèrent dûment la tête mais demeurèrent muets.

— Examinez donc encore un instant ce remarquable joueur d'échecs, conseilla alors l'impératrice à Knaus.

— Cela ne sera pas nécessaire. J'ai pu l'observer tout à loisir tout à l'heure.

— Vous m'avez mal comprise : vous pouvez disposer.

Friedrich Knaus tressaillit en prenant conscience de son impair. Puis il s'inclina cérémonieusement devant l'impératrice et Kempelen, mais tout sourire s'était effacé de son visage avant même qu'il se fût entièrement détourné.

— Qu'avez-vous donc tous, avec vos machines à parler ? demanda alors Marie-Thérèse. Ne trouvez-vous pas que les hommes parlent déjà plus que de raison, ici-bas ? Pourquoi faudrait-il, de surcroît, apprendre aux machines à en faire autant ? Des machines à se taire, voilà ce qu'il m'arrive de souhaiter ! Nous avons besoin de gens qui réfléchissent plus qu'ils ne parlent ; nous voulons davantage de penseurs *comme il faut*, à l'image de votre Turc. (Wolfgang von Kempelen garda le silence.) Mais je ne doute pas que votre machine à parler puisse être aussi prodigieuse que votre *Joueur d'échecs*. Peut-être manqué-je de perspicacité, ou alors je ne suis plus assez jeune pour reconnaître la voie du progrès.

— Votre Majesté ! s'indigna Kempelen, mais Marie-Thérèse leva la main pour couper court à ses protestations.

— Pas de vaines politesses, Kempelen. Ce n'est pas votre style.

Marie-Thérèse parcourut la salle des yeux et son regard se posa sur Knaus, qui tournait à pas lents autour de l'automate, les mains toujours dans le dos, le regard fixe, comme un héron à l'affût de grenouilles dans une prairie.

— *À propos*, Knaus n'est plus de première jeunesse, lui non plus.

— Il a accompli de grandes choses.

— Dont les plus récentes remontent à une dizaine d'années. (L'impératrice fit signe à Kempelen d'approcher d'un pas et lui demanda, d'une voix un peu plus basse :) Seriez-vous intéressé par le poste de mécanicien de la cour ? Je serais heureuse de vous avoir près de moi, ici, et Knaus me serait sans doute reconnaissant d'être relevé de ses fonctions.

— C'est trop de bonté, Votre Altesse.

— Épargnez-moi ces manières de courtisan. (La main potelée de l'impératrice se posa sur le bras de Kempelen et le serra.) Vous savez ce dont vous êtes capable, et je le sais également. Je n'ignore pas non plus que pareille nomination vous comblerait.

— Votre Majesté semble oublier les autres obligations importantes dont je dois encore m'acquitter.

— Coloniser les terres et surveiller les mines de sel ? D'autres en sont aussi capables que vous. Vous êtes destiné à de plus grandes choses. Prenez cependant le temps d'y réfléchir.

— Fort bien, Votre Altesse.

— Mais je me refuse absolument à ce que cette présentation du joueur d'échecs demeure un événement unique. Je tiens à ce que vous présentiez cette merveille dans tout mon empire. Les étrangers doivent voir, eux aussi, de quoi nous sommes capables. Retournez à Presbourg, montrez-leur votre Turc. Réduisez le plus possible vos autres activités ; vous avez mon consentement. Vos appointements demeureront évidemment identiques. Et revenez vite à Vienne, car les doigts me démangent de disputer un jour, moi aussi, une partie contre votre Turc.

— Quel honneur ! Et quel événement cela serait.

— *En effet.*

— Et ma machine parlante ?

— Le jour où plus personne ne s'intéressera à votre *Joueur d'échecs,* ce jour-là, mon cher Kempelen, je vous demanderai de nous surprendre avec votre machine parlante. (Kempelen s'inclina.) Et maintenant, rejoignez vite la société. Vous avez suffisamment conversé avec une vieille femme aux charmes flétris, allez recevoir les hommages des plus jeunes et des plus jolies.

Ayant détourné les yeux du chevalier, elle balança son corps alourdi sur son siège en gémissant théâtralement, comme si elle était atteinte de toutes les infirmités du grand âge.

Entre-temps, Nepomuk von Kempelen s'était éloigné d'Ibolya pour deviser avec d'autres dames. Quant au baron Andrássy, il discutait politique avec un groupe de compatriotes. Ibolya errait dans la salle, désœuvrée, échangeant de temps en temps un verre vide contre un plein quand le plateau d'un laquais passait à proximité. Elle souriait aux hommes dont le regard croisait le sien, et ils lui rendaient son sourire, mais aucun ne lui adressait la parole ; Ibolya se planta enfin devant un des nombreux miroirs pour vérifier si son corset et sa perruque n'avaient pas glissé. Une fleur de soie s'était détachée de sa coiffure et pendait, flétrie. Ibolya la redressa.

Elle sentit que quelqu'un l'observait dans son dos. Sans se retourner, elle examina les reflets dans la glace. Parcourant des yeux les rangées de têtes chenues qui s'alignaient derrière elle, elle vit une majorité de nuques ; quant aux autres, ils regardaient ailleurs. Elle dut scruter la salle avec plus d'attention pour remarquer que les yeux du Turc étaient fixés sur elle, immobiles. Puis le dos du mécanicien de la cour lui masqua l'automate.

Ibolya s'écarta du miroir et se dirigea droit vers la machine. L'affluence était déjà moindre. Les portes antérieures du buffet étaient restées ouvertes pour permettre aux spectateurs d'observer les entrailles de la machine et, sur l'échiquier, les pièces blanches mettaient encore le roi rouge de Knaus échec et mat. Ibolya s'arrêta à deux pas du Turc. Il la regardait toujours de ses yeux bruns et brillants. Ibolya lui rendit son regard tout en le soumettant à un examen détaillé – ses épais sourcils et la moustache altière qui ornait sa lèvre supérieure, ses joues sévères et, enfin, sa peau bistrée et luisante. De temps en temps, un courant d'air faisait frémir la chemise de soie au-dessous des larges épaules du Turc ; on aurait cru qu'il respirait. C'était curieux : cette machine perdue au milieu d'une foule d'êtres humains avait l'air plus humaine qu'eux tous. Ibolya cilla, et ce fut comme une défaite, une soumission ; car les yeux du Turc restèrent grands ouverts, impassibles.

Le charme se rompit lorsque la baronne Jesenák remarqua que Jakob l'observait. La pression de son corset lui apprit que son souffle s'était accéléré. Jakob lui sourit, fier de l'intérêt qu'elle manifestait pour son ouvrage, et elle lui rendit son sourire, honteuse de cet instant d'absence devant un mannequin. Sur un battement de paupières, elle se fondit dans la foule pour se chercher un autre verre.

Jakob la suivit du regard. Il constata ensuite que Knaus, qui avait examiné jusqu'alors l'automate avec une grande attention, avait disparu. Le cherchant des yeux, il le découvrit, accroupi devant la porte ouverte, une main déjà enfoncée dans le mécanisme.

— Je vous en prie, monsieur ! Il est interdit d'y toucher !

Knaus sourit avec suffisance.

— Si quelqu'un s'y connaît dans ces choses-là, c'est certainement moi. Je ne risque pas de tordre une roue dentée, soyez sans crainte.

— Je dois néanmoins vous prier...

Knaus fit un signe de tête, sortit la main des rouages et s'essuya les doigts, maculés de traces d'huile, à son mouchoir.

— Vous êtes l'apprenti sorcier ?

— Je suis l'assistant de M. von Kempelen, oui.

— Et vous n'êtes... certainement pas seulement responsable de la surveillance de ce pantin ?

— Non, monsieur. J'ai participé au travail de menuiserie.

De sa main propre, Knaus caressa le sombre bois de noyer du meuble.

— Du bon, non, de l'excellent travail. Vous êtes remarquablement doué.

— Je vous remercie.

— Vous savez que je dirige le Cabinet de physique de la cour. Nous avons besoin de gens compétents.

— Je n'ai suivi aucune formation.

— Et Wolfgang von Kempelen ? A-t-il suivi une formation en horlogerie ? Non ! Cela ne l'empêche pas de nous surprendre avec un ouvrage qui abolit les lois connues et inconnues de la mécanique.

Knaus tendit les deux mains vers le Turc comme pour le présenter à Jakob. L'ironie était patente.

— J'ai déjà un emploi.

— Je ne l'ignore pas. À Presbourg. On vit un peu plus à son aise à Vienne qu'en province, mon bon.

— C'est trop aimable. Mais je suis très content de mon travail et compte donc rester à Presbourg.

Friedrich Knaus soupira, comme s'il renonçait à ramener un ignorant dans le droit chemin.

— Bien, bien, si telle est votre décision. Sachez que je serai là si vous deviez changer d'avis. Prenez le temps de me rendre visite au Cabinet de la cour lors de votre prochain passage à Vienne. (Knaus retira son roi rouge de l'échiquier et le posa à côté des autres pièces vaincues. Puis il ajouta, d'une voix assourdie :) Écoutez-moi : si ce prétendu automate a quelque chose de suspect – ce que je suppose, car ma raison me le dit –, je serai le premier à découvrir la supercherie. Et je ne manquerai pas d'en informer l'impératrice. Que Dieu protège alors ceux qui auront osé mystifier Son Altesse et sa cour, ceux qui auront eu le front de ridiculiser l'empire. Le châtiment ne retombera pas seulement sur l'inventeur lui-même, mais sur tous ceux qui auront pris part à cette imposture. Tenez-vous-le pour dit, et transmettez-le de ma part à votre hâbleur de patron.

Knaus attendit un instant afin de donner plus de poids à ses propos, puis il se détourna de Jacob et de l'automate pour s'adresser à la jeune femme en costume turc qui l'accompagnait.

Aussi chuchotées qu'aient été les dernières paroles de Knaus, Tibor les avait entendues. Il demanderait à Kempelen de ne plus laisser ouverte la porte qui dissimulait le mécanisme. Il avait été heureux, bien sûr, de suivre, fût-ce de loin, ce qui se passait après la représentation : les jambes et les jupes qui passaient, innombrables, devant sa petite lucarne, les silhouettes qui se penchaient vers son antre et le regardaient parfois droit dans les yeux, sans le voir dans l'obscurité, l'animation mondaine qui régnait dans la salle, au-delà, les senteurs plaisantes que répandaient dames et messieurs, sans compter les éloges dont les invités comblaient le Turc et son jeu brillant. Mais, lorsque le visage hâve de Knaus s'était dessiné dans l'ouverture, Tibor avait pris peur et, au moment où le mécanicien avait introduit la main dans le mécanisme, il avait cru que tout était perdu : Knaus allait l'extirper de sa niche comme un escargot de sa coquille.

Et puis il avait revu la baronne Jesenák. Elle était aussi jolie que la première fois, bien qu'il préférât la robe plus simple qu'elle portait lors de sa visite à l'atelier. Il l'observa autant que faire se pouvait tandis qu'elle se promenait à travers la galerie, verre à la main. Au moment où elle s'arrêta devant un miroir et où Tibor aperçut son reflet dans le cadre d'or, il eut l'impression de contempler une toile de maître. Et, lorsqu'elle s'approcha de l'automate, il huma à nouveau son parfum : la fragrance suave des pommes mûres.

Il était bien plus de minuit quand les trois hommes regagnèrent la maison de la Trinité, dans l'Alsergasse, mais ils étaient parfaitement éveillés. La sueur de Tibor avait séché depuis longtemps. Jakob avait retiré sa perruque et se grattait le crâne avec entrain. Ses cheveux humides se dressaient, hirsutes, et la pression du postiche avait dessiné un diadème rouge autour de sa tête. Il s'était dépouillé de son justaucorps jaune. Alors qu'il débarbouillait son visage maculé de poudre et de transpiration, Wolfgang von Kempelen entra dans la pièce, tenant d'une main sa perruque, de l'autre une bouteille de champagne.

— Trinquons à « la plus grande invention du siècle » ! s'écria-t-il. Je cite le comte Cobenzl.

— Le siècle est encore loin d'être écoulé, fit remarquer Jakob. Qui sait ce qu'apporteront les trente années à venir ?

Kempelen tendit sans commentaire la bouteille à son assistant et ressortit chercher des verres. Lorsque Jakob retira le bouchon, le champagne jaillit et lui éclaboussa la main. Il se tourna vers l'androïde.

— Je te baptise du nom de – il se tourna vers Tibor, cherchant de l'aide, mais rien ne vint à l'esprit de celui-ci ;

de surcroît, il n'avait pas l'intention d'accorder son concours à un Juif qui prétendait baptiser un automate – … Pacha. (Jakob aspergea la tête du Turc avec le champagne qui ruisselait sur ses doigts.) Pas très original, j'en conviens. Mais, aussi, voyez comme il trône, aussi placide qu'un vieux pacha. (Il fit un signe de tête vers la porte et chuchota :) Il va vouloir prolonger ton contrat.

– Kempelen ?

– Oui. Ne te fais pas rouler dans la farine. Il ne peut pas se passer de toi. Ne te vends pas au-dessous de ta valeur, tu m'entends ?

– Et toi ?

– Mon travail est terminé. Je ne lui suis plus tout à fait indispensable. Ce n'est pas ton cas.

– Tout de même, je ne peux pas…, commença Tibor, mais déjà Kempelen revenait avec les verres, et il se tut.

Kempelen versa le champagne avec tant d'énergie que la mousse déborda. Il tendit un verre d'abord à Tibor, puis à Jakob, brandit le sien et regarda le Turc.

– Au joueur d'échecs.

Jakob et Tibor levèrent à leur tour leur verre à la santé du Turc, et les trois hommes trinquèrent. Kempelen vida son champagne d'un trait.

– Ce n'était qu'un début, annonça-t-il. L'impératrice m'a demandé – non, il serait plus exact de dire qu'elle me l'a ordonné – de présenter l'automate à Presbourg afin que tout le monde puisse le voir jouer. Cette machine va faire autant d'effet que la foudre à Brescia. (Kempelen se resservit et remplit le verre de Tibor.) Je sais bien que je t'avais annoncé à Venise que je n'aurais besoin de toi que pour une seule représentation. Je me suis trompé, vois-tu. J'ai sous-estimé la sensation que produirait l'automate. Réussirai-je à te donner envie de continuer à travailler pour moi ? Tu as vécu une expérience grandiose, non ? Sais-tu que l'impératrice elle-même tient à jouer contre toi ?

Tibor opina du chef. Jakob redressa la tête comme pour s'étirer la nuque, et le nain comprit l'allusion.

– Mais je veux plus d'argent.

Il n'avait pas voulu s'exprimer aussi crûment, mais la phrase lui avait échappé. Pour masquer son embarras, il plongea le nez dans son verre de champagne.

Kempelen haussa un sourcil.

— Ha ! ha ! Et quelle somme avais-tu à l'esprit ?

Du coin de l'œil, Tibor vit Jakob poser la main sur sa cuisse, tendant le pouce et deux doigts, à l'insu de Kempelen.

— Tr..., dit Tibor, et, voyant Jakob mettre un peu plus d'énergie dans son geste, il compléta... Trente florins par mois.

Il n'osait pas regarder Kempelen dans les yeux. Il se conduisait, il en était sûr, comme un affreux ingrat.

Mais Kempelen hocha la tête en signe d'assentiment.

— Nous en reparlerons à notre retour à Presbourg.

— Et il y a quelques dispositions à modifier.

— Je suis parfaitement de ton avis. Nous n'autoriserons plus personne à s'approcher aussi près de la machine que Knaus. Nous installerons ton adversaire... à une autre table. Nous expliquerons simplement que cela permet aux spectateurs de mieux voir le Turc. Ou nous prétexterons des questions de sécurité. Quel ennui, tout de même, que l'impératrice ait jeté son dévolu sur ce malheureux Knaus ! Un esprit si brillant ! Ce soir, il avait tout d'un idiot du village passant un examen. Il a dû transpirer des chopes de sueur. Il sera demain la risée de tout Vienne. (Kempelen sourit d'aise, but une gorgée et ajouta :) Non. En fait, tout Vienne ne parlera que du *Joueur d'échecs*. La machine pensante de Wolfgang von Kempelen.

— Ce n'est pas une machine pensante, objecta Jakob.

— Je te demande pardon ?

— Ce n'est pas une machine pensante. L'automate ne sait qu'actionner des rouages et faire du bruit. C'est Tibor qui pense. Tout cela n'est que mystification virtuose.

— Voyons, Jakob, nous savons cela.

— Je tenais simplement à vous faire remarquer que plus nous présenterons l'automate, plus nous risquerons que la supercherie soit découverte.

Le regard de Kempelen passa de Jakob à Tibor, puis de Tibor à Jakob. Il se mit alors à rire. Posant la main sur l'épaule de Jakob, il la serra brièvement.

— Notre Cassandre de gousset ! Le vieux Knaus t'a intimidé, pas vrai ? Je vous ai vus causer ensemble, tout à l'heure. Il avait l'air irrité.

— Je ne suis pas homme à me laisser intimider, répliqua Jakob avec un peu d'obstination. Ce que je veux dire, c'est qu'il vaudrait mieux ne pas trop tenter le sort.

— Je sais que les siècles se sont employés à faire perdre toute confiance à tes coreligionnaires. Mais le sort, Jakob, le sort est là pour être tenté. Je l'ai fait avec succès jusqu'à présent et j'ai bien l'intention de poursuivre dans cette voie. Ce qui ne nous dispensera évidemment pas de redoubler de prudence. On nous observera de près, ma maisonnée et moi. (Il se tourna vers Tibor.) Et c'est pour cette raison que, demain, tu ne regagneras pas Presbourg avec moi. Reste deux ou trois jours de plus ici et, ensuite, prends une calèche. Ainsi, aucun de ceux qui te verront en route ne pourra établir de lien entre toi et moi.

— Je devrai rester ici tout seul ?

Kempelen se tourna vers Jakob, qui hocha la tête.

— Bien. Jakob te tiendra compagnie. Mais que personne ne vous voie dans la rue durant ces trois jours. Ne sortez pas.

— Cela va sans dire, assura Jakob.

Ils vidèrent la bouteille de champagne et discutèrent de la représentation ; Kempelen leur confia les détails de son entretien avec Marie-Thérèse, Jakob cita les éloges des invités, et Tibor décrivit enfin la partie qu'il avait disputée contre Knaus, expliquant comment il l'avait vécue de l'intérieur. En revanche, il garda le silence sur l'incident avec la baronne Ibolya Jesenák et sur la conversation qu'il avait involontairement surprise entre Knaus et Jakob.

Le palais Thun-Hohenstein

Le 20 octobre 1750, à l'occasion du dixième anniversaire du couronnement de Marie-Thérèse, Louis VIII, landgrave de Hesse-Darmstadt, offre à Sa Majesté une horloge à automate de la taille d'un homme adulte. Cette « horloge d'apparat impériale » pèse plus de deux cent cinquante livres, dont plus de la moitié d'argent pur. Le cadran surmonte une petite scène évoquant un théâtre de figures d'étain, entourée de feuilles d'acanthe, de chérubins, de nymphes d'argent, sans oublier l'aigle des Habsbourg. Le fond de la scène est orné d'arcades et, à l'arrière-plan, on distingue l'armée impériale et le château de Presbourg.

Quand le spectacle commence, un mécanisme d'une grande complexité actionne ce *tableau animé* ; accompagnés par la mélodie solennelle d'une boîte à musique, les personnages de Marie-Thérèse et de François Ier entrent en scène, l'empereur sur la gauche, son épouse sur la droite ; ils se rejoignent au centre devant un autel sacrificiel d'où s'élève une flamme ardente. Ils sont accompagnés de pages, qui s'agenouillent devant eux pour leur tendre leurs couronnes : à Marie-Thérèse la couronne royale de Hongrie et de Bohême, à François Ier la couronne impériale du Saint Empire romain.

Soudain, le ciel bleu se voile de sombres nuages, et l'on voit surgir au-dessus du couple un démon dont les traits ressemblent à ceux de Frédéric II de Prusse. Mais voici que l'archange saint Michel descend du firmament, brandissant une épée de feu pour chasser le trouble-fête. Enfin, le génie de l'Histoire prend la plume pour écrire en lettres noires dans les cieux *Vivant Franciscus et Theresia*, pendant qu'au son des fanfares, des couronnes de laurier descendent sur la tête du couple régnant.

Le landgrave Louis a confié la réalisation de ce prodigieux présent à son horloger attitré, Ludwig Knaus, lequel a travaillé avec son jeune frère, Friedrich. La cour de Vienne est tellement enchantée du chef-d'œuvre des deux frères d'Aldingen, sur le Neckar, qu'elle les appelle plus tard tous deux au service de la maison impériale. Ludwig devient ingénieur de l'armée autrichienne. Quant à Friedrich, après le déclenchement de la guerre de Sept Ans, il se rend à Vienne pour y prendre les fonctions de mécanicien de la cour de Sa Majesté, accédant ainsi à la célébrité. Il devient membre du Cabinet de physique, de mathématiques et d'astronomie de la cour et fabrique d'autres machines – parmi lesquelles quatre automates écrivains, dont le quatrième, *La Merveilleuse Machine à tout écrire*, est présenté en 1760 pour un nouvel anniversaire du couronnement. Cette merveille est formée d'une statuette de laiton, capable de tracer à l'aide d'un tuyau de plume et d'encre jusqu'à soixante-huit lettres à la suite sur un papier mobile. Cette *Merveilleuse Machine à tout écrire* fait sensation et accroît encore la renommée de Friedrich Knaus, considéré comme le plus grand mécanicien de son temps.

Knaus était resté silencieux pendant le trajet de retour, regardant obstinément par la petite vitre de la calèche ; le temps humide et froid était le reflet de son humeur. Arrivé chez lui, il oublia d'aider sa passagère à descendre ; il fallut qu'elle le rappelât. Il laissa retomber brutalement le heurtoir et, pendant qu'ils attendaient son valet, il chassa de sa canne deux pigeons qui s'abritaient de la pluie sur une corniche.

— Préfères-tu rester seul, ce soir ? lui demanda sa compagne.

— Cela te conviendrait assez, j'imagine, répondit-il avec hargne. Mais qui me divertirait, sinon toi ?

Le domestique ouvrit. Knaus lui tendit son manteau, son chapeau, sa canne et ses gants, réclama une bouteille de vin et une collation et, précédant la jeune femme, se dirigea vers sa chambre à coucher, à l'étage supérieur. Pendant que devant une petite coiffeuse, elle retirait sa perruque, débarrassait son visage de la poudre, du fard à joues et du rouge à lèvres qui le recouvraient, il arpenta la pièce, les bras croisés tantôt sur la poitrine, tantôt dans le dos.

— J'aurais juré qu'un homme se dissimulait dans cette machine, marmonna-t-il après un long silence. (S'arrêtant de marcher, il se tourna vers sa maîtresse.) Aurais-tu, je te prie, la bonté de me contredire ? Ou, mieux encore, de m'approuver ? Je ne goûte guère les soliloques.

Elle soupira et parla sans se retourner.

— Tu as bien vérifié pourtant qu'il n'y avait personne dans la machine. Elle était vide.

— Oui, sans doute, mais... un... un singe, peut-être ? Il paraît que le sultan de Bagdad possède un singe savant qui joue aux échecs. Ou bien un homme... sans membres... sans jambes. Un ancien combattant à qui un boulet de canon aurait fauché tout le bas du corps pendant la guerre... qui l'aurait littéralement coupé en deux... Dieu tout-puissant, persévéreras-tu ainsi à ne pas m'interrompre ? N'entends-tu pas les balivernes que je profère ? Faudrait-il que je fusse niais pour me faire battre par un singe ! Tout, pourtant, plutôt que par une machine... (Knaus s'arracha la perruque du crâne et la jeta sur un fauteuil d'où elle tomba par terre.) Dieu, que je hais ce Kempelen ! Cet arrogant parvenu, ce flagorneur de province avec son insupportable modestie, plus vaniteuse que toutes les vanités ! À chacun son métier, que diable ! Je ne me mêle pas de sa paperasserie, moi.

— C'est vrai, acquiesça-t-elle.

Il se défit de son pourpoint.

— L'abbé et le père Hell sont de mon avis. Cette machine a quelque chose qui n'est pas catholique. Mais peu leur importe, après tout ; Kempelen ne chasse pas sur leurs terres. Si seulement il avait découvert une nouvelle planète ! Ha ! ils l'auraient moins bien pris ! Voilà qui aurait fait du tapage, tu peux me croire ! (Du plat de la main, il tapota la poudre tombée sur les épaules de sa redingote.) Je me demande s'il ne faut pas chercher du côté des aimants. Certainement, il y a des aimants là-dessous ; ces derniers temps, le monde entier se sert d'aimants ; rien n'intéresse plus les hommes s'il n'y a un de ces maudits aimants quelque part. As-tu remarqué qu'il s'est tenu à côté de ce coffret pendant toute la partie ? Et qu'ensuite il a persisté à refuser de l'ouvrir ? Tout le secret est là. C'est lui qui dirige l'automate, à distance... à l'aide de flux magnétiques. La machine qui pense n'existe pas ; c'est Kempelen qui pense et la dirige.

— Brillant !

— Brillant, oui, sans doute, mais une supercherie tout de même. Une brillante supercherie, je te l'accorde. Je démasquerai cette imposture.

Pendant ce temps, elle avait retiré les épingles qui maintenaient ses cheveux blonds sous la perruque, et se les brossait.

— Pourquoi ?

— *Pourquoi ?* Tu me demandes sérieusement *pourquoi* ? Parce que, autrement, je me trouverai bientôt à la porte, ma chère, voilà pourquoi. Je la connais, cette vieille garce francophile ; pour peu qu'une nouvelle mode arrive – il déguisa sa voix –, *ô ça c'est drôle, c'est magnifique, ô je l'aime absolument !*, tout ce qui existait a fait son temps. Elle adore ce charlatan, ce Cagliostro hongrois, je l'ai bien vu. Dieu sait pourquoi ; sans doute parce qu'il est noble et pas moi. Imagine que Kempelen a, lui aussi, l'intention de construire une machine parlante ! Le hasard n'y est évidemment pour rien ! Il veut me battre sur mon propre terrain ! Je ne me laisserai pas faire. Je révélerai sa supercherie au grand jour, et c'en sera fait de lui. Il pourra plier bagage et filer en Prusse ou, mieux encore, en Russie !

En prononçant cette dernière phrase, Knaus avait involontairement tendu l'index en le pointant vers l'est, avant de prendre conscience du ridicule de sa posture. Il entreprit de déboutonner son gilet.

— Tu exagères, dit-elle. Il ne te veut certainement pas de mal. Il ne te connaît même pas. Et qui sait ? La passion suscitée par le Turc sera peut-être retombée dans quelques semaines.

— Je ne peux attendre aussi longtemps. Comment découvrir le pot aux roses ?

Comme Knaus demeurait coi, elle suggéra :

— Achète son assistant.

— Que crois-tu que j'aie essayé de faire tout à l'heure ? Malheureusement, tout le monde n'est pas vénal, ma précieuse Galatée.

Elle se figea un instant puis se passa un linge humide sur le visage.

— Je suis désolé, murmura Knaus, qui s'approcha d'elle, enlaça ses épaules dénudées et l'embrassa dans le cou. Je suis profondément désolé. Pardonne-moi, je t'en prie. J'ai la tête à l'envers. Je suis tellement furieux que je m'en prends à ce qui m'est le plus cher.

Elle glissa la main dans son dos pour défaire les œillets de son corset. Knaus la devança, s'agenouilla derrière elle et le délaça de haut en bas. Pendant ce temps, il l'observait dans le miroir. Ses cheveux étaient superbes, sa peau irréprochable et ses seins, surtout, d'une perfection absolue ; mais c'étaient ses infimes défauts qui éveillaient son désir : ses yeux bleus, émaillés d'une petite éclaboussure de vert qu'il ne pouvait s'expliquer, la minuscule cicatrice qui déparait son front, la commissure droite toujours un peu plus haute que la gauche, et le grain de beauté placé au-dessus de sa lèvre, qui rendait toutes les mouches inutiles. À l'instant même où il lui embrassait le dos, il eut une inspiration.

— C'est toi qui vas le confondre ! s'écria-t-il.

— Que dis-tu ?

Friedrich Knaus se releva, enthousiasmé par son idée.

— C'est toi qui découvriras pour moi le secret du joueur d'échecs. Tu es capable de mener n'importe quel homme par le bout du nez. Kempelen comme les autres. Nul ne peut te résister ! Je suis comblé ! Je suis un génie !

— Je ne ferai pas cela. Que crois-tu ? Me prends-tu pour une espionne ?

— Évidemment, tu ne peux pas lui poser la question tout de go. Il faut que tu amorces les choses plus habilement. Mais tu trouveras un moyen. Tu es fine. Après tout, peu m'importe comment tu procèdes.

— C'est non, te dis-je.

— Mais tu peux tout à fait y parvenir ! La difficulté n'a rien d'insurmontable. Tu pourras prendre le temps qu'il te faudra.

— Je t'ai dit que je ne voulais pas. N'y songe plus.

Entièrement dévêtue à présent, elle se leva et son jupon glissa le long de son corps. Nue, elle se dirigea vers le lit.

Knaus fit claquer sa langue.

— Tu feras ce que je te dis, Galatée. Dès que ta grossesse commencera à se voir, tu n'auras plus un seul protecteur ici.

Elle laissa tomber le drap qu'elle tenait et se retourna vivement.

— D'où sais-tu cela ?

— Je ne le savais pas jusqu'à cet instant. Ce n'était qu'une hypothèse. Mais ton émoi est suffisamment éloquent. (Il sourit.) N'oublie pas : je ne suis pas médecin, sans doute, mais je n'en suis pas moins savant, et nos talents d'observation sont connus. (Elle se glissa sous le drap, lui dissimulant son visage, et il contempla avec bienveillance l'étoffe qui, lentement, se posait sur ses rondeurs.) As-tu l'intention de t'en défaire ?

— Non.

— Alors, il te faut quitter Vienne. Les nouvelles vont vite, à la cour, et si tout le monde l'apprend, tu ne pourras plus exercer ta profession après tes couches. De qui est-il ?

De moi ? Ou bien, avec tout le respect que je te dois, serait-ce le sceptre de Joseph qui serait venu se fourrer là ? Un petit empereur croîtrait-il en ton sein ?

Il posa la main sur son ventre avec douceur, mais elle l'écarta. Il lui chuchota alors à l'oreille :

— Galatée, fuis Vienne, travaille pour moi à Presbourg. Je te dédommagerai princièrement, tu le sais. Si princièrement que tu n'auras plus à être la maîtresse de quiconque, pas même de l'empereur.

Elle ne réagit pas. Il finit de se déshabiller, souffla les bougies, glissa son corps contre la chaleur de son dos et enfouit le visage dans ses cheveux.

— Et maintenant, ma très chère, je vais me récompenser de cette idée grandiose.

Le deuxième soir qui suivit le départ de Kempelen de Vienne, Jakob entra dans la chambre, le manteau de Tibor sur le bras. Il avait lui-même remis son justaucorps jaune et s'était coiffé les cheveux en arrière avec distinction.

— Je croyais que tu ne voulais plus jamais le porter.

— Quand je sors dans la capitale impériale, je me refuse à avoir l'air d'un grossier voiturier et préfère ressembler au noble cavalier que je suis en mon for intérieur.

— Tu sors ? demanda Tibor, un peu désappointé.

— Non. Nous sortons.

— Comment ? Où cela ?

— Aucune idée. Je ne connais pas très bien la ville, mais il doit bien y avoir un endroit où l'on nous servira une chope correcte.

Tibor baissa un peu la voix, comme si quelqu'un les épiait derrière la porte.

— Mais Kempelen l'a défendu !

— On dirait les sept chevreaux, observa Jakob en secouant la tête, puis il ajouta d'une voix piaillarde : *Maman l'a défendu, il ne faut pas, nous avons peur du méchant loup !*

— Je ne connais pas cette histoire.

— Tibor, combien de fois es-tu déjà venu à Vienne ?

— Jamais.

— Alors, je t'en prie. Sérieusement, tu ne vas pas passer ton premier séjour dans la perle de l'empire des Habsbourg à écouter les vers à bois creuser des trous dans un petit appartement des faubourgs ? Et, depuis le temps, tu devrais suffisamment me connaître pour savoir que je me soucie des interdictions comme d'une guigne. Mieux encore, elles me stimulent, créature perverse que je suis.

Tibor enfila la veste que Jakob lui tendait.

— Comment se termine l'histoire ?

— Quelle histoire ?

— Celle des sept chevreaux.

— Ah ! les chevreaux ouvrent la porte au loup, qui les dévore. (Tibor contempla Jakob, les yeux écarquillés. Le Juif éclata de rire et attrapa le nain par le cou.) N'aie pas peur. Le plus petit se cache dans l'horloge, ce qui lui sauve la vie.

Il pleuvait, il n'avait cessé de pleuvoir de la journée, ce qui les obligeait à sauter au-dessus des grandes flaques et des petits ruisseaux qui cherchaient leur chemin pour rejoindre l'Alser. Les bas de Tibor ne tardèrent pas à être trempés, et il se demandait s'il allait beaucoup profiter de cette excursion interdite car la pénombre ne leur laissait pas voir grand-chose de la ville. Ils passèrent devant la maison des Invalides et l'église de la Sainte-Trinité, entre la caserne et le tribunal, puis sur le champ d'exercice, longèrent les murs de la ville intérieure vers la porte des Écossais, rejoignirent l'église des Écossais avant d'arriver au grand marché. Ils atteignirent enfin un dédale de ruelles qui rappelèrent Venise à Tibor. Jakob eut encore la patience de laisser derrière eux une taverne voisine de Saint-Ruprecht puis une autre, dans la Griechengasse, dont l'intérieur, aperçu par la fenêtre, ne lui plaisait pas.

Ils entrèrent enfin dans un débit de boissons qui semblait effectivement plus accueillant que les précédents. Une table se libéra près du poêle et c'est là qu'ils s'installèrent. Jakob commanda au patron quelque chose de très chaud, n'importe quoi, car ils étaient gelés. Le tenancier leur apporta alors deux chopes d'eau bouillante avec de l'arak et beaucoup de sucre, « doux comme le péché, brûlant comme l'enfer ». Ils entreprirent ensuite de goûter tous les vins locaux. Tibor n'avait plus froid, ses bottes séchaient devant le poêle et, pendant que Jakob se lançait dans de nouvelles diatribes moqueuses sur la cour de Schönbrunn, il observa les clients en silence : un public simple mais soigné. Jakob se distinguait par son costume élégant et le numéro qu'il jouait. Il posait au noble, s'adressait au cabaretier d'un ton ampoulé, levait le petit doigt en buvant et, après chaque gorgée, se tamponnait les lèvres avec son mouchoir. Les femmes n'étaient pas nombreuses, mais toutes l'avaient regardé au moins une fois, et Tibor était certain que leurs œillades n'avaient pas échappé à son compagnon.

Ils étaient là depuis une heure et demie quand un noble entra dans la taverne, son chapeau trempé dans une main, une canne à pommeau d'argent dans l'autre. Il s'approcha du comptoir avec un grand sourire, comme si on venait de lui raconter une excellente plaisanterie, et demanda au patron ce qu'il avait comme champagne. Il en commanda alors huit bouteilles et pria qu'on les emballât dans une caisse remplie de paille pour le transport. Alors que le tenancier exécutait la commande, le regard du nouveau venu se posa sur Jakob et Tibor. Il leur fit un signe de tête, auquel Jakob, toujours pénétré de son rôle, répondit courtoisement :

— Monsieur.

— Vous avez un drôle de valet, monsieur, dit alors le noble en regardant Tibor.

— Les apparences sont trompeuses, répliqua Jakob. Ce monsieur n'est pas mon valet, c'est moi qui suis le sien.

L'étranger jaugea d'un coup d'œil la tenue vestimentaire des deux compagnons.

— Ne vous laissez pas abuser par notre costume, lança aussitôt Jakob. Nous voyageons *incognito*.

— Accepteriez-vous de me révéler qui vous êtes ?

— Ce serait un piètre *incognito* si je vous donnais satisfaction. (Après s'être tourné vers Tibor, qui ne savait que dire, Jakob reprit :) Êtes-vous capable de garder un secret ?

— Qu'adviendrait-il dans le cas contraire ?

— Nous serions dans l'obligation de vous tuer.

Tibor frémit mais n'intervint pas. Kempelen aurait été fou de rage s'il avait su ce qu'ils faisaient, mais l'alcool lui embrumait le cerveau et il mourait d'envie de voir jusqu'où Jakob irait. En tout cas, il avait su éveiller la curiosité de l'étranger. Avec un petit rire, celui-ci prit une chaise libre et s'assit à côté d'eux, la tête inclinée vers la table.

— Je suis tout ouïe.

Jakob demanda l'autorisation à Tibor.

— Sire ? (Le nain hocha la tête. Alors le Juif poursuivit, en chuchotant :) Vous avez certainement entendu parler de la célèbre marquise de Pompadour, la maîtresse du roi de France ? (Le noble opina du chef et, d'un geste de la main, encouragea Jakob à continuer.) Figurez-vous qu'en 1745 Sa Majesté le roi a engrossé la Pompadour. Mais elle n'était pas reine, et l'enfant eût évidemment été un bâtard. Louis a donc décidé d'intervenir – d'une manière affreuse, fort indigne d'un roi : il a frappé la Pompadour d'un coup de poing dans le ventre.

— *Sacrebleu !* jura le noble.

— Seulement, cela n'a point suffi à la faire avorter. Sa grossesse en fut cependant abrégée de deux mois pleins, et l'enfant qui vint au monde était…, comment dirais-je, inachevé. (Lentement, très lentement, Jakob tourna la tête vers Tibor, et le noble suivit son regard, bouche bée.) Monsieur, vous avez devant vous le dauphin authentique, le futur Louis XVI, héritier du trône de France. (Jakob laissa ses paroles produire tout leur effet avant d'ajouter :) Nous fuyons la police secrète de Sa Majesté depuis sa naissance. À l'heure qu'il est, nous sommes en route pour Londres, où le roi George est prêt à nous accorder l'asile.

Le regard de l'étranger passa de Jakob à Tibor avant de se reposer sur Jakob. Il éclata de rire.

— Je n'en crois pas un mot.

— À la bonne heure ! Cela nous convient à merveille.

L'aubergiste posa alors les deux caisses de champagne sur le comptoir. Le noble se leva et sortit sa bourse. Puis il frappa sur la table.

— Je suis invité à une soirée qui promet d'être ennuyeuse à périr, malgré l'abondance de spiritueux. Accepteriez-vous de m'accompagner ? Vous seriez les invités d'honneur et contribueriez sans nul doute à nous divertir.

— Votre Altesse ? demanda Jakob à Tibor en lui décochant un violent coup de pied sous la table.

— Ma calèche m'attend dehors avec deux charmantes jeunes personnes, reprit l'autre.

— Nous acceptons, dit Tibor.

Il enfila ses bottes, sèches et chaudes grâce au poêle, et, conformément à son rôle, Jakob l'aida respectueusement à enfiler son manteau. Le noble paya le champagne, ainsi que les consommations de ses deux nouveaux compagnons.

La calèche était rangée juste devant la taverne, et les trois hommes s'y installèrent, tant bien que mal, avec les caisses de vin ; Tibor monta le dernier, pour accroître encore la surprise des dames. Le noble n'avait pas menti : elles étaient effectivement ravissantes et délicieusement vêtues, bien que la pluie eût souillé l'ourlet de leurs jupes aussi bien que les bas de soie des hommes. Elles ne cessaient de glousser et d'interrompre par leurs questions le récit de Jakob qu'il dut répéter de son mieux tandis qu'ils se rendaient à la soirée. La plus jeune sembla prendre cette fable pour argent comptant.

— Eh bien, quoi, protestait-elle devant l'incrédulité des autres, ce sont des choses qui arrivent !

Un quart d'heure plus tard, la calèche s'arrêta devant un petit palais. Ils attendirent que des domestiques arrivent avec des parapluies. Un valet se montra enfin, accompagné d'un homme qui glissa la tête par la fenêtre de la calèche et salua les passagers.

— *Bonsoir, mesdames, bonsoir, Rodolphe.* N'entrez pas, je vous en conjure, lança-t-il. C'est aussi sinistre qu'un office calviniste. Nous allons chez Thun-Hohenstein, il nous a invités à une société magnétique.

Celui que l'autre avait appelé Rodolphe donna immédiatement ordre au cocher de se rendre au palais du comte von Thun-Hohenstein, et ce ne fut que lorsque la calèche eut recommencé à rouler qu'il demanda l'approbation de « Sa Majesté le dauphin ». Le trajet et un courant d'air froid qui s'introduisait dans la calèche dégrisèrent ce dernier, qui prit conscience qu'ils étaient en train de fort mal se conduire. Il était sur le point de demander à Jakob de descendre sur-le-champ quand le noble, comme s'il percevait son hésitation, sortit une bouteille de champagne de la caisse, la déboucha et offrit à Tibor la première gorgée. Le vin était exquis. Et il lui offrait une solution : il n'aurait qu'à être constamment aviné pour profiter sans scrupule de cette soirée.

La calèche s'arrêta sous une marquise. Jakob aida la plus jeune des dames à descendre du marchepied tandis que Rodolphe s'occupait de sa compagne. Tibor voulut prendre le vin, mais le noble l'en empêcha ; il y avait toujours suffisamment à boire chez Thun-Hohenstein. Porter une caisse serait, de surcroît, indigne d'un dauphin. Dans le vestibule somptueux, ils retrouvèrent l'homme qu'ils avaient aperçu devant le premier palais en galante compagnie. Des laquais les débarrassèrent de leurs manteaux, de leurs foulards et de leurs chapeaux, si bien que Tibor n'attira plus seulement les regards par sa taille, mais par sa tenue grossière. Il était le seul, avec Jakob, à ne porter ni perruque ni cheveux poudrés. Néanmoins, personne ne leur demanda de justifier leur présence, et les serviteurs les traitèrent avec le même respect que les autres invités.

Au pied de l'escalier qui menait à l'étage, un domestique se tenait devant une table couverte de masques semblables à ceux que Tibor avait pu voir à Venise. L'ami de Rodolphe leur expliqua que le port du loup était obligatoire, afin de permettre aux désirs les plus secrets de s'exprimer librement. Nul ne devait hésiter à révéler les tréfonds de son âme, et cette mesure leur éviterait d'être reconnus. Tibor et Jakob prirent des masques ornés de plumes et de pierres multicolores qui leur couvraient tout le visage, à l'exception de la bouche et du menton. Les dames les nouèrent sur l'arrière de leur tête. Jakob fit un clin d'œil à Tibor par le trou qui lui permettait de voir.

Ils montèrent au premier étage et traversèrent un salon vide, avant d'arriver dans un autre, où l'on avait installé un buffet. La quarantaine d'invités y étaient répartis en petits groupes, les femmes plus nombreuses que les hommes. Tous étaient vêtus avec élégance et avaient le visage masqué. Les fenêtres closes et les rideaux tirés faisaient régner une chaleur étouffante. De la cire de bougie dégoulinait par terre depuis deux grands lustres. Une odeur de vin imprégnait l'atmosphère. Le chant mélodieux d'une voix féminine parvint à Tibor depuis une pièce voisine.

Une demi-douzaine de convives étaient réunis autour du buffet. Sur la table circulait un jouet mécanique de laiton figurant un petit bateau, au mât duquel se cramponnait Bacchus. Un tonnelet d'étain se trouvait à bord. Le bateau s'arrêtait devant un des invités, qui attrapait en riant le petit tonneau et le vidait d'un trait. Il le remplissait ensuite de vin, et cette charge suffisait à remonter le mécanisme du bateau, lequel se remettait alors en route.

Quand les portes se refermèrent sur les nouveaux arrivants, le maître de maison se dirigea vers eux. Il leur souhaita chaleureusement la bienvenue et, lorsque l'ami de Rodolphe fit mine de se présenter, il le réduisit au silence d'un geste de la main.

— Bah, bah, mon jeune ami, peu m'importe ; dans cette société, nous sommes tous anonymes ou, mieux encore, nous prenons d'autres noms, aussi colorés que les masques qui dissimulent nos visages ! Quant à moi, je suis Neptune en personne. Servez-vous de rafraîchissements, faites la connaissance des héros et des nymphes qui vous entourent, car nous sommes ici une grande famille de l'Olympe ; le spectacle commencera bientôt. (Il baissa les yeux vers Tibor.) Tes misères sont criantes, mon ami ! Si tu en as le courage, il reste certainement quelques places autour du baquet. Il ne faut jamais perdre espoir.

Neptune poursuivit son chemin, et le groupe se dispersa. Jakob, Tibor et la plus jeune de leurs accompagnatrices restèrent sur place.

— Je m'appellerai Chloris, dit-elle.

— Puisque, manifestement, l'Hellade n'a pas de secret pour vous, répondit Jakob, auriez-vous l'obligeance de nous attribuer un nom à tous deux ?

— Toi, petit frère, tu t'appelleras dorénavant… Acis, et toi – elle observa Tibor –, nous te nommerons évidemment Pan.

Elle lança un petit rire ravi. Jakob baisa la main de Chloris et la regarda dans les yeux.

— Acis te remercie du fond du cœur, beauté.

Tibor attendit que Chloris se fût éloignée et chuchota :

— C'est de la folie.

— N'est-ce pas ? ricana Jakob.

— Quand je dis folie, je veux dire qu'il faut disparaître d'ici au plus vite, Jakob.

— Si tu veux disparaître, libre à toi. Quant à moi, je ne partirai à aucun prix. Je porte un masque. De plus, je m'appelle Acis, ne l'oublie pas.

— Aucun masque ne dissimulera ma taille !

Sans répondre, Jakob parcourut l'assemblée du regard.

— Cette Chloris est un joli brin de fille, dit-il d'un air absent, et, sans un mot de plus à l'adresse de Tibor, il passa dans la pièce où elle venait de s'éclipser.

Tibor réprima son envie de le suivre, ainsi que la colère que lui inspiraient la déloyauté de son compagnon et sa propre crainte d'être découvert. Il se dirigea vers le buffet pour grignoter quelque chose et prendre un verre de vin, profitant de ce que le navire mécanique de Bacchus passait devant lui. Puis il s'installa sur une ottomane, car son infirmité apparaissait moins quand il était assis. Il ne savait pas ce qu'il mangeait, mais c'était absolument délicieux ; il ne se rappelait pas avoir jamais goûté mets aussi exquis. Un homme se laissa tomber à ses côtés, sans lui prêter la moindre attention. Il respirait difficilement et, sous son masque, sa peau était blême. Son buste oscillait d'avant en arrière.

Tibor entendit un petit groupe, près de lui, parler de Kempelen. Une des invitées avait assisté à la présentation du *Joueur d'échecs* au château de Schönbrunn et décrivait aux autres cet événement mémorable. L'ivresse lui inspirait bien des outrances : à l'en croire, l'androïde jouait avec la promptitude d'une machine à vapeur et le Turc de bois se mouvait avec une agilité confondante. Lorsqu'un homme mit en doute l'authenticité de l'automate, la femme jura d'une voix suraiguë que personne n'aurait pu prendre place dans le buffet, pas même un enfant, pas même un nourrisson. Elle leur recommanda à tous, s'ils passaient par Presbourg, de ne pas manquer d'aller voir le Turc joueur d'échecs du chevalier de Kempelen. La fierté faisait tourner la tête à Tibor.

Entre-temps, on avait remarqué sa présence : des dames gloussaient derrière leurs éventails et montraient le nain du doigt. En vérité, il devait avoir une curieuse allure, assis à côté des buveurs sur son ottomane avec ses jambes qui se balançaient dans le vide. Tibor vida son verre et se dirigea vers le salon voisin.

La pièce était nettement plus petite. Le centre en était occupé par un baquet ovale, d'environ quatre pieds de long et d'un pied de profondeur. Il était rempli d'eau. De la limaille de fer flottait à la surface. Une douzaine de bouteilles de vin étaient disposées en rayons, le goulot en direction du bord du baquet. La chanteuse, debout dans un angle, sur une petite estrade, continuait à vocaliser comme une mécanique infatigable. Tibor chercha Jakob du regard, en vain. Comme le précédent salon, celui-ci possédait de nombreuses portes que des invités franchissaient de temps en temps. Sans doute le Juif avait-il disparu par là. Chloris, Rodolphe et les autres étaient introuvables, eux aussi.

Deux hommes entrèrent alors, entièrement vêtus de noir, portant des masques d'une grande sobriété. Ils posèrent sur le baquet un couvercle percé de trous correspondant à l'endroit où se trouvaient les bouteilles. Ils firent ensuite passer des tiges de fer par ces orifices et les introduisirent dans les bouteilles, de manière à faire dépasser du baquet les extrémités des tiges.

Le maître de maison arriva, accompagné de deux dames. Quelques personnes les suivaient. Il frappa dans ses mains. La chanteuse se tut et les deux hommes en noir disposèrent douze chaises autour du baquet. Neptune expliqua que la magnétisation allait commencer et invita ceux qui cherchaient un remède à leurs souffrances à se rassembler. Quelques dames s'assirent aussitôt, rejointes par Neptune et ses compagnes et par quelques autres. D'autres reculèrent ostensiblement d'un pas ; ils voulaient bien assister au spectacle mais ne tenaient pas à y participer. Il restait encore deux places, en face du maître de maison.

— Ici, ici, petit homme ! cria-t-il alors à Tibor. Le magnétisme accomplit des miracles et ne fait de tort à personne !

Tibor déclina poliment l'invitation d'un signe de tête, quand quelqu'un le prit par la main – une jeune femme en robe rose ornée de volants dorés, au visage dissimulé par un masque couvert de plumes de paon. Elle l'entraîna vers le baquet et s'assit sans lâcher sa main. Constatant que tous les regards étaient fixés sur lui, il suivit son exemple. Neptune applaudit.

Tandis que les deux acolytes demandaient à tous les spectateurs de quitter le salon et refermaient les portes derrière eux, la voisine de Tibor se pencha vers lui.

— Je m'appelle Callisto, chuchota-t-elle.

— Et moi, Pan, répondit Tibor, qui se fit l'effet d'un imposteur.

Elle lança un petit rire cristallin.

— Ne crains rien, Pan. C'est comme un merveilleux sortilège. J'ai entendu dire qu'il avait même réussi à rendre la vue à un aveugle.

Les murmures s'interrompirent d'un coup, et, en se retournant, Tibor en comprit la raison : un homme vêtu d'une longue robe violette venait de faire son apparition, les cheveux longs, le regard perçant. Dans sa main, il tenait une barre métallique de couleur blanche. Il traversa la salle d'une démarche compassée, observa attentivement chacun des volontaires, dont Tibor, et prit enfin la parole.

— Un fluide emplit l'univers et relie tout ce qui est : les planètes, la Lune et la Terre, et tous les éléments de la

116

nature – les pierres, les plantes, les animaux et les hommes ainsi que les différentes parties du corps. Ce fluide parcourt les membres, les os, les muscles et les organes, il relie la tête aux pieds et une main à l'autre. Mais, si ce fluide perd son équilibre, on voit surgir souffrances, maladies, coliques, humeurs chagrines et appréhension. Je suis parmi vous pour rétablir cet équilibre et vous libérer de vos souffrances. Pour y parvenir, je fais appel à la force divine du magnétisme animal. (Il brandit alors sa tige aimantée, telle la pierre philosophale.) Le fluide parcourra vos corps, il jettera à bas vos souffrances et vos barrières intérieures comme des digues vermoulues et les emportera maintenant et à jamais !

— Ah, ah ! fit une femme tout bas.

Le maître fit signe à ses assistants d'éteindre toutes les bougies, sauf une.

— Nous faisons tomber une nuit obscure autour de vous, afin que vous puissiez vous concentrer entièrement sur ce qu'il y a de plus profond dans votre être sans qu'aucun spectacle ne vous en distraie. Pendant la guérison, vous éprouverez des sensations qui vous seront étrangères et vous accomplirez des actes que vous ne voulez pas accomplir. Ne vous inquiétez pas : il ne peut rien vous arriver de néfaste ; c'est le fluide qui prendra possession de vous. Je suis là pour veiller sur vous. Prenez maintenant les tiges de fer entre vos mains.

Tibor attrapa la tige presque à l'aveuglette. La seule sensation qu'il éprouva fut celle du métal qui se réchauffait rapidement sous ses doigts.

— Maintenant, pressez vos genoux contre ceux de vos voisins. Pour que le fluide circule, il est indispensable que vous formiez une chaîne soudée, que nul ne rompra !

Tibor entendit un froissement d'étoffe sur sa gauche et sur sa droite, et les genoux de ses voisins s'appuyèrent contre les siens. Il écarta un peu les jambes, pour accentuer la pression. La voix de la chanteuse s'éleva de nouveau, mais son chant était encore plus incohérent qu'auparavant ; il était impossible de distinguer la moindre parole, la mélodie était interrompue par de longs silences, elle passait sans transition de l'aigu au grave et inversement – on aurait dit les modulations d'une démente. Tibor n'entendait plus aucun bruit en provenance des pièces voisines. Le maître s'adressait aux patients d'une voix apaisante, se répétant constamment ; il parlait de la circulation du fluide, d'équilibre, de la force du magnétisme animal, des étoiles et des planètes. On entendit un sanglot. Levant les yeux, Tibor put l'attribuer à une voisine de Neptune. Le maître se tenait derrière elle et actionnait son aimant, mais Tibor ne pouvait pas voir ce qu'il faisait ; les deux acolytes s'affairaient, eux aussi, dans le dos d'autres invités. Les sanglots s'amplifièrent. D'autres bruits s'y ajoutèrent ; un rire, puis un gloussement insensé, un gémissement lubrique, un bourdonnement animal, une plainte essoufflée et, soudain, un cri. Le magnétiseur poursuivait imperturbablement son discours, mais, comme la chanteuse, il dut élever la voix pour couvrir les bruits confus qu'émettaient les patients. Le genou de Callisto fut soudain agité de tremblements irrépressibles, obligeant Tibor à s'avancer un peu sur sa chaise pour ne pas rompre la chaîne. Une femme pleurait et appelait sa mère. Tibor sentit tout à coup une pression dans sa nuque ; un des assistants, ou le magnétiseur lui-même, se tenait derrière lui et lui passait l'aimant sur l'occiput, le long de la colonne vertébrale et sur les bras. Tibor sentit une onde de chaleur parcourir les points où l'aimant avait touché sa peau, une chaleur qui perdurait alors que le fer s'était déjà déplacé depuis longtemps. Une décharge électrique sillonna la main qui tenait la tige et se répandit dans tout son corps. Il respirait plus vite, beaucoup plus vite, et sentit qu'il n'allait pas tarder à perdre conscience. La chaleur se répandit alors de son ventre dans ses reins. Tibor en éprouva un élan de honte. L'espace d'un instant, il songea qu'il était en train de commettre un péché, d'accomplir une danse extatique autour d'un veau d'or, mais il ne pouvait plus résister. Callisto gémit, les assistants se trouvaient dans son dos, et Tibor posa sa main libre sur le genou de sa voisine pour le maintenir contre le sien, pour faire taire ses gémissements et, surtout, pour la sentir près de lui. Mais, au lieu de repousser ce contact immoral, Callisto posa sa main sur la sienne et la serra. Une chaise se renversa, quelqu'un tomba par terre ; le cercle était rompu, pourtant, l'impression de chaleur demeurait. Le magnétiseur tranquillisa l'assistance, mais toute intervention était devenue inutile : les participants étaient déchaînés ; l'un tapait inlassablement du pied contre le bord du baquet, un autre se leva en hurlant, les mains dans ses cheveux ébouriffés, un troisième tirait sur ses membres pour se défaire de son propre corps comme jadis Hercule de la tunique empoisonnée ; certains tombaient au sol, évanouis, d'autres se cabraient ; Callisto fit remonter la main de Tibor le long de sa cuisse, jusqu'à ce que ses doigts effleurent son sexe à travers la robe. Elle serra alors les jambes sur la main de Tibor. La chanteuse se tut, car sa voix était couverte par le tumulte.

Soudain, Callisto se dressa d'un mouvement si violent que sa chaise se renversa, et entraîna Tibor hors du salon tout en criant : « Érato ! » Une femme se leva aussitôt et les suivit. La porte latérale donnait sur un couloir, et Callisto les conduisit vers la droite, leurs souliers claquant sur le parquet. Puis elle poussa la porte d'une chambre, et ce ne fut que lorsqu'ils furent tous entrés, Tibor, l'autre femme et elle, et que la porte se fut refermée sur eux, qu'elle lâcha la main du nain. Érato avait pris au passage un chandelier qui éclairait la pièce.

Ils se trouvaient dans une petite chambre à coucher – par hasard ou non, Tibor n'aurait su le dire – dont le mobilier consistait en tout et pour tout en une coiffeuse, deux fauteuils et un lit à baldaquin. Callisto était encore tout essoufflée. Ils avaient tous les trois les cheveux et les vêtements en désordre.

– Il est magnifique, dit Érato en regardant Tibor.

Elle avait pleuré : des coulures de fard sous son masque le trahissaient, mais, quelle qu'en ait été la raison, sa peine semblait s'être dissipée. Callisto fit mine de retirer son masque, mais l'autre l'en empêcha d'un geste.

— Pan, annonça Callisto, voyons à présent si tu fais honneur à ton nom.

Les femmes échangèrent un sourire. Tibor ne réagit pas.

— Déshabille-toi, dit Callisto d'une voix sourde.

— Je ne suis pas Pan, se défendit Tibor, dont l'excitation n'était cependant pas encore retombée.

— Dans ce cas, à nous d'éveiller le Pan qui sommeille en toi, répliqua Érato.

Tibor retint son souffle. Les deux femmes se tendirent la main et rapprochèrent leurs visages pour échanger un long baiser. Elles devaient incliner la tête pour éviter que leurs masques à plumes ne se heurtent. À la lumière vacillante des bougies, elles avaient l'air de deux oiseaux se livrant à une étrange parade nuptiale. Le dos de Tibor toucha le mur : il avait dû inconsciemment reculer d'un pas. Sans se lâcher, les femmes le regardèrent, manifestement satisfaites de l'effet produit par leur baiser. Elles commencèrent ensuite à se dévêtir mutuellement, sans le quitter des yeux, conscientes du sortilège qu'exerçaient leurs gestes. Tibor avait le vertige ; à chaque pièce de vêtement que les deux femmes laissaient négligemment tomber à terre, son désir se faisait plus ardent. Elles se renversèrent sur le lit et déboutonnèrent chacune le corset de l'autre, tout en poussant des cris et des gémissements lubriques. Tibor avançait d'un pas, puis reculait, incapable de se décider.

Bien sûr, il avait déjà vu des femmes nues, même deux à la fois. Autrefois, en Silésie, ses dragons s'étaient amusés à payer une fille à soldats pour faire un homme du gosse de quinze ans qu'il était ; ses camarades en avaient pourtant tiré plus de plaisir que lui. Plus tard, du temps de son errance, à deux jours de marche de Gran, il s'était commis avec une fille de ferme. La petite était jolie, mais affligée d'un pied bot. L'idée que deux êtres humains difformes pussent s'aimer et ne plus jamais entendre parler l'un de l'autre avait attristé Tibor, et il resta plusieurs jours, jusqu'à ce que le père les découvre, l'obligeant à s'enfuir. Il n'était pas amoureux de la fille, et sa jambe lui répugnait, mais le reste de son corps était sublime et il y songeait souvent avec nostalgie – et voilà qu'il se trouvait étendu sous un baldaquin, reposant sur des draps et des oreillers moelleux, fort occupé à caresser la peau de ces deux filles qui ne portaient à présent plus rien que leurs bas de soie et leurs masques, et qui riaient, triomphantes, parce que, enfin, il s'était véritablement transformé en Pan. Il se serait volontiers contenté de toucher leurs cuisses et leurs bras blancs et tendres, mais elles attiraient avidement ses mains vers d'autres régions de leur corps, sur leur ventre, leur cou, leurs seins et enfin leurs replis les plus intimes. Pendant ce temps, elles avaient entrepris de le déshabiller, chacune par un bout, mais il insista lui aussi pour conserver son masque. Il savait qu'il n'était pas mieux membré que d'autres hommes, mais comme il était lui-même bien plus petit qu'eux le contraste était saisissant et le spectacle de son excitation ne laissa pas ses compagnes indifférentes ; elles gloussèrent. Érato toucha et empoigna son membre, mais elle n'eut pas l'audace d'y déposer un baiser. C'était au tour de Tibor de gémir, agrippé aux draps. Érato s'était appuyée aux oreillers empilés à la tête du lit et attira le dos de Callisto contre elle. Par-derrière, elle étreignit les seins de son amie et, de la langue, lui caressa le cou. Callisto écarta les jambes, et Érato fit signe à Pan de s'approcher. Il obéit. Prenant appui des deux mains sur le lit, il pénétra Callisto. Les jambes superposées des deux femmes l'entouraient de leurs quatre cuisses. Il laissa tomber sa tête entre les seins de Callisto, qu'Érato pressa contre ses joues.

Vite, bien trop vite, son désir charnel fut assouvi. Pan s'efforça de réprimer le cri qui lui montait aux lèvres et, comme s'il avait reçu un seau d'eau froide sur la tête, soudain dégrisé, il prit conscience de sa situation : il s'était uni à une créature monstrueuse à deux têtes emplumées et à quatre jambes qui se mit d'un seul bec à rire du nain qui s'était épanché dans son double sein. Il sentit la fraîcheur de la médaille de la Vierge sur sa poitrine. Il avait le front en sueur, il étouffait sous son masque.

— Ton aimant m'a libéré de mes souffrances, Pan, déclara Callisto, hors d'haleine elle aussi, et les deux jeunes femmes, encore une fois, éclatèrent de rire.

Déjà, Tibor cherchait ses vêtements, éparpillés sur le lit et sur le sol.

Il regagna le grand salon, où était dressé le buffet. La pièce était vide, à l'exception d'un couple qui s'entretenait à voix basse et ne lui prêta aucune attention, et de deux buveurs ivres – dont l'homme qui s'était assis sur l'ottomane à côté de lui. Il ronflait sur le tapis à côté d'une flaque de vomissures. Tibor se demanda pourquoi il n'avait pas pris la peine de s'écarter d'un mètre pour rendre sur le plancher et épargner ainsi le précieux tapis ; sans doute cela n'avait-il pas d'importance pour ces gens-là. Il était intrigué et attiré par le fameux salon au baquet mais préféra ne pas y aller de crainte de rencontrer l'étrange magnétiseur en robe violette. Il ne voulait pas non plus revoir Callisto et Érato. Il se servit donc des plats qui restaient et prit un autre verre de vin. Le bateau mécanique du capitaine Bacchus était entré dans un soufflé et donnait de la bande.

Jakob n'arriva qu'un quart d'heure plus tard, portant un autre masque qu'en début de soirée. Il présenta toutes ses excuses à Tibor ; il était désolé de l'avoir abandonné aussi longtemps. Puis il attrapa deux bouteilles encore bouchées et ils quittèrent le salon. Ils déposèrent leurs masques là où on les leur avait remis. En bas, il ne restait plus que deux laquais fatigués pour assurer le service. Ils leur apportèrent leurs manteaux, ne dirent pas un mot sur les bouteilles de vin dérobées et souhaitèrent bonne nuit à ces « messieurs ».

Il avait cessé de pleuvoir. Jakob respira à fond. Passant devant les calèches qui attendaient les quelques invités attardés dans les chambres et les salons du palais, les deux compagnons quittèrent les lieux à pied. En traversant la ville endormie, ils vidèrent une des deux bouteilles et Jakob raconta les détails de sa soirée avec Chloris, qui lui avait permis non seulement de lui baiser la main et la bouche, mais aussi le cou et même, plus tard, ses petits pieds de porcelaine. Tibor demeura muet.

Neuchâtel. Soir

Que Carmaux, Jaquet-Droz et les autres eussent payé pour être témoins de la défaite de la machine de Kempelen contre le nain ou simplement pour assister à une partie captivante, le spectacle ne les déçut certainement pas. Neumann repoussa les blancs dans leur moitié d'échiquier et poursuivit la dame d'une case à l'autre. Il réussit également une promotion, un coup rare : le pion parti de c7, ayant réussi à traverser tout le plateau, se transforma en dame sur e1. Neumann fut très applaudi, ce qui n'empêcha pas les trois dames d'être toutes battues au cours des coups suivants.

À l'issue du trente-sixième coup, le bras du Turc s'immobilisa de nouveau. L'échiquier qui se trouvait devant lui était désormais très clairsemé. La nuit était tombée entre-temps, et Kempelen interrompit alors la partie sans discussion : tout le monde avait besoin de repos. On laisserait le jeu en place pendant la nuit pour achever la partie le lendemain matin. Il espérait, déclara-t-il, avoir le plaisir de retrouver une assistance aussi nombreuse et, surtout, l'adversaire de son automate. Neumann se leva sans un mot, se mêlant aux spectateurs qui s'éloignaient et qui furent nombreux à le féliciter, à lui serrer la main ou à le frapper sur l'épaule en signe de sympathie. Il quitta l'hostellerie du Marché en compagnie de ses collègues, Jaquet-Droz père et fils, et d'autres. Au même moment, Wolfgang von Kempelen et son assistant déplaçaient le buffet du Turc dans la pièce voisine.

Lorsque le public eut quitté la salle, que les portes furent fermées et les rideaux tirés, ils ouvrirent le meuble pour libérer le joueur qui s'y dissimulait. C'était un jeune homme un peu plus grand que Kempelen, sec de stature, pâle et baigné de sueur d'être resté si longtemps enfermé. En gémissant, il s'étira, se frictionna la nuque et tourna la tête d'un côté puis de l'autre. On entendit ses vertèbres craquer.

— Anton, apporte donc une serviette à Johann. Et de l'eau, ordonna Kempelen à son assistant.

Le joueur se désaltéra avant d'essuyer la transpiration qui ruisselait sur son front.

— Seigneur Dieu, murmura-t-il, je commençais à croire que vous aviez l'intention de me laisser périr là-dedans et de ne me libérer que lorsque je ressemblerais à un pruneau sec.

— Mais tu les as entendus parler d'argent, observa Anton.

— Oui, oui.

Kempelen posa les poings sur la table, à droite et à gauche de l'échiquier.

— Je suis un fou de m'être laissé entraîner dans ce marché.

Anton se frotta les mains.

— Pour deux cents thalers ? Pour une telle somme, je serais prêt à jouer contre la camarde elle-même.

— Nous allons perdre, dit Kempelen, les yeux fixés sur l'échiquier.

— Cela ne vous empêchera pas de ramasser l'argent. La condition était d'achever la partie, pas que le Turc gagne.

— De toute façon, intervint Johann, nous ne perdrons pas. (Il s'approcha de Kempelen et montra la position des pièces sur l'échiquier.) Il a deux pions de moins que moi. Et puis il joue à l'ancienne mode. Il a poussé son attaque trop loin, maintenant, je vais le coincer. Je n'ai encore jamais perdu, vous le savez.

— Eh bien, demain, tu perdras pour la première fois. Nous perdrons. Quoi que tu en penses. Crois-moi, nous perdrons, répliqua Kempelen, et Johann n'osa pas le contredire.

Anton haussa les épaules.

— Et après ! Deux cents thalers ! Même en additionnant vos gains de Ratisbonne et d'Augsbourg, vous n'avez pas obtenu pareille somme.

— Nous nous en mordrons les doigts. Car, si nous perdons, c'est notre réputation qui en pâtira et ce genre de dégâts ne se comptabilisent pas en argent.

Kempelen se mit à faire les cent pas à travers la pièce.

— Tu aurais dû le voir, dit Anton, tourné vers Johann. (Il tenait les mains à la hauteur de son nombril.) Un nain, à peine haut comme ça. Quand il était assis sur sa chaise, ses petits pieds ne touchaient même pas le sol.

— Il est horloger, lui aussi ?

— Certainement. Ils le sont tous. Un horloger nabot, peux-tu imaginer cela ? Quelle chose étrange. Je me souviens qu'un nain horloger vivait jadis à Amsterdam. Il n'avait qu'une tête de plus que ses pendules, lui aussi.

— Taisez-vous donc, grommela Kempelen, il faut que je réfléchisse.

Ses deux collaborateurs vaquèrent à leurs occupations sans mot dire – Anton vérifia l'état du meuble, Johann enfila une chemise propre –, jusqu'à ce que Kempelen reprît la parole.

— Johann, file et tâche de découvrir où il habite, ou bien où il est descendu.

Johann et Anton échangèrent un regard.

— Qu'avez-vous l'intention de faire ? demanda Anton.

— Cela ne regarde que moi.

— Anton ne pourrait pas y aller à ma place ? demanda Johann en faisant la grimace. Je suis rompu.

Kempelen secoua la tête.

— Ils l'ont vu à la représentation, alors que toi, personne ne te connaît. Tu n'auras pas de mal à le trouver : c'est un nain. Essaie aussi de savoir s'il a une femme avec lui.

— Une naine ?

— Mais non, nigaud. Un être humain... jolie de surcroît.

Quand Johann fut parti, Anton remarqua :

— Un nain champion d'échecs. Il n'aurait pas besoin de se contorsionner pour tenir dans la machine. C'est lui que vous auriez dû engager à la place de Johann.

Kempelen ne répondit pas.

Rue des Juifs

Ils débarrassèrent la pièce qui jouxtait l'atelier. Jakob l'avait surnommée le « magasin de pièces détachées du Créateur », car Kempelen y avait entreposé tous les objets qui avaient vu le jour pendant la fabrication de l'automate et qui avaient, finalement, été mis au rebut en raison de leurs imperfections ; parmi eux, un certain nombre d'éléments corporels artificiels – mains, doigts, têtes et perruques – rangés dans des armoires et dans des caisses ou simplement suspendus au plafond. Il y avait largement de quoi construire un second androïde, mais le résultat eût été un assemblage disparate et grotesque : une tête de femme sur un corps d'homme avec des bras de longueur différente se prolongeant d'un côté par une main blanche, de l'autre par une noire. Tibor retrouva également une cassette doublée de velours où se trouvaient les deux paires d'yeux de rechange achetées à Venise. Lorsqu'ils eurent vidé la chambre, Kempelen remisa dans l'atelier ce qu'il tenait à conserver. Quant au reste, Branislav le fourra dans une caisse qu'il emporta, d'où émergeaient des jambes et des mains grandes ouvertes comme celles d'un noyé appelant au secours. Cette petite pièce devait désormais servir de débarras au Turc. C'est là qu'on le rangerait entre les représentations. Kempelen fit mettre un verrou à la porte et murer la fenêtre afin qu'il fût parfaitement en sécurité.

Dans le même temps, on transforma l'atelier en théâtre ; les établis disparurent avec tout leur outillage, les esquisses et les plans furent décrochés des murs. Ils construisirent deux autres tables, qui vinrent s'ajouter à la table à jouer. Le mystérieux coffret devait être posé sur la plus petite. La seconde fut équipée d'un deuxième échiquier, destiné aux adversaires du Turc, car personne ne serait plus autorisé à approcher l'automate d'aussi près que Knaus. Finalement, on aménagea la pièce pour servir de salle de spectacle en y installant vingt sièges, avec un passage au milieu.

Comme l'avait espéré Kempelen, la réputation de l'incroyable machine à jouer aux échecs l'avait accompagné de Vienne à Presbourg. Leurs préparatifs n'étaient pas encore achevés que, déjà, de nombreuses personnes s'enquéraient de la date où l'automate disputerait sa première partie dans la ville. Lettres et billets venaient de bourgeois aussi bien que de nobles. Mais Kempelen devant se rendre à Ofen pour des affaires concernant les mines de sel deux semaines après la représentation de Schönbrunn, il fallut repousser d'autant l'entrée en scène du Turc. Kempelen y invita les notabilités de la ville : conseillers municipaux, riches négociants, francs-maçons et tous ceux qui étaient à même de faire rapidement et efficacement de la réclame pour le Turc. Dès ce moment, et dans un premier temps, l'automate se produirait deux fois par semaine ; Kempelen choisit le mercredi et le samedi, même si cela obligeait Jakob à travailler le jour du sabbat.

Le chevalier et Tibor conclurent un accord : le nain gagnerait, comme il l'avait réclamé, trente florins par mois. En contrepartie, il s'engageait à consacrer au moins trois heures par jour à jouer aux échecs ou à lire des manuels. Son adversaire était le plus souvent Jakob, qui ne faisait aucun progrès à ce jeu et ne cherchait pas à en faire. Kempelen manquant de loisirs, il pria sa femme d'être la partenaire du nain. Il expliqua clairement à Anna Maria que le succès de l'automate et, partant, la fortune de la famille Kempelen ne seraient assurés que si Tibor jouait à la perfection. Or, sans entraînement, son talent ne pouvait que décliner.

Tibor et l'épouse de Kempelen se retrouvèrent donc en tête à tête. Durant les parties, ils n'échangeaient pas un mot et se limitaient ensuite au strict nécessaire. L'attitude d'Anna Maria à l'égard du nain semblait n'avoir pas changé malgré sa brillante réussite en présence de l'impératrice. Il constata avec étonnement qu'elle jouait fort bien ; mieux même que son mari. Tibor continuait à remporter toutes les parties, mais elle se défendait opiniâtrement, et il ne tarda pas à percevoir chez elle une forme de passion qui la poussait à tenir tête à son adversaire, à repousser la défaite le plus longtemps possible et à anéantir le plus grand nombre de pièces blanches avant que son propre roi ne tombe. Ce n'était pas, sans doute, une ardeur des plus plaisantes, mais du moins était-elle stimulante. Tibor avait pitié des assauts obstinés qu'elle livrait contre son invincible talent. Un jour, il voulut la laisser gagner, en acculant son propre roi dans une impasse, mais elle n'accepta pas l'aumône ; elle refusa le coup et l'exhorta à réfléchir un peu plus, et, lui sembla-t-il, elle ne l'en détesta que davantage.

Malgré ses parties quotidiennes, l'ennui gagna rapidement Tibor ; comme Jakob, qui n'avait plus grand-chose à faire sur l'automate, se trouvait désœuvré, le Juif proposa au nain de l'initier à l'art du tournage et de l'horlogerie. Kempelen les autorisa à se servir de son matériel, et, sous la conduite de l'assistant, Tibor en apprit le maniement dans l'atelier ou dans sa chambre. Il voulut en contrepartie aider Jakob à se perfectionner aux échecs, mais celui-ci refusa.

— Je connais des passe-temps plus intéressants, dit-il. Peut-être, du reste, le moment est-il venu de me remettre en route.

— Que veux-tu dire ?

— J'ai envie de quitter Presbourg. De m'engager dans d'autres tâches. Je n'ai pas l'intention de devenir un petit-bourgeois rassis.

— Tu ne vas pas faire cela !

Jakob sourit.

— N'aie pas peur, je ne suis pas complètement idiot. D'une part, je m'en voudrais de manquer la marche triomphale du Turc. De l'autre, Kempelen me verse un salaire tout aussi confortable que le tien. Sais-tu pourquoi il me paie aussi grassement ?

— Parce que tu as accompli un excellent travail.

— Fichtre non ! Ça, c'est du passé. Il me paie pour que je ne le quitte pas. Et que je ne divulgue pas le secret de son Turc.

— Tu ne ferais pas une chose pareille.

— Qu'il le pense, cela fait mon affaire ! rétorqua Jakob, et il tapota sur la poche de sa culotte où des pièces tintinnabulèrent.

Kempelen ne demeura inflexible que sur un point : il interdit à Tibor d'aller à l'église se confesser. Cela faisait trois mois que celui-ci n'avait pas avoué ses péchés à un prêtre et il ne supportait plus de vivre dans cet état. Il voulait avant tout confier à un serviteur de Dieu son aventure viennoise, qui lui faisait rétrospectivement l'effet d'un rêve né de l'ivresse. Mais le chevalier n'accepta pas qu'il mît le pied hors de son logement.

Informé du tourment du nain, Jakob se jeta un bout d'étoffe sur les épaules en guise d'amict et lui demanda d'une voix grave quels péchés il avait à confesser. Puis, prenant un clou dans chaque main, il s'écria :

— Sacrebleu ! Je vaux bien ton Jésus : je suis juif, moi aussi, je suis charpentier, moi aussi, j'ai des clous dans les mains, et mon père ne s'est jamais soucié de moi.

Tibor n'était pas d'humeur à rire. Il était furieux d'avoir gaspillé ses trois jours de liberté et d'anonymat à Vienne pour des plaisirs fugaces, au lieu d'en profiter pour aller à l'église.

S'il ne pouvait obtenir l'absolution en se confessant, il tenait au moins à s'assurer les bienfaits de la prière. Or il n'avait pas de chapelet et se refusait à demander à un Juif ou à un libre-penseur comme Kempelen de lui en procurer un. Il trouva un moyen : il utilisa son échiquier comme rosaire. Les cases de l'un remplaceraient les grains de l'autre : Tibor attribua une prière à chacune des soixante-quatre cases et, déplaçant la dame de carré en carré, au lieu de laisser glisser les grains sous ses doigts, il savait quelle prière il avait à dire à tel ou tel moment, et lesquelles il lui restait à faire. Désormais, Tibor récita son chapelet tous les jours et, bientôt, il fut si bien habitué à considérer l'échiquier comme un rosaire que sa seule vue lui inspirait un peu de réconfort et de paix.

Un beau jour, Dorottya annonça inopinément qu'elle quittait le service des Kempelen. Anna Maria et Wolfgang cherchèrent à la faire changer d'avis, mais tous leurs efforts furent vains : elle voulait regagner au plus vite Prievidza, son village natal, car sa sœur était souffrante ; elle devait s'occuper d'elle et de sa famille. Ne voulant pas mettre les Kempelen dans l'embarras, Dorottya avait déjà cherché une remplaçante ; par chance, la fille de son cousin d'Ödenburg souhaitait se placer comme domestique. C'était une jolie fille, un peu naïve sans doute, mais munie d'excellents certificats ; elle avait été éduquée au couvent et était versée dans toutes les tâches ménagères. Elle était libre.

Dès le lendemain, les Kempelen reçurent Dorottya et sa nièce dans la grande cuisine, au rez-de-chaussée de la maison. La jeune fille portait une robe de lin vert et brun d'une grande simplicité et ses cheveux blonds étaient recouverts d'un fichu blanc. Quand Dorottya la fit entrer, elle parcourut la cuisine d'un regard respectueux, aussi impressionnée que si elle pénétrait dans la salle du trône.

— Voici Élise Burgstaller, déclara Dorottya.

Élise fit une petite révérence. Puis elle sortit du panier qu'elle portait au bras deux feuilles soigneusement pliées qu'elle tendit à Anna Maria. C'étaient des certificats de travail qui affirmaient qu'elle était une servante travailleuse et vertueuse ; ils avaient été établis à Ödenburg, l'un par un perruquier, l'autre par un chevalier hongrois. D'une voix hésitante, presque chuchotante, Élise raconta son parcours, de l'école du monastère d'Ödenburg aux emplois qu'elle avait obtenus et à son départ pour Presbourg. Quand Kempelen lui demanda comment il se faisait qu'à vingt et un ans elle ne soit pas encore mariée, elle rougit et expliqua que ni elle ni son tuteur n'avaient encore trouvé d'homme qui lui convînt. Dorottya opinait de la tête à tout ce qu'Élise disait. Puis Teréz se réveilla et appela sa mère. Quand Anna Maria revint à la cuisine avec la fillette, Élise porta ses deux mains à sa bouche de ravissement et s'extasia devant le « petit ange ».

— Vous devez en être très fière, dit-elle à Anna Maria.

Les Kempelen envoyèrent Dorottya et Élise dans la cour pour discuter à leur aise dans la cuisine.

— Je la trouve parfaite, déclara Anna Maria.

— Pardonne-moi, mais elle me paraît un peu sotte, ou n'est-ce qu'une impression ?

— Dorottya n'était pas particulièrement éveillée, elle non plus, ce qui ne l'a pas empêchée d'être une bonne servante.

— Tu ne veux pas continuer à chercher ?

— Non. À quoi bon ? Ou devrai-je attendre que tu m'en fabriques une ?

C'est ainsi qu'Élise Burgstaller fut engagée par les Kempelen. Pendant deux jours, Dorottya lui fit visiter la maison et lui expliqua les tâches à accomplir, puis elle quitta Presbourg, munie d'une coquette somme offerte par les Kempelen, d'une mauvaise conscience – et d'une bourse contenant cinquante florins : l'argent de la corruption. Galatée, la courtisane viennoise, à l'aide d'argent, d'une tenue appropriée, de faux documents et d'une biographie controuvée s'était ainsi introduite dans la maison de Wolfgang von Kempelen, où elle exerça désormais les fonctions de servante sous le nom d'Élise.

« Quand le chat n'est pas là, les souris dansent », avait déclaré Jakob, et, de fait, le départ de Kempelen pour Ofen fit souffler un petit vent de liberté dans la maison. Le Turc était enfermé dans son débarras. Anna Maria fit dire à Tibor par Jakob que, jusqu'à nouvel ordre, elle ne jouerait plus contre lui. Tibor se plongea donc dans la littérature, abandonnant les notations de parties ; en effet, Kempelen possédait une impressionnante bibliothèque de poésie. Il perfectionnait en même temps sa dextérité dans le maniement de la lime.

Quatre jours après le départ de Kempelen, alors que le nain travaillait sur un mouvement d'horlogerie, Jakob entra dans sa chambre sans frapper, portant sur le bras deux vieilles redingotes de Kempelen, l'une verte, l'autre bleu foncé, qu'ils avaient retrouvées en débarrassant le réduit du Turc.

— Quelle est ta couleur préférée ?

Tibor leva les yeux de son travail et répondit :

— Le blanc.

Jakob éclata de rire.

— Très drôle, gnome insensé. Il te reste un essai, mais, pour l'amour du ciel, ne me réponds pas noir.

— Vert ?

— Par exemple.

— Que manigances-tu ?

— C'est un secret. (Jakob jeta un coup d'œil par-dessus l'épaule de Tibor.) Tu dois limer le tourillon un peu plus court. Il faut qu'il entre comme cela dans le coussinet... À propos de tourillon et de coussinet, as-tu déjà vu la nouvelle servante ?

Tibor secoua la tête. Jakob pointa le menton vers la lucarne.

— Elle est justement dans la cour à suspendre le linge. Regarde-la, ton tourillon t'en saura gré.

Sur ces mots, il partit.

Tibor plaça son tabouret sous la fenêtre, grimpa dessus et scruta la cour. Des cordes à linge étaient tendues entre deux murs, et, une panière sous le bras, la servante y accrochait des torchons blancs, des draps et des couvertures, si bien que le pavé sombre de la cour était traversé de lignes de linge blanc qui dessinaient comme un échiquier. D'en haut, Tibor ne distinguait pas son visage, mais il avait une vue imprenable sur ses seins, surtout quand elle se penchait sur sa corbeille. À un moment, elle redressa le dos, les mains sur les hanches, et leva les yeux vers la lucarne. Tibor baissa immédiatement la tête et attendit plusieurs secondes avant de se relever. Jakob apparut alors dans la cour, tenant à la main la redingote verte et la boîte à ouvrage où étaient rangés ciseaux, aiguilles, fils et boutons. Il salua gaiement la jeune fille, lui tendit les pinces à linge dont elle avait besoin pour étendre le dernier drap et lui montra la redingote. Ils s'assirent sur le banc l'un à côté de l'autre. Pour lui expliquer l'un ou l'autre détail à propos de son ouvrage, Jakob se rapprocha un peu. Puis elle entreprit de raccommoder et de raccourcir la redingote, pendant que Jakob l'observait, les deux bras étendus sur le dossier du banc. Rejetant la tête en arrière, il regarda Tibor droit dans les yeux et se passa la langue sur les lèvres d'un air polisson, jusqu'à ce que la servante s'adresse à lui, l'obligeant à reporter toute son attention sur elle. Tibor descendit de l'escabeau et se remit à son mécanisme sans entrain. Il s'étonna que leur nouvelle servante eût un grain de beauté au-dessus de la bouche, car, depuis son séjour à Vienne, il croyait cette mode réservée aux nobles.

Le lendemain, Jakob l'aida à enfiler la redingote verte réparée par Élise. Elle lui allait parfaitement, à l'exception de la longueur : les basques traînaient par terre. Tibor regarda Jakob d'un air interrogateur, et celui-ci lui tendit une paire de chaussures ; des souliers dont les talons étaient si hauts qu'on aurait presque dit des échasses. Ils étaient à sa taille, mais Tibor avait du mal à garder l'équilibre en marchant. Ces chaussures le grandissaient de presque dix pouces – il était encore nettement plus petit que Jakob, mais il n'était plus un nain.

– Si nous faisons passer des pantalons larges au-dessus des souliers, on n'y verra que du feu, expliqua-t-il. Bon anniversaire !

– Ce n'est pas mon anniversaire. Il n'est qu'en octobre.

– Je n'attendrai pas jusque-là.

– À quoi rime tout cela ?

– À ce que tu n'attires pas l'attention quand nous irons en ville. Nous ne sommes pas à Vienne ; des gens me connaissent, ici.

Cette fois, Tibor ne lui rappela pas l'interdiction de Kempelen. Leur escapade viennoise avait été merveilleuse, et il avait grande envie de voir Presbourg ; en outre, les premiers frémissements du printemps se faisaient sentir, alors qu'il était condamné à rester cloîtré jour et nuit dans sa chambre. Il ne savait même plus quand il avait senti le soleil sur sa peau pour la dernière fois. Anna Maria von Kempelen était en visite et ne rentrerait que le soir.

Ils se glissèrent hors de la maison et se perdirent dans la foule. C'était le début de l'après-midi et les rues de la ville étaient animées, si bien qu'ils passèrent inaperçus. Tibor portait une vieille perruque, un chapeau et une canne, accessoire indispensable pour marcher avec les souliers confectionnés par Jakob, surtout sur les pavés irréguliers. Plus d'une fois il perdit l'équilibre ou trébucha, mais il arriva à se rattraper à sa canne, à la main de Jakob ou en se tenant à un mur. Personne ne lui prêtait attention. Les regards glissaient sur lui sans s'arrêter. Le déguisement de Jakob avait transformé le nain en un homme ordinaire.

Ils traversèrent le fossé qui entourait la ville sur un pont de bois et entrèrent dans le vieux Presbourg par la porte Saint-Laurent – c'était la première fois que Tibor franchissait l'enceinte qu'il n'avait encore vue que de l'extérieur. Jakob le conduisit droit vers la place de l'Hôtel-de-Ville. Ils s'arrêtèrent à la fontaine de Roland. Tibor plongea les deux mains jusqu'aux manches dans l'eau fraîche et contempla les reflets du soleil qui miroitaient sur sa surface frémissante jusqu'à en avoir les yeux brûlants. Il avait l'impression d'être un ermite qui, après de longues années de réclusion, pousse la pierre qui ferme l'entrée de sa grotte et fait ses premiers pas dehors. Tout l'enchantait : la foule, le soleil et les nuages sur les toits de la ville, les premières pousses vertes aux arbres, l'odeur du crottin et le bruit des rues. Jakob ne parlait pas ; Tibor ne se rappelait pas l'avoir jamais vu garder le silence aussi longtemps.

Il leva les yeux quand la cloche de l'hôtel de ville sonna quatre heures. Il observa le beffroi et le bâtiment au toit de bardeaux multicolores jusqu'à ce que les derniers échos se fussent évanouis.

— Le bourgmestre se plaint, il faut repartir, annonça Jakob.

— Le bourgmestre ?

— C'est ainsi qu'on appelle la cloche, parce qu'il y est mort, expliqua Jakob.

— Dans la cloche ?

— C'est toute une histoire. Le bourgmestre de l'époque avait confié la fabrication de la cloche du beffroi de l'hôtel de ville à maître Fabian, le meilleur fondeur de la ville. Pendant les travaux, le bourgmestre se rendait fréquemment dans l'atelier de maître Fabian et il tomba amoureux de sa femme, qui était fort belle. Celle-ci ne demeura pas indifférente aux suaves compliments du riche bourgeois ni à ses précieux cadeaux. Mais maître Fabian découvrit le pot aux roses et, le jour où il fondait le métal de la cloche dans le four de fusion, il demanda des explications au bourgmestre. L'homme fit celui qui ne comprenait pas et dévia la conversation sur la cloche, dont il tirait une vanité démesurée. Quand il poussa l'orgueil jusqu'à prédire que son nom lui resterait à jamais attaché, le fondeur en colère n'y tint plus : il poussa le bourgmestre dans le métal en fusion. Le malheureux n'eut même pas le temps de jeter un cri avant d'être englouti par les flammes liquides. « En effet, tu resteras lié à ta cloche pour toujours ! » cria maître Fabian. Le soir même, il coula le métal en fusion dans le moule et, sans attendre que la cloche ait refroidi, il quitta la ville. On ne le revit jamais. Mais, lorsque, une fois hissée jusqu'au beffroi à l'aide de solides cordes, la cloche sonna pour la première fois, l'épouse du bourgmestre se mit à crier : la cloche l'appelait, elle entendait la voix de son mari ! On la crut folle, mais elle monta jusqu'au sommet de la tour et découvrit une tache verte au milieu du métal jaune ; c'était, expliquat-elle, la bague d'émeraude du bourgmestre qu'elle lui avait offerte jadis pour l'anniversaire de leur mariage et que le brasier n'avait pu fondre. Son éclat smaragdin brillait encore à travers le métal. Depuis, on appelle la cloche le

« bourgmestre », et l'on dit que son carillon émeut jusqu'à la moelle ceux qui n'ont pas la conscience tranquille.

Jakob montra ensuite à Tibor le lieu de travail officiel de Kempelen, la Chambre royale hongroise, dans la rue Saint-Michel. Passant par la Venturgasse, ils arrivèrent dans la Herrengasse où se trouvait le somptueux palais de la noblesse de Presbourg. Mais Tibor n'avait d'yeux que pour le clocher de Saint-Martin, qui dépassait des maisons, et dont la flèche était surmontée d'une copie de la couronne hongroise. Quelques minutes plus tard, ils se trouvaient au pied de la massive cathédrale de pierre grise, que Tibor contempla, comme un assoiffé une source fraîche.

Jakob plissa le nez.

– Notre Dieu est mieux logé.

Tibor lui jeta un regard si haineux que l'autre leva les mains dans un geste d'apaisement.

– Du calme. Combien de temps te faut-il pour… allumer tes cierges ou faire ce que tu as à faire ?

Tandis que Tibor réfléchissait, Jakob reprit :

– Je viendrai te chercher dans une heure. Renonce peut-être aux génuflexions : il n'est pas sûr que tu arrives à te relever, avec ces souliers.

Sur ces mots, il fit demi-tour et reprit d'un pas nonchalant, les mains dans les poches, le chemin par lequel ils étaient venus.

Tibor eut effectivement quelque difficulté à se redresser après s'être agenouillé devant la pietà. Il dut se cramponner à une grille pour pouvoir reposer ses chaussures sur le sol. Prenant de l'eau bénite dans la vasque de bronze, il s'en humecta le front. Puis il jeta quelques florins dans le tronc de l'église. C'était la première fois qu'il dépensait un peu de l'argent qu'il avait gagné. Enfin, il alluma un cierge et pria pour le salut de l'âme du jeune marchand vénitien.

Tibor parcourut du regard la nef centrale de l'église jusqu'au moment où une femme sortit du confessionnal. La voie était libre. Il s'agenouilla et tira le rideau violet, s'emplit les poumons de l'odeur du vieux bois et attendit que les planches aient cessé de grincer sous ses genoux.

— Mon père, pardonnez-moi, parce que j'ai péché par pensée et par action. Très humblement et plein de repentir, je désire confesser mes fautes. (Quel délice de pouvoir à nouveau prononcer ces paroles !) Depuis ma dernière confession, il s'est écoulé... presque trois mois et demi.

— C'est bien long, remarqua le prêtre de l'autre côté de la grille.

— Je le regrette. J'aurais voulu venir plus tôt, mais je ne l'ai pas pu.

— Quels péchés as-tu commis ?

Pendant les courtes pauses de leur dialogue, Tibor entendait l'air qui sifflait doucement quand le prêtre inspirait par le nez.

— J'ai péché contre le troisième commandement. J'ai souvent manqué la sainte messe.

— Sais-tu que c'est un péché mortel ?

— Oui, mon père. Mais j'en ai été empêché. On me l'a en quelque sorte interdit.

— Quiconque t'interdit d'assister à la sainte messe est un criminel impie et tu dois rompre avec lui.

— Oui, mon père.

— Quelles sont tes autres fautes ?

— J'ai... péché contre le sixième commandement. J'ai eu des pensées impures. J'ai convoité des femmes. J'ai convoité plusieurs femmes.

— Il nous arrive fréquemment d'être induits en tentation et il n'est pas toujours facile de résister.

— Oui. Mais j'ai eu un commerce charnel avec une femme.

Le prêtre hocha la tête.

— Quoi d'autre ?

Alors que Tibor se demandait quel péché avouer à présent – qu'il s'était enivré ou qu'il s'était lié d'amitié avec un Juif –, le rideau s'écarta brusquement, et Tibor sursauta. Jakob était là et lui faisait signe de venir. À en juger par son expression, il était sérieux. Tibor secoua la tête avec véhémence et se débattit quand son compagnon le tira par le bras.

— Mon fils ? demanda le prêtre.

— Euh... C'est tout, mon père.

D'un geste, Tibor exhorta Jakob à remettre le rideau en place. Jakob roula des yeux et recula de quelques pas.

— Bien. Pour pénitence, tu diras trois Notre-Père et huit Je vous salue Marie. Essaie aussi de t'amender. Si ta chair t'entraîne au péché, cherche le secours dans la prière. Et n'attends plus aussi longtemps avant ta prochaine confession, entends-tu ?

— Oui, mon père.

— *Deinde ego te absolvo a peccatis tuis in nomine patris et filii et spiritus sancti.*

— Amen.

Tibor se remit péniblement debout et attrapa sa canne.

À quelques pas du confessionnal, Jakob contemplait la statue de saint Martin comme si de rien n'était.

— Tu ne passes donc pas assez de temps dans des caisses de bois que tu doives continuer dès que tu as un moment de liberté ?

Tibor ne répondit pas et passa devant lui sans un regard. Ce ne fut qu'une fois sorti de l'église qu'il se tourna vers Jakob. Il avait le souffle court et son visage s'était empourpré.

— Tu m'as dérangé pendant la confession !

— Oui. Mais c'était important.

— Qu'est-ce... Qu'est-ce qui peut être assez important pour que tu interrompes ma confession ?

— J'avais peur que tu ne racontes au curé l'histoire de l'automate.

Tibor resta sans voix puis balbutia :

— Comment ? Qu'est-ce que tu veux que j'aie à confesser à ce propos ?

Jakob lui adressa un sourire angélique.

— Que nous menons les gens en bateau dans les grandes largeurs. Ce n'est pas interdit, chez vous ? Chez nous, si.

Tibor n'y avait pas pensé, mais il se rappela alors ce qu'il avait objecté à Kempelen dans la prison des plombs :

Tu ne mentiras pas. Jakob avait raison : toute l'entreprise du joueur d'échecs était un péché au sens strict, un manquement au huitième commandement.

Jakob remarqua que ses propos avaient troublé Tibor.

— Si tu n'avais pas l'intention de confesser cela, tant mieux.

— Le secret de la confession, ça existe, tu sais, siffla le nain.

— Oui, bien sûr. Autant qu'une machine qui joue aux échecs. Tu n'imagines quand même pas qu'un curé garderait cette histoire pour lui ? Dans deux jours, toute la ville saurait que le cerveau de l'automate est allé à confesse.

— Comment peux-tu dire des choses pareilles ? Le sacrement de la pénitence – évidemment, vous autres, les Juifs, vous n'en savez rien.

— Ah bon ? Et pourquoi ?

— Parce que le salut de l'âme ne vous concerne pas ; parce que vous ne vous intéressez qu'à votre petite personne et à l'instant présent, que chaque jour, vous ne cherchez qu'à amasser davantage de biens, et que vous ne consacrez pas une pensée à ceux que vous saignez comme les sangsues des marécages. Si un jour, par extraordinaire, votre conscience vous chatouille, vous chargez de tous vos méfaits un bouc que vous expédiez dans le désert, ou bien vous tuez une poule que vous balancez au-dessus de vos têtes et tous vos torts sont oubliés. C'est ce que vous croyez, du moins, car un jour, un jour viendra où vous serez jugés vous aussi, vous, précisément. Et ce jour-là, que Dieu ait pitié de vous !

Jakob se gratta la nuque.

— C'est là ce que tu penses de nous, les Juifs ?

Toujours furieux, Tibor acquiesça énergiquement. Alors, Jakob le poussa brutalement des deux mains. Le nain tomba à la renverse sur le dos et se heurta douloureusement le coude sur le pavé. Décontenancé, il leva les yeux vers Jakob.

— J'en ai assez entendu et j'en ai assez supporté, Tibor, dit celui-ci avec une acrimonie inhabituelle. C'en est trop. Je ne fais peut-être pas grand cas de ma religion, mais si tu crois pouvoir te permettre d'insulter mon peuple en toute liberté, tu te trompes. J'ignore pourquoi vous vous figurez que cela nous laisse indifférents. Accepterais-tu qu'on te condamne simplement parce que tu es nain ? Non, bien sûr. Ne regarde pas la cruche, mais le contenu ! Et si je ne suis pas encore arrivé à te faire changer d'avis à notre sujet, garde tes idées pour toi désormais, car, autrement, je te promets que tu vas te sentir très, très seul au cours des prochains mois.

Plusieurs passants s'étaient arrêtés près de la cathédrale pour ne rien perdre de cette altercation, mais Jakob n'en avait cure. Tibor frotta son coude meurtri.

— Et maintenant je vais rentrer chez moi, dans le quartier juif, reprit-il un peu plus calmement. Tu es cordialement invité à m'accompagner. Sauf si ce ramassis de sangsues et d'égorgeurs de poules te dégoûte.

Tibor hocha la tête. Jakob lui tendit la main, l'aida à se remettre debout, lui donna sa canne, son chapeau et épousseta ses basques.

— Tout va bien ?

— J'ai mal au bras.

Tibor sentit que l'étoffe de sa chemise, sous la redingote, était collée à son coude. De toute évidence, il s'était écorché.

— Il y a quelques mois, c'est toi qui as failli me casser le nez. Nous sommes quittes. Et, à l'époque, je n'ai pas pleurniché.

En silence, ils quittèrent le centre-ville par la porte de Weidritz, passèrent devant la synagogue et s'engagèrent dans le quartier juif, confiné dans une cuvette, entre l'enceinte de la ville d'un côté et le Schlossberg de l'autre. Jakob louait une chambre dans une maison de la rue des Juifs. Pour y entrer, ils durent d'abord pénétrer dans une cour minuscule et obscure et, de là, gravir une série d'escaliers qui passaient tantôt à l'intérieur du bâtiment, tantôt sous un auvent, jusque sous les toits ; Tibor aurait été incapable de dire si le logement de Jakob se trouvait au troisième ou au quatrième étage, car il avait l'impression que des paliers s'ouvraient à mi-chemin et qu'aucun appartement n'était situé au même niveau que l'autre. De même, il n'aurait su distinguer les parties qui appartenaient à l'immeuble de Jakob et celles de la maison voisine, tant les toits, les poutres et les encorbellements étaient enchevêtrés. Chaque rebord de fenêtre, chaque corniche était blanc de fientes de pigeons dont les roucoulements résonnaient à travers la cour vitrée. Arrivé devant une porte, Jakob souleva une tuile du toit. Une clé tomba, avec laquelle il ouvrit la porte. Ils arrivèrent dans un couloir sur lequel donnaient deux autres portes ; celle du logement de Jakob n'était pas fermée à clé.

Sa chambre était à peu près deux fois plus grande que celle de Tibor et contenait un mobilier qui avait peut-être possédé une certaine valeur plusieurs dizaines d'années auparavant. Tout était en désordre ; des esquisses étaient éparpillées sur la table et par terre, ainsi que des blocs de bois, travaillés ou non, accompagnés de quelques outils. À côté du lit se dressait un chandelier juif crasseux ; le métal en était terni et recouvert de cire qui formait comme des stalactites. Les sept bougies étaient presque entièrement consumées, et trois des mèches s'étaient déjà noyées. Il y avait une fenêtre et une curieuse porte étroite qui ne débouchait sur rien : en l'ouvrant, on découvrait le ciel et, à environ un pas plus bas, le faîte de la maison voisine. Les toits de tuile rouge étaient interrompus par des cheminées noires mouchetées de crottes d'oiseaux. À l'arrière-plan, on apercevait l'enceinte de la ville et les clochers des églises. Jakob désigna une brèche dans l'océan de toits – l'emplacement du petit cimetière de la communauté juive. Tibor aperçut la tour Saint-Michel, qui portait un cadran d'horloge sur chaque côté, sauf celui qui était tourné vers le quartier juif ; parce que, lui expliqua Jakob, les Juifs n'avaient pas versé un thaler pour sa construction.

Quelques maisons plus loin, au rez-de-chaussée, un fripier tenait boutique – celui-là même chez qui Jakob avait acheté la pipe du Turc. Quelques-unes de ses marchandises étaient exposées dehors ; comme, à cet endroit, la rue des Juifs était juste assez large pour laisser passer une voiture à cheval, il avait disposé ces objets sur le mur de la maison. Certains étaient suspendus à des clous plantés dans la façade, d'autres à l'enseigne de fer portant l'inscription *Ferraille Aaron Krakauer* – casseroles, poêles, batteries de cuisine, vêtements, meubles et babioles en tout genre ; le tout dans un état peu fait pour inspirer la convoitise.

Un Juif à la barbe et aux cheveux gris, vêtu d'un caftan noir et coiffé d'une calotte ronde, était en train de sortir une table au moment où Tibor et Jakob regagnèrent la rue. Le meuble était incrusté d'un échiquier aux cases de bois alternativement clair et sombre.

– *Schalom*, Jakob, dit-il avec un sourire édenté.

– Salut, Aaron.

– Te laisserais-tu tenter par une Borovicka ?

– Demande-moi plutôt si le Danube est mouillé, répliqua Jakob.

En souriant, le vieux Juif disparut dans sa boutique. Jakob prit deux chaises empilées et les disposa à côté de celle du marchand, devant la table. Krakauer revint avec une bouteille de grès et une petite boîte de pièces d'échecs et posa le tout sur la table. Il répandait une odeur de vieux papier. S'inclinant vers un panier posé derrière lui, il attrapa trois godets qu'il épousseta avec un pan de son habit avant de les remplir.

Pendant ce temps, Jakob lui présenta Tibor.

– Voici mon ami… Gottfried Fürchtegott Neumann de Passau. C'est un fondeur de cloches qui fait son grand tour.

Les trois hommes trinquèrent et burent. L'alcool de genièvre brûlait la gorge, et son goût était épouvantable. Tibor plissa les yeux et retira de sa langue un poil qui traînait dans son gobelet. Il aurait bien voulu un verre d'eau ou, mieux encore, de lait pour se rincer la bouche.

– Alors, quoi de neuf en ville, Aaron ? s'enquit Jakob.

– Ne fais pas le modeste, fulmina le brocanteur en resservant à boire. Tout le monde ne parle que du Turc méca-

144

nique que ton patron Kempelen a construit ! Toutes mes félicitations.

— Merci.

— Je tiens absolument à voir cet automate et, mieux encore, à jouer contre lui. Rabbin Meier Barba m'a dit qu'il allait écrire à M. Kempelen pour lui demander s'il accepterait de présenter un jour son homoncule dans le ghetto. Jouez-vous aux échecs, monsieur Neumann ?

Jakob intervint sans laisser à Tibor le temps de répondre.

— Non. Gottfried est d'avis que les échecs ne servent qu'aux bons à rien qui ont du temps à perdre, aux rêveurs qui veulent oublier le monde et aux bavards qui cherchent à se donner de grands airs.

Krakauer jeta un regard perçant à Tibor, qui se contenta de hausser les épaules en disant :

— Ma foi, oui. N'ai-je pas raison ?

— Oui et non, monsieur Neumann ! Savez-vous que les échecs peuvent accomplir des prodiges ? Ils ont sauvé un jour les habitants de la ville juive de la famine. C'était du temps où Sigismond était roi de Hongrie. Un mauvais souverain, et un financier plus incapable encore. Il a évidemment emprunté aux Juifs l'argent de ses plaisirs et de la construction du château de Presbourg – sans les rembourser. Les caisses de la communauté se vidaient de jour en jour et, lorsqu'il réclama mille florins pour l'une de ses guerres et que les Juifs se trouvèrent dans l'incapacité de réunir cette somme, le tyran se mit en colère : il les fit refouler dans le ghetto, ferma les grilles de toutes les issues et y posta des gardes. Les Juifs resteraient enfermés tant qu'ils n'auraient pas versé les mille florins. Or les malheureux n'avaient pas cet argent ! Dans son affliction, le rabbin écrivit au prieur de la cathédrale pour lui demander de l'aide. Et, malgré leurs différends, le prieur accepta. Il lui arrivait de temps en temps de jouer aux échecs avec le roi ; le lendemain, alors qu'ils étaient assis face à face, le prieur demanda, s'il gagnait, à pouvoir présenter une requête au souverain. Deux heures plus tard, il avait battu le roi. Il lui demanda de rouvrir le ghetto avant que ses habitants ne soient morts de faim ou de maladie. Le roi Sigismond annula son ordre et les Juifs furent libérés. Le dimanche suivant, alors que le prieur avait invité à un repas de hauts dignitaires de l'Église et des conseillers municipaux, un jeune Juif lui apporta une oie rôtie avec les salutations du rabbin. Et, lorsque le prieur découpa la superbe volaille, il découvrit qu'elle n'était pas farcie de pommes ou d'oignons... mais de pièces d'or.

— Au temps pour la paix entre les religions, lança Jakob avec un regard à Tibor.

— Sur ce, amen, déclara Krakauer, et il brandit son godet, *Allah'u akbar* et *Adonai echad* !

Après une troisième puis une quatrième Borovicka, le Juif les invita à fouiller dans sa boutique. Il faisait sombre et il y régnait une odeur de renfermé. Certaines étagères étaient tellement encombrées de bric-à-brac que, s'il avait cherché à attraper un des objets qui s'y empilaient, Tibor eût certainement déclenché une avalanche qui l'aurait englouti. Sur un vieux secrétaire, il aperçut un animal empaillé tel qu'il n'en avait jamais vu ; un genre de lézard dont la bouche souriait sous deux yeux de verre noir et dont l'arrière-train se terminait par une longue queue. Mais le plus étrange était qu'il se tenait debout sur deux pattes de poulet et qu'une petite ramure lui poussait sur la tête. Quand Jakob aperçut ce singulier basilic, il s'étonna à haute voix qu'aucun horloger n'ait encore eu l'idée de doter des animaux morts d'un mécanisme qui leur rendrait la vie.

— Un petit chat qui lèverait mécaniquement la patte, ou un chien qui continuerait à remuer la queue longtemps après son trépas – ces dames et ces messieurs éplorés seraient prêts à payer une fortune.

Tibor dénicha une édition italienne fatiguée du *Décaméron* et voulut acheter le livre, mais Krakauer insista pour le lui offrir.

— Je ne veux pas d'argent, monsieur Neumann, car, si le destin en décide ainsi, notre rencontre me sera certainement profitable un jour d'une autre manière.

Le *Décaméron* était un livre dont la lecture était passible des plus graves sanctions au monastère d'Obra. Tibor comprit pourquoi. En vérité, ces fables étaient piquantes. Il apprécia tout particulièrement l'histoire des amants Egano et Béatrice qui se réunissent en jouant aux échecs. Tibor n'avait jamais songé que son jeu pût lui ouvrir le cœur d'une femme et, dans ses rêves, il se glissa dans le rôle d'Egano.

Le joueur d'échecs turc infligea au brasseur Michael Spech une honteuse défaite en seize coups. Spech prit cette déconfiture avec humour et concéda qu'il maîtrisait si mal ce jeu que probablement un tabouret de tisserand lui-même aurait pu le battre. La deuxième partie mit en scène une éminente personnalité, le bourgmestre de Presbourg, ami de Kempelen, Karl Gottlieb Windisch, éditeur de la *Gazette de Presbourg*. Elle dura bien plus longtemps, puisque ce ne fut qu'au terme de quarante coups que Windisch fut échec et mat. La salve d'applaudissements qui salua la fin de la partie s'adressait du reste à lui davantage qu'à l'automate. Sur les deux douzaines de personnes invitées, toutes étaient venues. Le frère de Kempelen, Nepomuk, avait demandé, lui aussi, à pouvoir assister à une nouvelle représentation. Anna Maria était devenue une hôtesse accomplie. Les amis de la famille Kempelen étaient unanimes à reconnaître qu'on l'avait rarement vue d'humeur aussi enjouée. Après le spectacle, elle appela Katarina et Élise, qui firent circuler des boissons et des friandises pendant que les invités bavardaient. Au milieu du brouhaha général, Tibor entendit Windisch proposer à Kempelen de faire passer une annonce dans sa gazette pour annoncer les prochaines représentations du Turc. De tous les invités, c'était l'éditeur qui semblait s'intéresser le plus au fonctionnement de l'automate et il assaillit Kempelen de questions.

Ils avaient décidé d'ouvrir désormais les portes de la machine avant chaque représentation, et non plus après, l'avantage étant qu'une fois la partie terminée Tibor n'était pas obligé de se hâter de ranger ses pièces, de rentrer le pantographe et de replier l'échiquier. En revanche, il avait largement le temps de tout préparer entre la fermeture des portes et le début de la première partie. Après que Kempelen avait fermé les portes antérieures, il ouvrait encore une fois la porte arrière, à droite de l'androïde, sous prétexte de procéder à un dernier réglage, et Tibor pouvait allumer sa chandelle au moment où le chevalier introduisait une bougie à l'intérieur de l'automate. Si la bougie de Tibor s'éteignait malencontreusement au cours d'une partie, Kempelen pouvait la lui rallumer en prétendant devoir procéder à une vérification du mécanisme.

À l'issue de la représentation, alors que, torse nu au-dessus d'une cuvette, Tibor se lavait pour se débarrasser de la sueur qui lui recouvrait le corps, on frappa à la porte, et Kempelen entra, en compagnie de son frère. D'un geste auguste, Kempelen désigna Tibor.

— Le voici.

Nepomuk fronça les sourcils et se frotta le menton.

— Eh bien...

— Cela ne te plaît pas ? demanda Kempelen.

Les deux hommes discutaient comme si Tibor, qui s'essuyait avec une serviette, ne les entendait pas.

— Si, si. Qu'y aurait-il à redire ? Il a fort bien joué. (Tibor accueillit le compliment d'un signe de tête.) Non, ce serait plutôt... l'affaire dans son ensemble.

Les deux frères ressortirent de la chambre et poursuivirent leur conversation dehors. Le nain finit de se sécher, furieux que quelqu'un pût ne pas être enthousiasmé par l'automate.

Tibor profita de l'après-midi pour continuer à travailler la mécanique. Il avait appris à limer des pignons de plus en plus irréprochables, qu'il mettait au rebut car ils ne servaient à rien. Il entreprit alors de fabriquer quelque chose qui lui serait plus utile : un double des clés de la maison, que seuls Kempelen lui-même et sa femme possédaient ; une clé de la porte d'entrée et une de l'atelier, qui lui-même conduisait à la chambre de Tibor. Un jour, il avait pris son courage à deux mains. Il avait fait ramollir pendant des heures un morceau de bougie au fond de sa poche et, lorsque Kempelen s'était éclipsé dans son bureau en laissant son trousseau à l'atelier, il avait pris une empreinte du panneton des deux clés. Il s'était procuré des tiges de fer du bon diamètre, qu'il scia et lima jusqu'à ce qu'elles s'adaptent parfaitement au moule de cire. Une fois les deux clés terminées et dissimulées sous une planche déclouée, il se sentit plus libre, sachant que, désormais, il pouvait sortir à sa guise.

Le Weidritz

Quand Wolfgang et Anna Maria von Kempelen furent invités à Fertöd où le prince Nikolaus Esterházy donnait un bal, Tibor et Jakob entreprirent leur deuxième escapade illicite. Ils attendirent la nuit pour longer l'enceinte de la ville jusqu'au Weidritz, le quartier des pêcheurs. Jakob avait coutume de se rendre de temps en temps à la taverne de La Rose d'or, sur la Fischplatz.

À peine Tibor eut-il remis ses chaussures à plateforme que ses jambes et surtout ses pieds retrouvèrent les douleurs de la première sortie. Mais cette liberté éphémère était trop précieuse pour qu'il y renonçât.

La Rose d'or occupait un bâtiment dont les poutres fléchissaient sous l'effet du temps et de la pesanteur. La suie des chandelles et la fumée des pipes s'accumulaient sous le plafond bas. Malgré l'atmosphère étouffante et l'odeur âcre, les fenêtres de verre jaune étaient toutes fermées. Les buveurs étaient des Allemands et des Slovaques ; Tibor n'aperçut pas plus de Hongrois que de femmes, à l'exception des deux serveuses qui se déplaçaient dans la salle d'une démarche dansante, évitant les chaises, les coins de table et les mains baladeuses sans jamais se départir de leur sourire. Elles portaient de grandes chopes de bière et des plateaux de bois entaillés de larges rainures dans lesquelles étaient alignés de petits godets d'étain remplis d'eau-de-vie. À une table, on jouait aux dés, à une autre au tarot, à la troisième à la tocatille. On s'habituait rapidement au tapage ainsi qu'aux effluves de tabac, d'alcool, de sueur et de poisson. Depuis le comptoir derrière lequel il tirait la bière et remplissait les verres de schnaps, le tenancier, un chauve, salua Jakob d'un clin d'œil amical.

Ils trouvèrent une table libre dans une niche, et Jakob s'assit de manière à avoir la vue la plus large possible sur la taverne. Tibor soupira d'aise à l'idée de soulager enfin ses pieds. Il étendit les jambes mais n'osa pas retirer ses chaussures. Jakob lui tendit deux coussins pour rehausser son siège.

Une serveuse s'approcha et passa un torchon sur la table, ce qui n'eut pour effet que d'étaler les flaques de bière et de disperser les miettes de pain. Avec des cheveux roux clair qui retombaient en boucles sur ses oreilles, elle était jolie, bien que l'air vicié de la taverne eût gâté son teint pâle et que le bout de son nez fût un peu de travers, comme s'il avait été cassé. Jakob l'observa avec insistance, sans s'en cacher, et, sans quitter la table du regard, elle ne put s'empêcher de sourire.

— Constanze, tu es toujours aussi belle ! s'écria-t-il. Et pourtant je n'ai pas bu.

— Tu dis la même chose quand tu es saoul, répliqua-t-elle.

— Il faut absolument que tu viennes poser pour moi un jour. C'est promis ? J'immortaliserai ta beauté. Tu seras mon Aphrodite, ma Béatrice. Mon Hélène.

Constanze souriait toujours, tout en s'efforçant de dissimuler son contentement.

— Que prendrez-vous ? Une bière ?

— Peu importe, tout nous sera nectar pourvu que tes mains nous le versent, belle Constanze !

La serveuse lui assène un coup de torchon et s'éloigna. Les deux hommes la suivirent du regard, et Jakob fit un clin d'œil à Tibor.

— Elle est délicieuse. Et elle boit tellement que, quand on l'embrasse, on a l'impression de lécher un verre de vin vide.

En contemplant Constanze, Tibor fut embrasé d'une passion aussi violente que fugace. Il aurait voulu revivre ce qu'il avait vécu à Vienne, mais sans masque, cette fois, et sans avoir été magnétisé au préalable. Il sentit le sang lui monter au visage et ses oreilles devenir brûlantes avant d'avoir pu réprimer cet émoi soudain. Il avait péché ce jour-là, céder une seconde fois à la tentation serait encore plus répréhensible.

— Elle me tient compagnie jusqu'à ce qu'Élise soit mûre, reprit Jakob.

— Notre Élise ?

— Oui, oui. Si tu savais comme elle est jolie quand elle retire son bonnet. Mais elle est si naïve ! Et encore plus pieuse que toi. Alors, je prends mon temps.

— Kempelen te mettra dehors !

— Inutile de crier, Rumpelstilzchen, il ne le fera pas. Je t'ai expliqué que j'étais intouchable.

Tibor aurait volontiers interdit à Jakob de fréquenter Élise, mais de quelle autorité et, surtout, pour quel motif ? L'image de Jakob en train de l'embrasser le mettait mal à l'aise. Le Juif était et restait un être immoral.

— Il y a d'autres Juifs ici ? demanda-t-il en parcourant la salle du regard.

— Non. Pas un seul. Et, ici, je ne suis pas juif non plus, tu m'entends ? (Il répondit au regard interrogateur de Tibor :) Inutile qu'ils sachent tout de moi. Je veux pouvoir continuer à boire ma bière tranquille. Au centre culturel juif, ils n'en servent pas et passent la soirée avec des blocs de bois sous le nez à discuter du Talmud. Ce n'est pas à proprement parler mon idée du divertissement.

Constanze leur apporta à boire, et Jakob leva son verre à sa santé. Après la première gorgée, il trinqua à celle de Tibor. À la deuxième bière, il alla chercher les dés. Il expliqua à Tibor les règles, d'une telle simplicité que le nain demanda à deux reprises si, vraiment, il n'avait rien oublié.

Après quelques parties d'initiation, ils jouèrent pour deux kreutzers la mise, à l'instigation de Jakob, qui remporta presque toutes les parties. Tibor n'en avait cure. Après tout, grâce au salaire que lui versait Kempelen, il disposait de plus d'argent qu'il n'en avait jamais eu. Le jeu lui-même lui paraissait sans attrait, car il ne pouvait exercer aucune influence sur le nombre de points qui sortaient, quoique Jakob prétendît qu'il suffisait de cracher sur les dés et de les secouer longuement avant de les lancer de la main gauche, la plus proche du cœur, pour obtenir de meilleurs résultats. Ils jouèrent jusqu'à ce que les premiers buveurs, fatigués, quittent la taverne en titubant, que les conversations s'étiolent et que les servantes puissent enfin faire quelques pauses.

Alors qu'il s'apprêtait à jeter les dés, Tibor surprit un mot bredouillé à la table voisine, séparée de la leur par une demi-cloison de bois. « Kempelen ». Il suspendit son geste et intima le silence à Jakob. L'assistant s'approcha de lui, et, ensemble, ils écoutèrent ce qui se disait dans un charabia de slovaque et d'allemand.

Le buveur racontait que Kempelen avait muré les fenêtres de sa demeure, non pas pour être à l'abri des curieux ou des cambrioleurs, mais pour retenir un de ses occupants à l'intérieur : le Turc.

— S'il est assez malin pour gagner une partie d'échecs contre M. le bourgmestre, je ne vois pas ce qui pourrait l'empêcher d'ouvrir une porte ordinaire et de prendre la poudre d'escampette. D'où la nécessité de murer toutes les issues, dit un des trois hommes.

Jakob posa la main sur sa bouche pour réprimer un éclat de rire.

— Pourquoi crois-tu qu'il voudrait s'enfuir ? demanda le deuxième.

— Je l'ai entendu crier. Un matin, en passant devant la maison, j'ai entendu hurler à l'étage, un cri inhumain. On aurait dit un animal qu'on mène à la boucherie.

— C'était peut-être vraiment un animal, fit observer le troisième.

– Ou un véritable être humain, reprit le deuxième. Un automate ne peut pas crier, si ?

– D'autant plus fort qu'il tourmente des hommes, répliqua le premier. Que la Sainte Vierge nous assiste. Peter m'a raconté que sa femme avait vu le serviteur de Kempelen, vous savez, l'idiot, celui qui a des longs bras, porter une corbeille remplie de morceaux de corps ; il y avait des bras et des jambes dedans. Elle a même vu des cheveux. C'est ce que dit Peter. Il est allé brûler tout ça hors de la ville.

– D'où les cris.

– La servante de Kempelen a quitté la ville peu après la naissance du Turc, ou alors Kempelen l'a chassée, c'est du pareil au même ; toujours est-il que plus personne n'a entendu parler d'elle. Elle en savait sûrement trop long.

Les trois buveurs restèrent silencieux un moment. Tibor les entendit porter leurs chopes à leurs lèvres plusieurs fois et les reposer. Jakob fit un geste de la main comme pour les inciter à reprendre leurs confidences de l'autre côté de la cloison et, effectivement, le premier éleva bientôt la voix.

– Il est à la loge.

– Hmm ?

– Kempelen est à la loge. Il est franc-maçon, que le diable emporte cette société ; ce sont eux, sans doute, qui le poussent à leur engendrer des esclaves intelligents, et l'impératrice – que Dieu la protège – se laisse aveugler par ce sacrilège impie. Il faut que l'évêque Batthyány mette fin à ces activités diaboliques. Si j'avais ce Turc en face de moi, vous pouvez être sûrs que je lui fracasserais le crâne à coups de gourdin. Pas parce qu'il est musulman – il n'y est pour rien ! –, mais pour le délivrer de ses souffrances.

Ils abandonnèrent alors le sujet de Kempelen mais continuèrent à parler des Turcs et évoquèrent les triomphes de la tsarine Catherine sur la mer Noire dans la guerre contre les Ottomans.

Vers minuit, lorsque Tibor revint des lieux d'aisances, Jakob se tenait au comptoir à côté de Constanze : il lui parlait, et elle arborait son habituel sourire. Tibor s'installa et observa son compagnon, qui prenait la main de la serveuse, lui caressait les doigts du bout des siens, suivait de l'ongle les lignes de sa main jusqu'entre les doigts. Le tenancier semblait ne pas s'en formaliser, et Constanze ne retirait pas sa main. Elle accrocha une de ses boucles rousses derrière son oreille. Le tavernier lui glissa quelques mots. Jakob en profita pour regarder Tibor et esquisser un baiser du bout des lèvres, avant de reporter toute son attention sur Constanze. Tibor comprit que leur soirée commune touchait à son terme. Il vida sa bière, posa sur la table suffisamment d'argent pour payer ce qu'ils avaient bu tous les deux et quitta la taverne. Jakob se contenta de lui adresser un signe de tête, ses bras étant trop occupés à serrer la taille de la serveuse.

La nouvelle lune éclairait la ville, dessinant une ombre accusée comme celle d'un cadran solaire derrière la Pestsäule, au milieu de la Fischplatz. Derrière le quartier des pêcheurs, le Danube murmurait. Ou était-ce l'ivresse qui lui donnait des bourdonnements d'oreilles ? Tibor se cramponna d'une main au chambranle de la porte, attendant de s'être accoutumé à l'air frais qui emplissait ses poumons.

Il reprit le chemin de la maison à travers le Weidritz. Il aurait bien voulu retirer ses chaussures et poursuivre sa route pieds nus. Sur la Fischplatz, il avait encore aperçu deux gendarmes qui faisaient leur ronde nocturne, mais, à présent, les rues étaient désertes et les murs des maisons renvoyaient le bruit que faisaient ses souliers et sa canne sur le pavé. Une voix de femme le fit sursauter :

– Où vas-tu comme ça, mon mignon ?

Tibor se retourna lentement. Une ruelle couverte s'ouvrait sur sa droite, mais il faisait trop noir pour qu'on pût distinguer où elle menait. Une femme était adossée au mur d'une maison, juste à l'entrée de la rue. Elle portait une robe claire et un foulard couvrait ses épaules sur lesquelles retombaient de longs cheveux bruns. Avec sa bouche fardée, elle ressemblait étrangement à la baronne Jesenák. Son accent trahissait qu'elle était slovaque. Tibor la dévisagea en silence.

– Un peu d'amour, ça te tente ?

En prononçant ces mots, elle releva sa jupe et dévoila un mollet en bas blancs. Comme Tibor secouait la tête si lentement que l'on pouvait croire qu'il réfléchissait à sa proposition, elle remonta encore l'étoffe et il aperçut l'éclat d'une jarretière autour d'une cuisse.

– Non, répondit-il.

– Tu es si joli garçon que je te ferai un prix.

– Non.

La femme sourit, posa un doigt sur sa bouche et dit :

– Cinq groschen. (Puis désignant son entrejambe, elle annonça :) Dix groschen.

Elle se détacha du mur, car Tibor ne s'était pas éloigné assez vite, et attrapa sa main libre. Puis elle se pencha sur lui et l'embrassa. Il eut beau serrer les lèvres, elle réussit à introduire sa langue dans sa bouche. Elle sentait divinement bon, une odeur d'herbes fraîches, de menthe, de citron et de cannelle, si intense que cette fraîcheur était presque brûlante. Il se rappela que, du temps des dragons, un camarade lui avait raconté que les putains avaient mauvaise haleine car tous ceux qui les embrassaient laissaient leur odeur derrière eux, et que ces centaines de souffles fétides se rassemblaient en miasmes insoutenables, plus pestilentiels que l'anus de Lucifer ; aussi les putains qui prenaient un peu soin de leur personne mâchaient-elles des herbes aromatiques pour ne pas faire fuir les clients.

Sans cesser de l'embrasser, elle tendit la main vers son bas-ventre pour saisir ce qui s'était dressé sous l'effet du baiser. Écarquillant les yeux, Tibor vit qu'elle n'avait pas fermé les siens. Elle cessa de l'embrasser et l'attira dans la ruelle obscure. Il n'opposa plus aucune résistance.

Le sol n'était pas pavé et la pluie avait rendu l'argile glissante, obligeant Tibor à la plus grande prudence. Bientôt, la ruelle dessina un coude et s'acheva en un étroit cul-de-sac. Sur un palier, un petit tapis était déroulé. C'est là que la catin s'assit et retroussa sa robe.

Tibor répéta « non » – il n'était manifestement plus en état de dire autre chose –, et la putain se releva.

— Je vois. Tu veux rester fidèle à ta petite demoiselle. C'est très noble de ta part.

Debout, elle prit le tapis en main, poussa Tibor, le dos contre le mur, étala le tapis à ses pieds et s'agenouilla devant lui. De ses doigts experts, elle ouvrit son pantalon, en sortit son phallus qu'elle embrassa tout en le tenant fermement dans sa main. Quelques secondes plus tard, elle s'interrompit et leva les yeux vers Tibor.

— Donne-moi six groschen.

Il déglutit avant de protester.

— Tu avais dit cinq.

— C'était tout à l'heure, mon joli. Tu préfères que j'arrête ?

Tibor lui tendit l'argent d'une main tremblante. En souriant, elle fourra les pièces dans une poche dérobée et se remit à l'ouvrage. Mais Tibor était incapable de jouir : lorsqu'il était immobile, les chaussures de Jakob lui faisaient encore plus mal que lorsqu'il marchait. Il devait s'agripper au mur pour ne pas tomber et ne savait s'il valait mieux regarder le mur qui se dressait en face de lui ou la tête de la femme qui remuait de bas en haut contre son corps comme un jouet mécanique. Il ne voulait pas qu'elle reste. Son ivresse, si lourde encore quelques instants plus tôt, s'était dissipée. Il ferma les yeux, mais même dans l'obscurité complète il fut incapable d'évoquer l'image de femmes plus belles et de décors plus attrayants.

On entendit des voix en provenance de la rue, celles d'une femme et de plusieurs hommes. Tibor rouvrit les yeux. Il était acculé au fond de cette impasse. Les passants semblaient pourtant ne pas s'approcher. Ils parlaient seulement plus fort. La putain continuait, impassiblement. Soudain, un cri retentit. Tibor écarta la tête de la putain. Une femme avait crié, mais, surtout, il connaissait cette voix. Il s'éloigna, sans soulever de protestations. Alors qu'il reboutonnait son pantalon tout en marchant, il trébucha et s'étala dans la glaise mouillée. Il réussit à se redresser en s'appuyant sur sa canne ; la femme criait toujours, au milieu d'éclats de voix masculines.

À l'instant où il sortit de l'impasse, il vit un solide lascar qui maintenait Élise par-derrière, pendant qu'un autre cherchait à délacer son corselet – en vain, car la servante de Kempelen ne cessait de lui décocher des coups de pied. Elle avait déjà perdu un soulier. Lorsque son talon atteignit le ventre de son agresseur, celui-ci la gifla, furieux. Sous la violence du coup, sa tête fut projetée sur le côté.

Ils n'avaient pas vu Tibor arriver. Le nain allongea un coup de canne dans les jarrets de l'agresseur, qui s'affaissa sur le pavé. Puis il le frappa au front et, lorsque le menton de l'homme retomba sur poitrine, le cogna si violemment à la nuque que le bois de sa canne se brisa. Tibor se tourna alors vers le second, qui avait lâché Élise entre-temps. Elle lui envoya son coude dans l'estomac, sans grand effet, car il était encore plus costaud et plus ivre que son camarade et portait, de surcroît, un tablier de cuir. Tibor se précipita sur lui et le jeta à terre. Ils roulèrent sur le pavé. Attrapant son adversaire à la gorge, Tibor serra de toute la force de ses courtes mains, s'efforçant d'ignorer les violentes bourrades qui lui meurtrissaient le visage et le ventre. Peu à peu, les coups faiblirent. Sa victime se débattait pour reprendre son souffle tandis que des doigts grossiers cherchaient à repousser la tête de Tibor. Il avait les bras plus longs que lui. Mais Tibor raidit la nuque pour résister. Ses muscles tremblaient sous l'effort.

Pendant ce temps, le premier s'était remis de sa surprise et des horions reçus et avait ramassé une caisse de bois vide qui traînait près d'un mur. Il s'approcha de Tibor par-derrière, mais il avait oublié Élise : un croc-en-jambe le fit s'affaler, et, avant qu'il ait eu le temps de se relever, elle lui avait flanqué un coup de pied à la tête. Touché à la tempe, il retomba, muet, sur le pavé.

Tibor desserra son étreinte ; ses doigts glissaient sur la peau ruisselante de sueur de la brute, qui finit par se débarrasser de lui. Le nain tomba en arrière et sentit s'arracher sa chaîne dans laquelle la main de son adversaire s'était prise. Il roula sur le ventre et se remit debout, mais l'autre était déjà loin. Tibor le suivit du regard. Un liquide chaud ruisselait dans son œil droit ; son arcade sourcilière avait dû éclater. Il tâta la plaie ouverte et remarqua qu'il avait le visage barbouillé de glaise. Des volets s'ouvrirent aux maisons voisines et des lampes s'allumèrent.

Une main se posa sur son épaule. Tibor se retourna vivement, mais ce n'était qu'Élise, qui reprenait son souffle, elle aussi. Le deuxième homme était allongé à ses pieds. Elle examina Tibor, et il lui rendit son regard de son seul œil ouvert. Les cheveux de la jeune fille étaient ébouriffés, elle avait la peau moite de transpiration, une écorchure au front, et son corselet, déchiré bien au-delà de la naissance des seins, avait été souillé par les mains de ses agresseurs. Elle avait les yeux écarquillés de terreur et la bouche ouverte, mais Tibor songea qu'il n'avait jamais rien vu de plus beau.

Des pas se firent entendre dans la direction qu'avait prise l'homme au tablier de cuir. C'étaient les gendarmes. Tibor chercha du regard son médaillon, en vain. Après un dernier coup d'œil à Élise, il prit ses jambes à son cou. Elle fit un geste pour le retenir et murmura « Attends », mais il était déjà loin. Il courait aussi vite que ses plates-formes le lui permettaient.

Arrivé sur la Fischplatz, il ralentit l'allure. Se retournant, il vit qu'il était poursuivi par un des gendarmes qui agitait son mousqueton en tous sens. Tibor reprit sa course, désorienté ; il pouvait se réfugier à La Rose d'or, où Jakob se trouvait encore certainement, mais quel secours celui-ci pourrait-il lui apporter ? Sur sa droite s'étirait l'enceinte de la ville avec la porte du Weidritz qui était fermée, à gauche le Danube. Il n'avait d'autre solution que de continuer tout droit vers le château. Le gendarme lui ordonna de s'arrêter, d'abord en allemand, puis en slovaque.

Tibor trébucha et tomba. Sa fausse jambe avait tout l'air d'être cassée. Il se débarrassa tant bien que mal des prothèses, les jeta par-dessus un mur et repartit pieds nus, empêtré dans son pantalon bien trop long désormais. Le gendarme gagnait du terrain et, constatant que le fuyard ne faisait pas mine de s'arrêter, il ne prit plus la peine de crier.

Tibor s'engagea alors dans le quartier de Zuckermandel, situé entre le Danube et le versant du Schlosshügel, un faubourg exigu aux maisons d'un seul étage, traversé par une unique rue dépourvue d'éclairage. Ici, cela ne sentait pas seulement le poisson, mais le sang, l'huile et l'acide en raison de la présence des ateliers de tanneurs. Tibor était à bout de forces. Lorsque la Zuckermandelstrasse dessina une légère courbe qui le dissimula un instant aux regards de son poursuivant, il escalada le mur le plus proche, qui donnait sur la cour d'une maison située au bord du fleuve. Faisant fi de toute prudence, il se laissa choir de l'autre côté. La chute fut douloureuse. Il tomba sur des pierres, des débris de métal et des feuilles mortes, au fond d'une étroite niche entre le mur et une remise, et s'accroupit. Il entendit le gendarme poursuivre sa course dans la rue.

Tibor déglutit péniblement. Peu à peu, sa respiration se ralentit tandis que la brûlure de ses poumons et son point de côté s'atténuaient. Un de ses bas était rougi au talon, là où la chaussure de Jakob lui avait écorché la peau. Il essaya de frotter ses pieds contusionnés, mais le moindre contact lui faisait mal. La belle redingote verte que Jakob lui avait confectionnée était maculée de glaise, et son visage aussi. La plaie au sourcil ne saignait plus, mais l'arcade enflée interposait une ombre dans le champ de vision de son œil droit. Chaque fois qu'il cillait, ses paupières collées produisaient un léger bruit de succion. Ses vêtements étaient hors d'usage, il avait perdu ses chaussures et dépensé six groschen pour quelques attouchements sordides qui ne lui avaient apporté aucune satisfaction. Il se dégoûtait. Rien d'étonnant à ce qu'il eût perdu sa médaille de la Vierge : pourquoi la Mère de Dieu resterait-elle à ses côtés alors qu'une fois de plus il l'avait trahie ? Instinctivement, il porta la main à son cou, où l'image adorée de la Madone ne pendait plus, un contact qui chaque jour, depuis Kunersdorf, lui avait offert réconfort et sécurité. Ses doigts se refermèrent sur le vide. Il récita un Je vous salue Marie muet et se remémora la nuit où on lui avait offert cette médaille.

Le 12 août 1759, pris en tenaille entre les troupes russes et autrichiennes, les Prussiens se firent pulvériser dans les collines de Kunersdorf, près de Francfort. Les cuirassiers prussiens, qui étaient censés tomber sur le flanc de l'ennemi par la droite, avaient bien du mal à progresser à travers la lande impraticable. Le Hühnerfliess, un ruisseau qui séparait les fronts, n'était sans doute qu'un misérable filet d'eau, mais son lit était si fangeux que les canons prussiens s'y embourbèrent, et l'unique pont qui le franchissait était tellement étroit que les voitures chargées de pièces d'artillerie eurent le plus grand mal à passer. Deux chevaux furent abattus d'une balle alors que Frédéric II était en selle. Un troisième eut la carotide transpercée à l'instant même où le souverain mettait sa botte à l'étrier. Une balle russe toucha même le roi mais fut miraculeusement arrêtée par une tabatière en or qu'il avait dans la poche de son gilet. Ébranlé par la défaite, Frédéric fit tout pour mourir au champ d'honneur avec ses soldats ; il appela à haute voix la balle ennemie qui lui retirerait la vie, si bien que ses aides de camp durent attraper son cheval par les rênes et entraîner leur commandant en chef au grand galop jusqu'à un lieu sûr. Au lieu de se lancer à la poursuite du grand Frédéric, comme le voulait le général autrichien Laudon, les Russes, épuisés, conduits par le général Saltykov, restèrent sur le lieu de leur triomphe, qu'ils fêtèrent toute la nuit durant. Laudon, dont les troupes étaient quatre fois moins nombreuses que celles des Russes, dut se résoudre à en faire autant.

Tibor fut fort soulagé quand le lieutenant leur fit savoir, à ses camarades et à lui, que la bataille était terminée et qu'on ne poursuivrait pas les Prussiens de l'autre côté de l'Oder, où le soleil s'enfonçait déjà. Un tonneau d'eau circula ; ils burent goulûment, car la journée avait été sans nuages et sans vent, la plus chaude peut-être de l'année, et leurs gourdes s'étaient rapidement vidées. Les dragons se dépouillèrent de leurs uniformes souillés de poussière et de sueur et se lavèrent le visage. Tous étaient muets. On gémissait, mais on ne se lamentait pas, car le régiment n'avait perdu qu'une poignée d'hommes, et la section de

Tibor était indemne. De la colline sur laquelle ils se trouvaient, on distinguait l'Oder, avec Francfort au-delà, et, tout autour d'eux, d'innombrables feux qui brûlaient encore ; d'étroites colonnes de fumée au-dessus du champ de bataille, de gros nuages au-dessus de Kunersdorf, de Trettin, de Reipzig et de Schwetig, ces villages du conseil de Francfort que les cosaques avaient incendiés par plaisir de détruire plus que pour des raisons de tactique guerrière. Seule l'église de pierre de Kunersdorf avait été miraculeusement épargnée.

Une demi-heure plus tard, le lieutenant leur ordonna de se remettre en marche ; ils devaient se rendre à Reipzig pour y traquer les fugitifs prussiens qui se cachaient encore dans les ruines du village. Prenant leurs chevaux par la bride, ils descendirent vers le village à travers l'herbe sèche. Il faisait nuit quand ils l'atteignirent. Çà et là, quelques flammes éclairaient encore les ténèbres, mais le reste des habitations n'était plus que cendres. Quelques hommes – dont l'ordonnance, Tibor – furent chargés de rester avec les chevaux à l'entrée de la localité et les abreuvèrent au ruisseau qui y coulait, l'Eilang. Les autres, fusils chargés et baïonnette au canon, parcoururent les rues incandescentes où régnait une chaleur plus torride encore que sous le soleil ardent de la journée. Quand une poutre calcinée tombait, des étincelles jaillissaient et se mêlaient aux étoiles du ciel.

Après avoir exploré le village désert, la section se répartit autour de Reipzig en plusieurs groupes : Tibor, Josef, Wenzel, Emanuel, Walther et Adam, leur caporal, campèrent entre la limite du village et la fabrique de papier de Reipzig, les seuls bâtiments à avoir été épargnés par les Russes. Josef fut affecté à la première garde. Les autres roulèrent leurs couvertures pour en faire des oreillers et s'endormirent sur-le-champ.

Tibor s'éveilla en pleine nuit, baigné de sueur. Allongé, il regarda le ciel et écouta les grillons, le bruissement de l'Eilang, le cliquetis de la roue du moulin et la respiration de ses camarades. Wenzel, qui était de faction, s'était endormi, adossé à un tronc d'arbre. Tibor se leva et courut pieds nus à travers la prairie jusqu'au ruisseau ; il but un peu d'eau tiède dans le creux de sa main et se lava le visage pour le débarrasser de la sueur séchée. Il déboutonnait sa culotte pour se soulager quand le bruit de crécelle du moulin, qu'il entendait depuis leur arrivée, s'interrompit soudain. La roue n'avait pas été particulièrement bruyante, mais, cette fois, elle était tout à fait silencieuse. Tibor fouilla la nuit du regard, sans succès. Il se retourna vers ses camarades qui dormaient tous à poings fermés.

Longeant la rive sablonneuse, il remonta alors le cours du ruisseau jusqu'au moulin. Entre-temps, le cliquetis avait repris. Peut-être une branche s'était-elle prise dans les roues à aubes. La porte du moulin était fermée à clé, mais une fenêtre était ouverte. Tibor regarda à l'intérieur. Dans l'obscurité, il distingua un enchevêtrement de disques et de courroies qui reliaient les pilons à la roue du moulin, et puis un grand chaudron, un tas de chiffons et de bois de chauffage et, enfin, des lés de papier mis à sécher, suspendus à la charpente comme des nuages carrés, qui répandaient dans la pièce une étrange clarté. La porte menant à la pièce voisine était fermée. Une forme gisait à terre près des pilons : une femme, la tête posée sur une peau de mouton. Elle dormait. Ses mains et ses pieds étaient ligotés par des courroies de cuir, et un épais morceau d'étoffe lui bâillonnait la bouche.

Après avoir vérifié qu'il avait sur lui son petit couteau, Tibor se hissa par la fenêtre. Le bruit de ses pas était couvert par le cliquetis du moulin. S'approchant de la femme, il vit qu'elle n'était pas couchée sur une peau de mouton mais sur un agneau entier, mort, un trou dans le crâne. La femme, en revanche, était vivante. Elle se réveilla au moment où Tibor cherchait à lui retirer son bâillon et se mit à crier. Il lui fit signe de se taire, mais trop tard : on l'avait entendue. Une porte s'ouvrit, et un soldat surgit dans l'encadrement. Tibor poussa un soupir de soulagement : ce n'était pas un Prussien mais un Russe. Un officier russe. Le nain prononça immédiatement les quelques mots de russe qu'on lui avait appris : « Autrichien » et « ami ». Le Russe répondit dans sa langue maternelle, grimaça un sourire et ne cessa plus de parler tout en se dirigeant vers Tibor. Celui-ci opina du chef, sans comprendre un traître mot. Puis le Russe posa le doigt sur sa poitrine, avant de le tendre vers Tibor et vers la femme et d'esquisser un geste sans équivoque. Tibor ne réagit pas. Mais, lorsque le Russe répéta son geste encore plus clairement, il secoua la tête pour refuser. Tibor était un jeune homme, nabot de surcroît, et il se permettait de tenir tête à un soldat russe qui était un homme fait. Il fallait qu'il retourne au camp de toute urgence pour chercher de l'aide.

— Fritz, fit le Russe, en désignant à nouveau sa prisonnière.

— Je sais, répondit Tibor. Mais je ne veux pas. Merci beaucoup. Au revoir.

La femme bâillonnée gémit quand il se dirigea vers la porte. Le Russe, qui semblait deviner ce qu'il avait l'intention de faire, l'agrippa par l'arrière de la tête. Walther lui avait parlé de cette prise : on pouvait vous briser la nuque ainsi. Au lieu de se cabrer et de résister, Tibor laissa sa tête suivre l'étreinte brutale des mains. Pendant ce temps, il sortit son couteau de sa ceinture et l'enfonça dans la cuisse de l'officier. Avec un gémissement de surprise, le Russe le lâcha, et Tibor courut se cacher derrière les rangées de foulons. Le Russe retira la lame plantée dans sa chair et jeta négligemment le couteau. Il grimaça un nouveau sourire et se mit à tenir de longs discours à Tibor tout en s'approchant de lui. Quand il eut atteint les foulons, il actionna un grand levier qui couplait la roue à pales aux lignes de foulons. En grinçant, les roues et les courroies se mirent en mouvement et les maillets de la machine frappèrent dans la cuve vide. Sans doute le Russe voulait-il empêcher ainsi Tibor de fuir en rampant sous la machine. Il essaya tout de même : lorsque son adversaire fit le tour des rangées de foulons pour l'attraper, il sauta par-dessus une courroie et grimpa sur un des pignons coniques horizontaux. Mais l'officier réussit à le saisir par son pied nu. La cheville de Tibor et la main du Russe glissèrent entre deux pignons de la roue, et, lorsque celle-ci tourna, leurs membres furent pris dans les dents de l'engrenage voisin où ils restèrent coincés. Tibor cria, le Russe grimaça. Les rouages du moulin s'arrêtèrent. Le nain et son agresseur étaient indissolublement liés l'un à l'autre, et Tibor ne savait comment se dégager. Le moindre mouvement entre les roues accentuait la douleur, d'autant plus que la pression de l'engrenage ne cédait pas. Il aurait fallu plusieurs hommes robustes pour ramener la roue en arrière.

De sa main libre, le Russe enfonça la main dans sa botte et en tira un petit poignard. Tibor était allongé sur la roue devant lui comme sur un autel sacrificiel. Le Russe prononça encore quelques mots puis il leva la main. Un coup de feu retentit. Comme piqué par une guêpe, l'homme poussa un cri, laissa tomber le poignard et se tordit de douleur. Un trou fumait sur son flanc. Le Russe jura, tâta la plaie, gratta le trou comme si une piqûre d'insecte le tracassait, piétina sur place et expira. Avant qu'il ne s'affaisse, ses doigts se resserrèrent encore plus fermement autour du pied de Tibor.

Debout sur le seuil, Walther baissa son fusil.

– *Parbleu !* Juste à temps ! dit-il. Et c'est un Russe, Demi-portion. Ils sont de notre côté.

Ils étaient venus à trois : Walther, Emanuel et le caporal Adam. Ils libérèrent Tibor de l'engrenage. Son pied était bleu et rouge, mais les os étaient intacts. Ils délivrèrent ensuite la femme, une habitante de Reipzig qui n'avait pas pu s'enfuir à temps. Emanuel proposa en ricanant de finir ce que le Russe avait commencé, mais le caporal le tança vertement. La femme remercia chacun des quatre hommes d'un baiser sur la joue. Elle tendit à Tibor la chaînette qu'elle portait au cou et à laquelle était suspendue une petite médaille de la Vierge ; elle fit le vœu qu'elle le protégeât toujours. Puis elle fondit en larmes. Walther voulut la consoler. Mais Adam le sermonna, lui expliqua qu'ils n'avaient pas à consoler les Prussiennes, et il la renvoya chez elle.

Pendant ce temps, Emanuel avait obtenu du caporal l'autorisation d'incendier au moins le moulin. Les chiffons secs brûlèrent comme de l'amadou. Les soldats restèrent à l'intérieur du moulin jusqu'à ce que la chaleur devienne insupportable, car le spectacle du papier qui s'embrasait dans les combles avait tout du feu d'artifice. Quant à l'officier russe, dont la jambe droite tressaillit encore un bon moment comme la patte d'un insecte mort, ils le laissèrent rôtir avec le bâtiment. Mais ils rapportèrent l'agneau au camp – Walther portant Tibor sur son dos – et, à la lueur du moulin en flammes, ils dégustèrent ce festin nocturne.

Depuis ce jour-là, depuis ses quinze ans, Tibor n'avait jamais quitté sa médaille, et, maintenant, elle avait disparu, piétinée dans la gadoue d'une ruelle de Presbourg.

Il entendit des pas de l'autre côté du mur. Sans doute le gendarme revenait-il vers la Fischplatz, où se trouvaient son collègue, l'agresseur assommé, et Élise. Élise... Que faisait-elle, grand Dieu, dans le quartier des pêcheurs à minuit ? Tibor avait cru comprendre qu'elle avait repris l'ancienne chambre de Dorottya, dans la Spitalgasse, pas très loin de chez les Kempelen. Cela faisait un sacré bout de chemin. Et qui étaient ces deux hommes ? Il était fier d'avoir pu aider la jeune fille, même si elle ignorait évidemment qui il était. Ils avaient beau être tout proches quand il était à l'intérieur du Turc et qu'elle servait les invités de Kempelen, ils ne se rencontreraient sans doute plus jamais ; leur bref effleurement, au moment où elle avait essayé de le retenir, ne se renouvellerait pas.

Il se leva. Qu'il était petit ! Il l'avait été toute sa vie, mais il lui avait suffi de porter le déguisement de Jakob pendant quelques heures pour s'habituer à sa nouvelle taille. De ce côté-ci, le mur était trop haut pour qu'il pût l'escalader ; il fallait chercher une autre issue.

Sortant de la niche où il se terrait, il se retrouva dans une cour murée de toutes parts qui jouxtait une maison. Un instant, Tibor se figea, pétrifié de terreur : à la lueur de la lune, d'innombrables visages le fixaient du regard ; mais ils étaient sombres et immobiles et s'arrêtaient juste au-dessous du cou : il avait dû s'introduire chez un collectionneur ou dans l'atelier d'un sculpteur. Deux bonnes douzaines de bustes de métal étaient rassemblés dans cette cour ; certains étaient montés sur des socles de bois ou de pierre, mais la plupart étaient posés ou gisaient par terre ; certains semblaient observer les étoiles, d'autres regardaient les pavés, d'autres étaient tournés vers l'autre côté de la cour, les derniers, enfin, vers un des murs ; un petit couple se contemplait mutuellement, les yeux écarquillés, comme s'ils faisaient un concours pour savoir qui fermerait le premier ses paupières de plomb. Ces visages étaient si nombreux qu'à tout moment une paire d'yeux était rivée sur Tibor. Où qu'il se tînt, il sentait toujours ces regards posés sur lui. Et quels visages ! Ils n'avaient rien de semblable à ceux que l'on coule d'ordinaire dans le métal, à ces effigies de rois et d'empereurs, de généraux et de prélats aux traits bien dessinés, au regard altier et aux perruques impeccables – ces têtes-là étaient celles d'hommes au crâne chauve, au cou et au torse nus, si bien que rien ne distrayait l'attention de leurs grimaces affreuses. Chaque face exprimait un sentiment différent : chagrin, étonnement, colère ou naïveté, lassitude ou dégoût ; la gaieté, la volupté, la morosité et l'écœurement apparaissaient ici avec plus de vie que chez les vivants. Par le simple dessin des rides qui entouraient les yeux et la bouche, qui creusaient le cou, le front et plissaient le nez, ce singulier cabinet immortalisait en cuivre et en plomb toutes les émotions humaines. Tibor se rendit soudain compte qu'il ne s'agissait aucunement de modèles différents, mais toujours du même, reproduit à l'infini.

Il entendit du bruit dans la maison, comme un gémissement de douleur, et aperçut une lumière qui brûlait. Une porte permettait de rejoindre la rue depuis la cour, mais elle était fermée à clé. Il s'approcha en catimini de la fenêtre éclairée. À la lumière de plusieurs lampes à huile, le dos tourné vers Tibor, un homme robuste était assis à une table sur laquelle étaient posés un miroir d'un côté et de l'autre un petit buste d'argile humide que l'artiste travaillait à l'aide de ses doigts et d'ébauchoirs de bois. Torse nu, il était coiffé d'une baranica, le bonnet de fourrure des paysans locaux. L'homme façonnait l'argile, puis s'arrêtait, posait sa main gauche sur ses côtes du côté droit et l'enfonçait si profondément que la chair blanchissait sous ses doigts. Tout en essayant de réprimer ses gémissements, il maintenait cette pression douloureuse plus d'une demi-minute, sans cesser d'étudier ses traits dans le miroir. On devinait déjà que le buste d'argile qui se trouvait devant lui reproduirait la physionomie des nombreuses têtes de la cour – celle-là même de l'homme dont les traits se reflétaient dans le miroir sous les yeux de Tibor ; c'était l'original animé de toutes ces répliques inanimées. Qui plus est, le regard de l'homme était fixé, dans le miroir, sur Tibor. Celui-ci espéra vainement s'être fondu dans l'obscurité ; mais, déjà, l'autre bondissait sur ses pieds.

Tibor fit un pas en arrière. Il était prisonnier de cette cour ; il ne lui restait qu'à espérer que le sculpteur l'écouterait et le laisserait partir sans lui faire de mal. Mais quand la porte s'ouvrit et que la lumière de la lampe à huile projeta un cône lumineux dans la cour, il vit que l'homme brandissait un pistolet. L'artiste s'exclama :

– Arrière, arrière, tu ne m'auras pas !

Tibor aurait voulu répondre, mais ces propos surprenants le laissèrent coi. Il courut vers la porte, bien qu'il la sût verrouillée. Le sculpteur entendit ses pas et, faisant volte-face, il pointa son arme sur lui.

– *Vade retro !* cria-t-il en pressant sur la détente.

Une flamme blanche jaillit de l'arme. Si Tibor avait eu une taille normale, la balle lui aurait fracassé le crâne, mais elle passa au-dessus de lui et s'enfonça dans un buste – le sosie bâillant de l'artiste –, le touchant en pleine bouche. La balle de plomb pénétra dans le palais de plomb et fut avalée avec un bruit mat. Lâchant son pistolet, le sculpteur marcha sur Tibor.

– Je peux t'enchaîner ! Je t'attraperai avant que tu ne m'attrapes ! hurla-t-il.

Tibor courut vers la porte ouverte – c'était la seule issue –, mais son agresseur lui barra l'entrée de son atelier. Les deux hommes se poursuivirent entre les bustes comme des enfants qui jouent dans une forêt. Le sculpteur était plus rapide et plus leste que Tibor et, quand le nain bondit vers la porte, il lui attrapa les jambes par-derrière et le plaqua au sol. Avers un rire triomphant, il retourna le nain sur le dos. Son rire s'évanouit sur-le-champ. La lumière de l'atelier éclairait le visage de Tibor, qui comprit alors que le sculpteur l'avait pris pour un autre. L'étonnement se peignit sur ses traits. Il lâcha le nain et, constatant que celui-ci ne faisait pas mine de se lever, l'aida à se remettre debout.

— Je suis désolé, dit-il avec une soudaine bienveillance. Quel monstre je suis ! Dans quel état t'ai-je mis ?

Il passa la main sur l'arcade sourcilière de sa victime, sans effleurer la plaie. Viens, nous allons nous occuper de cela.

Tibor le suivit à l'intérieur de l'atelier. L'artiste approcha une chaise, sur laquelle Tibor s'assit, et apporta une cuvette d'eau et une serviette. Il commença par se laver les mains couvertes d'argile séchée puis nettoya le visage du nain maculé de glaise et de sang. Tout en le soignant, il ne cessait de lui présenter ses excuses pour les blessures qu'il était convaincu de lui avoir infligées, et lui jurait que, fou qu'il était, il l'avait pris pour un autre. Retirant sa couverture de son lit, il la posa sur les épaules de Tibor. Puis il traversa deux pièces jusqu'à la cuisine, et Tibor l'entendit manipuler des casseroles et de l'eau.

Le nain en profita pour parcourir du regard le petit atelier, qui semblait servir également de pièce d'habitation à l'artiste : il contenait un lit, une grande table de travail et plusieurs chaises, ainsi que des jattes et des cruches de toutes sortes, des outils et des livres portant des titres comme *Préludes microcosmiques du nouveau ciel et de la terre nouvelle*, *Récits des feux de braises et de flammes visibles des sages immémoriaux* ou *Les Sept Piliers du temps et de l'éternité*. Plusieurs médaillons d'albâtre étaient adossés à un mur. Il s'agissait d'effigies ordinaires, que ne défigurait aucune grimace. Tibor reconnut un des visages : c'était celui du magnétiseur, le guérisseur en robe qui les avait traités, lui et ses compagnons rassemblés autour du baquet, par la force du magnétisme animal.

Tibor examina la tête d'argile à laquelle le sculpteur travaillait à son arrivée. Les yeux étaient grands ouverts, la bouche béante, la mâchoire inférieure pendante et toute la tête était légèrement inclinée en arrière, les muscles du cou tendus. Nul n'aurait pu ignorer ce qu'exprimait ce visage : c'était l'effroi, l'épouvante devant quelque chose d'inconnu, de repoussant, d'effrayant, de monstrueux. Tibor avait vu cette expression peu de temps auparavant, non pas sur le visage de l'artiste, mais sur celui d'Élise. C'était ainsi que la servante de Kempelen l'avait regardé, alors même qu'il admirait sa beauté ; une beauté sans tache que cette grimace elle-même n'avait pu altérer. Le regard de Tibor glissa du buste d'argile au miroir, et son reflet lui rendit son regard, le menton bosselé coupé par le bord inférieur de la glace, parce que son corps n'arrivait pas plus haut, un visage aux cheveux noirs et ternes et aux yeux bruns exagérément enfoncés dans leurs orbites comme des rats poltrons, des joues enfantines, rebondies comme celles d'une fillette et, partout, des bosses et des creux comme dans une pâte qui n'aurait pas correctement levé, tout cela sur le corps difforme et boudiné d'un gnome. Qu'avait-il imaginé ? Qu'Élise, aux anges, ouvrirait les bras à son sauveur ? Les femmes de Vienne s'étaient laissées aller à leurs désirs sous l'effet du magnétisme, et puis il portait un masque somptueux. La prostituée de tout à l'heure et celles d'autrefois se faisaient payer leurs tendresses. Quant à la fille de Gran, elle ne s'était donnée à lui que parce qu'elle était difforme elle aussi. À cet instant, les traits de Tibor se déformèrent encore : il plissa les yeux, les coins de sa bouche s'affaissèrent, son menton trembla tandis qu'il se mettait à pleurer. Il se regarda sangloter, observant les frémissements grotesques de son corps grotesque, suivant des yeux le chemin de ses larmes dans les plis contournés de sa face, contemplant la morve qui lui coulait du nez – plus il pleurait, plus il était laid, et plus il était laid, plus il pleurait sur sa laideur.

— Pourquoi pleures-tu ? demanda le sculpteur, sans la moindre nuance de pitié dans la voix.

Tibor ne l'avait pas entendu approcher. Il posa une théière et deux tasses de porcelaine chinoise sur la table dans lesquelles il versa une boisson blanchâtre et brûlante. Tibor essuya ses larmes, d'abord avec un coin de la couverture posée sur ses épaules, puis avec la manche de sa redingote.

— Bonne question, répondit-il. Parce que je suis laid.

Le sculpteur lui tendit une tasse. Ils restèrent silencieux un moment. Tibor entoura la tasse de ses deux mains et inhala la vapeur. C'était de l'eau bouillante avec du lait.

— Regarde-moi, dit alors le sculpteur, et dis-moi si tu me trouves laid.

Tibor tourna les yeux vers son interlocuteur, dont les traits étaient aussi réguliers que l'ossature de son torse dénudé. Il fit non de la tête. Il aurait tout donné pour lui ressembler.

— Et les têtes qui sont dehors, dans la cour ?

— Oui. Elles sont laides.

— Pourtant, ce que tu as vu dehors, c'est moi, moi et encore moi, fondu en cuivre, en plomb et en étain, et les grimaces que je fais sur ces bustes sont tout à fait ordinaires. Reconnais que la laideur est relative. De même qu'un homme beau peut être laid, un homme laid peut être beau ; tous, nous portons tout en nous.

Pendant que Tibor réfléchissait, le sculpteur referma la porte donnant sur la cour et poussa deux verrous.

— Qui attendiez-vous tout à l'heure ? lui demanda Tibor.

— L'esprit des proportions, répondit l'autre en regardant par la fenêtre où il avait aperçu Tibor un peu plus tôt.

Devant l'absence de toute autre explication, celui-ci redemanda :

— Qui ?

— L'esprit des proportions. Il lui arrive de venir la nuit, et parfois même le jour, pour m'empêcher de travailler. Il ne veut pas me laisser découvrir les secrets des proportions.

— Je ne comprends pas...

— Dans le monde, tout est soumis aux lois des proportions. Toute chose entretient avec les autres un rapport de proportion bien précis. C'est également le cas de notre visage par rapport au reste de notre corps. Selon l'endroit de mon corps où j'ai mal, mon visage se crispe d'une façon particulière. (Enfonçant à nouveau les doigts dans ses côtes, il reproduisit le rictus du petit buste d'argile.) Il existe soixante-quatre de ces grimaces. Beaucoup sont déjà dehors, dans la cour. Mais je n'aurai de repos que lorsque je les aurai toutes coulées dans le métal.

— Pourquoi ?

— Parce que, alors, j'aurai déchiffré le système des proportions. Or celui qui règne sur les proportions est maître de l'esprit des proportions !

Tibor avait de toute évidence mis les pieds dans la maison d'un fou et pouvait s'estimer heureux que le sculpteur ne l'ait pas attaqué avec plusieurs pistolets. Il avala une gorgée tout en se demandant comment il pourrait échapper sain et sauf à la compagnie de ce visionnaire.

— Comment dois-je t'appeler, esprit ? demanda alors le sculpteur.

— Pardon ?

— Tu es bien un esprit, n'est-ce pas ? Évidemment, tu es un esprit.

Tibor acquiesça.

— Oui. Je suis un esprit. Nul ne peut me voir… sauf toi.

— Je sais, dit le sculpteur en souriant.

— Et tu ne dois parler de moi à personne.

— Ah bon ? Pourquoi ?

Tibor hésita un instant, puis déclara d'une voix ferme :

— Parce que, autrement, je viendrai te tourmenter, moi aussi.

L'idée sembla inquiéter sincèrement l'homme, qui leva les mains d'un geste implorant.

— Pardonne-moi. Je ne voulais pas me montrer insoumis. Nul ne saura rien de toi.

— C'est bien.

— Et quel nom puis-je te donner ?

Le regard de Tibor se posa sur le médaillon du magnétiseur.

— Je suis l'esprit du magnétisme.

Le sculpteur tressaillit et inclina la tête respectueusement.

— Ta visite m'honore, esprit du magnétisme. Pardonnemoi de t'avoir attaqué.

— Tu as réussi l'épreuve parce que tu m'as relâché et que tu m'as bien traité.

L'artiste hocha la tête. Comme il prenait visiblement pour argent comptant toutes ces inventions improvisées, Tibor poursuivit :

— Maintenant, je dois partir. Je dois regagner mon temple... par les airs. Ouvre-moi les portes, et, à l'avenir... je mettrai mes forces magnétiques au service de ta quête et de ta lutte.

— Reviendras-tu ?

Tibor essaya de deviner la réponse qu'attendait le fou et acquiesça :

— Oui. J'ai pris plaisir à ta présence, fidèle serviteur.

Il esquissa de la main un geste qui ressemblait à une bénédiction.

Regagnant la ville par la rue du Zuckermandel, il eut envie de rire de cette aventure, mais le rire expira aussitôt sur ses lèvres. Il ne put que secouer la tête en silence, encore et encore. Il fallait qu'il raconte son histoire à Jakob. En rentrant, il évita la Fischplatz et la rue où il avait prêté mainforte à Élise ; lorsqu'il atteignit la maison des Kempelen, le ciel se teintait déjà de bleu au-dessus des vignobles.

Le Turc donna des représentations pendant tout le mois d'avril. Et, chaque fois, il fit salle comble. Tibor prenait de plus en plus de plaisir à jouer dans l'automate ; les échecs ne lui avaient plus inspiré une telle exaltation depuis le temps où il s'y était initié. Ses parties étaient comme les sonates que jouait Kempelen quand il était d'humeur joyeuse ; alors, le son délicat du clavecin traversait le plancher jusqu'à la chambre de Tibor ; le nain délaissait son travail, s'allongeait sur son lit, regardait le plafond ou fermait les yeux pour mieux écouter le jeu admirable de son maître.

Le début de chaque partie était un allegro, le déplacement rapide et clair des premières pièces – des pions devant le roi et le fou, du cavalier luttant pour occuper les quatre cases médianes, la capture et la perte alternées de pièces sans importance –, presque sans réflexion ni tactique, une ouverture éprouvée mille fois déjà, une succession logique, presque mathématique de coups, consignée dans d'innombrables manuels d'échecs. Puis venait l'andante. La partie se ralentissait, s'étirait, les adversaires s'efforçaient désormais d'imposer leur stratégie ; chaque coup devait être longuement médité, car la moindre erreur pouvait décider prématurément de l'issue de la partie. Les pièces continuaient à tomber, mais, à présent, leur perte était douloureuse ; des figures majeures gisaient à côté de l'échiquier, il arrivait même que la dame tombe ; coups et ripostes devaient être soigneusement pesés : ce cavalier était-il effectivement moins précieux que la tour adverse ? Était-il judicieux de sacrifier deux pièces majeures pour prendre la dame de l'ennemi ? Au cours de cette phase, la supériorité tactique de Tibor éclatait ou son adversaire commettait une faute décisive, et, presto, le roi se trouvait encerclé et mis mat par une figure en une succession logique de coups de fin de partie que l'adversaire, quand il les comprenait, ne pouvait empêcher qu'en abandonnant ; sinon, on en arrivait au scherzo, au cours duquel le roi rouge était pourchassé par les figures blanches à travers l'échiquier, tandis que ses troupes fidèles qui cherchaient à le protéger se faisaient massacrer.

Pourtant, les adversaires de Tibor devenaient de plus en plus redoutables. Knaus, Spech ou Windisch s'étaient appuyés sur le prestige de leur rang et de leur nom, et non sur leur talent. À présent, c'étaient d'excellents joueurs qui affrontaient le Turc, les membres de cercles d'échecs qui avaient lu Philidor et Modenaer. On commençait à noter les parties du Turc pour les comparer les unes aux autres, essayer de percer le système qui les sous-tendait et imaginer une stratégie d'attaque. Les parties se prolongeaient, et

Kempelen envisagea d'installer des sabliers pour obliger les invités à accélérer le tempo.

Le 11 avril, pour la première fois, Tibor dut concéder une partie nulle au terme de quarante-quatre coups. Pour récompenser le premier joueur que l'automate n'avait pas réussi à battre – un vieil instituteur presque aveugle venu de Marienthal –, Kempelen ne le fit pas payer. Après la partie, Tibor s'excusa auprès de son patron, mais celui-ci prit les choses avec sang-froid. Et, comme Kempelen l'avait pressenti, cette partie irrésolue ne fut en rien préjudiciable à la réputation du Turc : faillible, il parut encore plus humain aux habitants de Presbourg, et ce résultat stimula les adversaires suivants, qui n'eurent de cesse d'obtenir, eux aussi, un jeu égal contre la machine ou, mieux encore, d'être les premiers à la vaincre.

Quelques rumeurs commencèrent alors à circuler : le joueur d'échecs n'était pas un automate, il était actionné par la main de l'homme – en effet, une machine est infaillible. Kempelen invita les accusateurs à assister aux représentations, où ils purent se convaincre de leurs propres yeux que le buffet était aussi vide que le pantin turc, qu'il ne contenait aucun dispositif de miroirs et qu'il n'y avait pas plus sous la table qu'au-dessus de fils invisibles dirigeant la main du Pacha comme une marionnette. Dans ce cas, c'était l'effet du magnétisme, rétorquèrent-ils avec une telle obstination que Kempelen finit par laisser un sceptique poser, pendant la partie, un gros aimant près de l'échiquier ou de la mystérieuse cassette. Le jeu du Turc n'en fut pas changé. Le chevalier accéda également aux vœux de ceux qui le priaient de s'éloigner du meuble et du coffret et, sous les rires des spectateurs, il lui arriva même un jour de quitter purement et simplement l'atelier pour aller se chercher un rafraîchissement pendant que l'automate continuait à jouer sans son créateur.

Jakob surprit un jeune garçon qui s'apprêtait à souffler du tabac à priser espagnol dans un des trous de serrure pour faire éternuer l'homme censé se trouver à l'intérieur, lequel aurait ainsi trahi sa présence. Avec le renfort de Branislav,

Jakob le mit à la porte sans ménagement. Une autre fois, Tibor eut une indigestion et souffrit de vents ; une fois que ses flatulences eurent entièrement rempli la machine, elles se répandirent à l'extérieur ; incommodés par l'odeur, les spectateurs des premiers rangs finirent par demander si le Turc n'avait pas abusé des épices de son pays.

La baronne Ibolya Jesenák assista à deux représentations. Tibor sut qu'elle était là à l'odeur suave de son parfum, avant même de l'entendre. À l'issue de la seconde de ces parties, Anna Maria exigea de Kempelen qu'il interdît l'entrée de sa demeure à la veuve Jesenák et mît un terme à ses incessantes manœuvres d'approche. Il s'ensuivit une scène de ménage brève mais très passionnée, dont Anna Maria sortit victorieuse. Wolfgang von Kempelen adressa un billet à Ibolya Jesenák, la priant, avec ses regrets, de renoncer à ses visites.

Embaucher Élise avait, de toute évidence, été une heureuse décision. Son caractère enjoué, bien que réservé, rendait sa présence plus agréable que celle de Dorottya. Anna Maria lui confia la tâche de nettoyer l'atelier après les représentations – uniquement, bien sûr, une fois que le Turc était enfermé dans son débarras, ou sous la surveillance de Jakob, lequel ne demandait pas mieux.

À l'issue de la dernière représentation avant Pâques, pendant qu'elle passait le balai autour du joueur d'échecs, le Juif s'assit à la fenêtre et réalisa son portrait au fusain, afin d'avoir une bonne raison de ne pas la quitter des yeux.

– Comment ça marche ? demanda-t-elle soudain.

Jakob leva les yeux de son esquisse.

– Comment marche la machine ? précisa-t-elle.

– Au moyen de rouages compliqués, répondit Jakob.

– Comment des rouages peuvent-ils jouer aux échecs ?

– Ce sont des rouages très, très compliqués.

– Je n'en crois rien.

– Parce que tu t'y connais, peut-être ?

– Non, mais simplement je n'arrive pas à l'imaginer.

– C'est pourtant comme ça.

— Mais non, insista Élise.

— Mais si.

— Non.

— Si.

— Non.

Jakob reposa son papier et son fusain.

— C'est bon, tu as raison. Ce n'est pas vrai.

— Alors ?

— Je n'ai pas le droit de te le dire. Et tu le sais parfaitement.

Élise posa son balai et s'approcha de lui. Elle jeta un coup d'œil au dessin.

— C'est beau.

— De loin pas aussi beau que le modèle.

Elle rougit et baissa les yeux. Lorsqu'elle eut repris contenance, elle supplia :

— Dis-le-moi. S'il te plaît.

— Kempelen nous tordrait le cou à tous les deux.

— Je ne le dirai à personne, promis. Je te le jure sur ce que j'ai de plus sacré.

Jakob soupira.

— S'il te plaît, Jakob.

— Que me donneras-tu en échange ?

— Que veux-tu ?

Jakob posa son index sur ses lèvres.

— Un baiser.

— Que le… ! Jamais de la vie ! répliqua Élise, furieuse.

Elle reprit son balai et se remit à l'ouvrage. Jakob haussa les épaules et recommença à dessiner. Élise balaya un moment, tout en observant Jakob du coin de l'œil, puis, d'un coup, elle laissa son balai tomber au sol, se précipita vers lui et déposa un baiser rapide sur sa joue. Puis elle s'essuya les lèvres du dos de la main.

— Voilà, c'est fait. S'il te plaît !

— Tu te paies ma tête ? demanda Jakob. Quand je dis un baiser, je veux dire un baiser. Pas un petit bécot de rien du tout.

Élise fit la moue et s'approcha de nouveau. Lorsque leurs lèvres se touchèrent, Jakob l'attrapa par les épaules pour la retenir contre lui. La servante se débattit d'abord, puis se laissa aller à un bref instant de tendresse avant de repousser le jeune homme fermement.

— Alors, tu as beaucoup souffert ? demanda-t-il en souriant.

— Dis-moi maintenant comment marche le Turc.

Jakob lui fit signe de s'asseoir et elle prit place à côté de lui, près de la fenêtre. Il s'approcha un peu d'elle et baissa la voix.

— Sais-tu qu'il y a des gens qui croient qu'un être humain se cache dans le meuble ?

Élise hocha la tête précipitamment.

— Ma foi, ils n'ont pas tout à fait tort.

Jakob lui raconta alors la véridique histoire de l'automate : en réalité, le Turc n'était pas un mannequin de bois, mais un véritable être humain ; un Turc authentique, empaillé et recouvert d'une couche de vernis, un grand maître ottoman des échecs décédé que Kempelen et lui étaient allés dérober nuitamment dans un mausolée de Constantinople et qui avait été ressuscité grâce au rituel d'un prêtre panthéiste des îles Caraïbes, mais, auparavant, ils lui avaient retiré le cerveau et rempli la boîte crânienne de sciure en ne laissant en place que les circonvolutions nécessaires pour jouer aux échecs, de sorte que le mort vivant ne pouvait plus rien faire d'autre. Une formule magique suffisait à faire passer le Turc de l'état de sommeil à l'état de veille et inversement... mais, déjà, Élise n'écoutait plus. Elle lui administra une taloche pour le punir de l'impertinence avec laquelle il lui avait dérobé un baiser avant de lui débiter des fariboles, et quitta l'atelier, indignée. Jakob rit encore longtemps après que la porte se fut refermée derrière elle.

Pâques approchait. Le vendredi saint, Tibor se glissa hors de la maison à l'aide de son double de la clé. Jakob lui avait refait au tour une paire de chaussures à plate-forme pour remplacer celles que le nain avait abandonnées au Zuckermandel, et il avait réparé les accrocs de sa redingote. Son déguisement était efficace même de jour, et personne ne prêta attention à l'individu qui, protégé de la pluie par un tricorne, se rendit de la rue du Danube à l'église Saint-Sauveur, dans la rue des Franciscains.

Sur les marches, blotti contre le mur pour échapper à la pluie, un cul-de-jatte mendiait, ses béquilles croisées sur ses genoux, une sébile devant lui. Sa tempe droite était sillonnée d'affreuses cicatrices. Tibor chercha quelques pièces dans sa poche – le mendiant regardait ailleurs – et, soudain, la mémoire lui revint : il connaissait cet homme. En toute hâte, il dissimula son visage, et, avant que le gueux ne se retourne, il s'était déjà éclipsé vers la porte de l'église. Il s'arrêta sous le porche. Il avait reconnu Walther, son camarade des dragons, celui qui lui avait sauvé la vie dans les collines de Kunersdorf et qu'il avait vu pour la dernière fois à Torgau, comme le reste de sa section. Walther avait encore ses deux jambes, à l'époque, et un visage fort avenant. Sans doute un obus l'avait-il mis dans cet état. Comme le temps avait passé ! Tibor aurait bien donné un peu d'argent à Walther, mais son camarade devait ignorer sa présence à Presbourg.

Plus petite que la cathédrale, l'église Saint-Sauveur était aussi massive, mais la nef était blanche, ornée d'une multitude d'anges et de rinceaux dorés, de sorte qu'elle rayonnait malgré la pénombre. Tibor égoutta l'eau de ses épaules et s'avança. Quelqu'un jouait de l'orgue. Il regarda autour de lui. Il avait eu l'intention de prendre le temps de prier la Madone avant d'aller se confesser, mais la porte de la nef latérale s'ouvrit. Anna Maria entrait dans l'église accompagnée de Teréz, pendant qu'Élise secouait leur parapluie à l'extérieur. Craignant d'être découvert, Tibor se réfugia dans le confessionnal le plus proche. Un treillis grossier lui permettait de voir tout en demeurant invisible. Il attendrait que les trois femmes aient quitté l'église. Le prêtre lui adressa la parole, et Tibor prononça les premières formules de la confession.

Il sursauta en voyant approcher Élise et Teréz. Il bredouilla et s'interrompit. Et si la servante de Kempelen voulait se confesser ? Elle serait obligée d'attendre qu'il ait fini et, forcément, elle le verrait ! Mais non. Elle aida Teréz à s'asseoir sur un banc d'église et s'agenouilla à côté d'elle pour prier. Tibor poussa un soupir de soulagement et poursuivit sa confession. Mais il observait Élise du coin de l'œil et sa vue le fit hésiter à plusieurs reprises. Il s'était bien douté qu'elle devait être pieuse ; cette fois, il en avait la preuve. Au moins les femmes qui vivaient sous le toit de Kempelen n'avaient-elles pas abjuré toute religion. Comme elle avait l'air vulnérable, les yeux clos, tandis que sa bouche délicate formait une prière muette ! Elle tenait entre ses mains – Tibor plissa les yeux pour s'en assurer – sa médaille de la Vierge. Oui, c'était bien sa chaînette de Reipzig, celle qu'il avait perdue au cours de la bagarre du Weidritz. Elle avait dû la trouver sur le pavé, unique souvenir de son sauveur inconnu et hideux. Tibor n'entendait plus ce que le prêtre lui disait. Une onde de chaleur lui parcourut le corps. Il ne reprit ses esprits que lorsque, Anna Maria ayant rejoint ses deux compagnes, Teréz poussa un cri dont l'écho résonna dans toute l'église. Les deux femmes s'éloignèrent, l'enfant entre elles.

Tibor les suivit des yeux jusqu'à ce qu'elles aient disparu, et répondit enfin à la question du prêtre :

– Non, c'est tout, mon père.

Celui-ci lui imposa une pénitence et lui donna l'absolution. Après s'être assuré qu'Élise et ses compagnes étaient bien parties, Tibor se dirigea vers la Vierge. Élise avait trouvé son amulette ; sans doute la portait-elle à présent autour du cou, tout contre sa poitrine. Il était heureux. Il s'agenouilla devant la statue de Marie et la remercia de ce hasard providentiel. Puis il pria.

Les couleurs vives de la statue se détachaient sur le fond blanc de l'église, le brun de ses cheveux, le rouge de sa robe et le bleu foncé de son manteau doublé d'or. Sur son bras gauche, elle portait l'Enfant Jésus, qui tenait entre ses mains une pomme d'un rouge fané. La Vierge inclinait humblement la tête, comme toujours, de sorte que son regard ne se posait que sur ceux qui s'agenouillaient devant elle ou qui étaient petits, comme Tibor. Ses cheveux partagés en leur milieu par une raie rectiligne n'étaient drapés d'un voile blanc que sur la nuque et retombaient librement sur ses épaules en vagues pétrifiées. Les cheveux étaient sculptés dans le bois et recouverts de peinture, mais Tibor avait l'impression qu'ils exhalaient une douce odeur, qu'ils étaient doux comme de la soie. Les mains n'avaient ni rides ni taches, les doigts étaient si fuselés que chacun d'eux constituait une œuvre d'art. Sa main droite reposait sur son manteau – quel bonheur on devait éprouver à se faire caresser par cette main, à prendre ces doigts dans les siens, à les enchevêtrer les uns aux autres comme deux engrenages parfaits, à effleurer ce front lisse, ces joues, qui s'empourpreraient sous cet attouchement, ces lèvres rouges, qui s'entrouvriraient et laisseraient échapper un souffle chaud et humide, ce cou et le petit creux de l'épaule, la légère courbure de la clavicule et enfin l'échancrure de la robe, dont les plis se tendaient sur les seins aussi précisément dessinés sous l'étoffe que les cuisses. Ses pieds, dont l'éclat apparaissait fugitivement, étaient nus ; pourquoi les cuisses ne le seraient-elles pas aussi ? Un simple geste aurait suffi à faire tomber le manteau bleu, un autre à dégrafer la robe rouge dont l'étoffe glisserait à terre sans bruit, caressant une dernière fois toutes ces rondeurs sublimes, comme le feraient ensuite ses mains et ses lèvres...

Tibor inspira avidement, comme s'il était demeuré sous l'eau trop longtemps. Il sentait la chaleur irradier dans son bas-ventre, plaisante, exigeante, et indiciblement ordinaire, presque indépendante de lui. Il sortit de l'église en trébuchant, honteux, le chapeau enfoncé sur son visage. La pluie elle-même ne parvint pas apaiser sa lubricité, qui ne lui laissa de répit qu'après qu'il eut vomi contre le mur d'une maison. Tibor regagna sa chambre en toute hâte, sans prendre la peine de se cacher d'Élise ou de qui que ce fût, il arracha sa redingote et sa chemise, se demandant comment il pourrait expier pareille ignominie – à quoi bon prier, désormais, qui accepterait encore de l'entendre ? –, quand son regard se posa sur sa table couverte d'outils d'horloger, sur les petites limes, les scies et les tenailles, instruments de supplice d'un enfer miniature. Tibor s'en empara, espérant échapper ainsi aux flammes éternelles : il tortura son corps en des endroits que nul ne pouvait voir, s'arracha et s'entailla la peau jusqu'à ce que le sang jaillisse et que son regard fût baigné de larmes, et, lorsqu'il fut à bout de forces, il pria Dieu encore et encore de lui pardonner. Il pansa sommairement ses plaies et sombra dans un sommeil fiévreux, sur le sol dur, pour ne pas alléger ses souffrances et ne pas tacher les draps de sang.

Le château Grassalkovitch

À la mi-mai, à l'occasion des noces de la princesse Maria Antonia, Marie-Antoinette, comme on l'appelait en France, avec le dauphin Louis, à Versailles, le prince Anton Grassalkovitch, directeur de la Chambre de la cour de Hongrie, donna dans son palais d'été du Kohlenmarkt un bal auquel il convia toute la noblesse hongroise et allemande – le duc Albert de Saxe-Teschen avec son épouse, la grande-duchesse Christine, le prince primat Batthyány, le prince Esterházy, les comtes Pálffy, Erdödy, Apponyi, Vitzay, Csáky, Zapary, Kutscherfeld et Aspremont, le maréchal Nádasdy-Fogáras et bien d'autres encore. Il y aurait un dîner, un bal et, pour finir, un feu d'artifice. Entre le dîner et le bal, le prince souhaitait ménager à ses illustres invités une surprise : la présentation de l'automate joueur d'échecs. À la Chambre, il s'entendit avec Wolfgang von Kempelen pour que le Turc se produisît ce soir-là.

La surprise de Grassalkovitch fut un succès ; des applaudissements plus que chaleureux accueillirent Kempelen et sa machine dans la salle de conférences du palais. Mais, lorsque au moment de choisir l'adversaire du Turc parmi les invités, Grassalkovitch pria le maréchal Nádasdy-Fogáras de disputer cette bataille en reconnaissance de ses hauts faits militaires, l'officier grisonnant déclina l'offre ; il était beaucoup trop antique pour défier une machine aussi moderne. Il suggéra d'accorder cet honneur à un lieutenant de son régiment qui s'y était fait connaître pour son remarquable talent aux échecs : le baron János Andrássy.

Le baron Andrássy fut le premier adversaire de l'androïde à se présenter non dans l'espoir de ne pas perdre, mais dans celui de gagner. Il jouait avec plus d'agressivité encore que le Turc : indifférent aux pertes, il fit avancer les pions rouges tels des fantassins disposés en coin pour enfoncer les lignes ennemies. Sa piétaille fut décimée car sa cavalerie ne la couvrait pas, mais elle réussit à percer les rangs ennemis dont le roi, soudain à découvert, ne dut le salut qu'à un roque. Le général Andrássy se remit en chasse, ses officiers traversèrent le champ de bataille, échappant à toutes les attaques, les soldats et les officiers du Turc furent repoussés sur les flancs. La victoire d'Andrássy semblait acquise, mais le roi blanc était hors de portée. Il s'était retranché derrière les canons, à l'abri de la cavalerie elle-même.

Les blancs passèrent alors à la contre-offensive, et le sort tourna : les quelques fantassins rouges encore debout furent renversés, les officiers en position au milieu du terrain encerclés. Andrássy paya chèrement l'insouciance avec laquelle il avait sacrifié son infanterie au moment de l'attaque : les soldats blancs, couverts par leur cavalerie, suffirent à terrasser les officiers rouges à deux, à trois reprises, même, déjouant ainsi d'éventuelles représailles. Enfin, il ne resta plus que le général d'Andrássy pour défendre le roi. Le champ de bataille dégagé lui permit de faire intervenir ses canons, qui abattirent ce qui se trouvait devant eux. Évitant la ligne de tir, un cavalier blanc s'approcha des derniers canons et réussit à s'en emparer, mais il tomba bientôt sous les coups du général. À la fin du combat, les victimes des deux armées gisaient à droite et à gauche, rouges de sang et blanches comme la mort. Il n'y avait plus sur le champ de bataille que les deux rois, dépouillés de leur armée, généraux compris, tapis dans les angles opposés, négociant un armistice en grinçant des dents, furieux que la chance ait ainsi souri à leur adversaire. Deux fantassins, un blanc et un rouge, ébahis

184

d'être sortis indemnes de la mêlée, erraient, inutiles et aveugles, sur le terrain d'un vide spectral, jonché de pierres tombales rouges et blanches.

Il fallut se résoudre à une partie nulle, avec deux perdants – ou plus exactement deux vainqueurs, car le baron János Andrássy et le Turc de Wolfgang von Kempelen furent salués par de bruyantes ovations. Même ceux qui connaissaient mal les règles du jeu avaient instinctivement compris quels coups étaient favorables à leur favori et lesquels lui étaient préjudiciables ; toute la salle avait applaudi chaque fois qu'Andrássy retirait une pièce blanche de l'échiquier et gémi quand le Turc se vengeait. Au cours de la partie, quelques dames avaient préféré quitter la salle pour ménager leurs nerfs, tandis que d'autres allaient prendre l'air sur le balcon. Quelle partie sanglante ! Tous les deux coups environ, une pièce tombait d'un côté ou de l'autre. Et avec quel panache Andrássy avait affronté le Turc ! Bien qu'il fût assis à une autre table, dès qu'il avait joué un coup, le hussard regardait l'androïde droit dans ses yeux de verre, et, sous la moustache noire, ses lèvres esquissaient un sourire imperturbable qui pouvait exprimer la supériorité ou l'estime.

– L'Autriche contre le Turc, murmura Nádasdy-Fogáras par-devers lui, l'Empereur contre le Sultan, c'est un second Mohács.

Les applaudissements n'avaient pas encore cessé quand Andrássy se leva et s'approcha de la table du Turc. Avant que Kempelen ait pu l'en empêcher, il attrapa la fragile main gauche de l'androïde et la serra entre les deux siennes.

– Nous nous reverrons, mon ami, lança-t-il. Ce duel ne sera pas le dernier.

Le prince Grassalkovitch remercia alors Kempelen non seulement de leur avoir offert cette représentation sensationnelle, mais aussi d'avoir réglé les cylindres de son automate de manière à ne pas écraser Andrássy.

Le prince s'adressa ensuite à ses invités.

– *Mesdames et messieurs*, duc Albert, duchesse Christine, mes chers amis ! Il semblerait que cette soirée ait fait briller deux nouvelles étoiles au firmament : le baron Andrássy, qui a réussi à arracher à l'invincible machine une partie nulle plus que glorieuse et nous a captivés une heure durant par la bravoure de son jeu. (Andrássy reçut les applaudissements en levant la main.) Et, bien sûr, celui qui a permis qu'un assemblage de rouages et de cylindres nous fasse venir la sueur au front et nous incite à nous demander si nous sommes véritablement le fleuron de la création et si les automates ne sont pas en droit de nous contester ce titre : je veux parler du chevalier Wolfgang von Kempelen, le plus habile mécanicien de notre empire, que dis-je, du monde ! Il peut dormir tranquille, assuré que son nom demeurera immortel !

Andrássy accompagna ses applaudissements d'un sonore « Vivat ! ».

— J'ajouterai, poursuivit Grassalkovitch quand les ovations se furent apaisées, qu'il s'est toujours montré, de surcroît, employé exemplaire de ma Chambre hongroise. Comment aurais-je pu me douter, mon cher Kempelen, que vous étiez destiné à de plus grandes choses, alors que vous ne m'en avez jamais rien dit ?

— Pardonnez-moi, prince, répondit Kempelen en souriant et en esquissant une révérence.

Le prince Grassalkovitch écarta la prière d'un geste.

— Vous serez pardonné, mon bon Kempelen, si vous me promettez de continuer à nous fabriquer d'aussi remarquables machines. Je suis en effet convaincu que celle-ci n'est que la première d'une longue série. Leibniz nous a donné la machine qui compte, Kempelen la machine qui pense ! Trop peu de gens, me semble-t-il, en ont saisi la portée. Les échecs ne sont qu'un terrain d'exercice ! Imaginez les multiples applications que pourraient avoir des machines qui pensent : dans l'administration... dans les finances... les manufactures ; et pourquoi pas, je vous le demande, dans l'agriculture ou la guerre ? Je vous en conjure, chevalier von Kempelen : construisez-nous des centaines de soldats mécaniques et envoyez-les au combat à la place de nos fils, car ils n'ont besoin ni de sommeil ni de vivres, ils ignorent la peur, ils ne commettent pas d'erreur, et, lorsqu'ils saignent, ce n'est que de l'huile ! Fabriquons une armée automatique, et nous chasserons le fritz de Silésie et repousserons définitivement le Turc par-delà le Bosphore ! (Grassalkovitch se tourna alors vers le joueur d'échecs et ajouta, à l'amusement général :) Toi, tu peux rester, bien sûr.

Pendant la représentation, les domestiques avaient emporté des tables et les chaises disposées dans l'Engelsaal, où s'était tenu le banquet ; un orchestre de chambre avait commencé à jouer des airs de danse. Le prince Anton Grassalkovitch invita ses hôtes à descendre, et la salle de conférences se vida lentement. Kempelen fit mine de commencer à ranger l'automate, mais Grassalkovitch l'exhorta à les accompagner dans l'Engelsaal.

Avant de s'éloigner, Kempelen chargea son assistant de veiller sur le Turc et le coffret jusqu'à son retour. Jakob ramassa les pièces sur l'échiquier et les remisa dans le tiroir inférieur.

Accompagnée de deux amies, la princesse Judit, la jeune épouse de Grassalkovitch, resta dans la salle de conférences pour examiner le Turc de plus près avant que Jakob ne le recouvre d'un drap.

— Pauvre Pacha, dit une des jeunes femmes. Il va rester tout seul en attendant que vous le réveilliez à nouveau.

— Oh, je suis sûr qu'il fait de très beaux rêves, la rassura Jakob.

— De quoi rêve un automate ? demanda Judit. De gestes automatiques ?

Jakob haussa les épaules.

— Peut-être. Ou d'un harem peuplé de concubines automatiques.

— À quoi ressemblent-elles ?

— On peut les remonter, elles ne rouillent pas et sont remarquablement belles. Pas tout à fait aussi belles, néanmoins, que Vos Excellences, cela va de soi.

Les trois jeunes femmes gloussèrent, et Judit lui offrit son bras.

— Descendez avec nous. Nous tenons à tout savoir de sa vie amoureuse.

— Ce serait volontiers, mais j'ai bien peur que cela ne soit impossible. Je dois veiller sur son sommeil.

— Je dirai aux domestiques d'éteindre les chandelles, de fermer les portes et de ne laisser entrer personne. Nul ne troublera ses songes.

Jakob ne répondit pas. Judit lui tendit le bras en disant :

— Vous n'allez tout de même pas refuser la prière d'une princesse Grassalkovitch ?

— Je n'aurai pas cette audace.

Il prit le bras offert, tandis qu'une des deux amies se pendait à son autre coude, et il descendit les marches en devisant avec ses trois compagnes, se dirigeant vers les sons de l'orchestre pendant que les domestiques refermaient les portes de la salle de conférences obscure, au milieu de laquelle le Turc dormait sous son voile.

Ce soir-là, la baronne Ibolya Jesenák portait une robe vert pâle aussi précieuse qu'extravagante avec une profusion de brocart brodé, de falbalas et de roses de soie. Un gros nœud rose posé sur sa poitrine attirait les regards des hommes et inspirait aux femmes un mélange d'envie et de moquerie. Les deux personnages en l'honneur de qui cette fête avait été donnée, la princesse Marie-Antoinette et le prince Louis, étaient oubliés depuis longtemps, on ne parlait plus que de Wolfgang von Kempelen et de János Andrássy ; ceux qui ne dansaient pas faisaient cercle autour des deux hommes – les hommes politiques avec Kempelen, les officiers avec Andrássy. L'assistant du chevalier prodiguait ses explications à Judit Grassalkovitch ainsi qu'aux jeunes comtesses et baronnes. La gloire de son frère et de son amant ne retombait pas, à son grand dam, sur Ibolya. Dans la salle, nul ne s'intéressait à elle, et son intimité avec les héros du jour était oubliée. Elle se sentait seule, abandonnée. Elle accepta l'invitation du comte Csáky, qui l'entraîna dans une gavotte, endura un moment ses regards concupiscents et son haleine fétide avant de décréter qu'elle avait déjà beaucoup trop bu pour danser.

Elle rejoignit le petit groupe qui entourait l'assistant de Kempelen. Jakob était en train de raconter que son patron et lui-même s'interrogeaient sur la possibilité d'une reproduction automatique qui permettrait aux automates de s'affranchir de la main de l'homme et d'être engendrés par d'autres automates. En confidence, il chuchota aux dames que le Turc n'était pas seulement versé dans les échecs mais également dans les choses de l'amour. Ibolya voulut prendre part à la conversation ; après tout, elle connaissait le Turc mieux et depuis plus longtemps que toutes les autres femmes présentes, mais Jakob ne lui laissa pas la parole. Faisant mine de remonter une demoiselle mécanique, il renversa du champagne qui éclaboussa le manteau d'Ibolya et y laissa une vilaine tache. Elle remarqua que deux jeunes filles chuchotaient et pouffaient en regardant sa robe. Avec un petit rire enjoué, la baronne Jesenák s'éloigna en affirmant mensongèrement qu'elle avait promis le plaisir de sa conversation à d'autres invités.

Son frère était entouré de hussards auxquels, constamment interrompu par les éloges du maréchal, il exposait la stratégie qu'il avait appliquée pour combattre le Turc. Les Hongrois saluèrent Ibolya courtoisement mais poursuivirent leur conversation.

— Pardonnez notre rustrerie soldatesque, baronne, lança Nádasdy-Fogáras, mais le seul moment où nous, les hommes, nous ne parlons pas de guerre, c'est pendant le combat.

Cette discussion ne tarda pas à ennuyer Ibolya, qui s'éclipsa. Le grand feu d'artifice n'aurait pas lieu avant une bonne demi-heure. La jeune femme contempla les anges de stuc doré qui surmontaient les miroirs. Un inconnu l'invita à danser, mais elle refusa. Elle aperçut alors Kempelen, qui rentrait dans la salle pour prendre deux coupes de champagne sur le buffet. Elle s'interposa en souriant et le soulagea d'un verre avec un merci chaleureux.

— Il était destiné au prince Anton. J'espère qu'il ne sera pas fâché que tu boives son champagne, dit Kempelen.

— Tu iras lui en chercher un autre. À ta santé, Farkas.

Ibolya choqua son verre contre celui de Kempelen et but. Mais il ne toucha pas au sien et porta le regard vers le groupe d'hommes et de femmes qui entouraient le prince Grassalkovitch et attendaient son retour.

— À la tienne, Ibolya. Me pardonneras-tu ? Une conversation importante m'attend.

— Tu ne m'en vois pas surprise. Il y a toujours des conversations importantes qui t'attendent.

— Malheureusement, ma machine à parler n'est pas encore suffisamment avancée pour me décharger de cette obligation.

Kempelen esquissa un pas en avant, mais Ibolya le retint d'une main sur sa poitrine.

— J'ai reçu ton billet.

— Bien.

— C'est ta femme qui l'a écrit ?

— Si ma mémoire est bonne, il portait ma signature.

— Ta femme s'est donc remise à l'ouvrage, que tu ne veuilles plus me voir ? (La main d'Ibolya glissa vers le bas du gilet de Kempelen.) Ou te serais-tu fabriqué un petit automate d'amour ? Ton Juif prétend que ce sont de remarquables amants.

Kempelen leva les yeux au ciel.

— Ibolya, je t'en prie. Tu as lu ma lettre. Je suis marié, tu es une personne respectable. Nous ferions bien d'en rester là. N'as-tu pas dit toi-même que nous sommes comme les enfants du roi condamnés à ne jamais nous rejoindre ?

Ibolya lui jeta un regard pénétrant.

— Me trompé-je, ou es-tu en train de me signifier mon congé ?

— Il n'est pas question de cela.

— Bien sûr que si. Tu n'as plus besoin de moi et tu ne juges même plus nécessaire de me remercier. Nous t'avons aidé à faire ton chemin, Károly et moi. Maintenant tu es célèbre, tu manges à la table du maître ; et tu piétines les échelons grâce auxquels tu t'es hissé jadis.

— Ibolya…

— Écoute-moi bien, Farkas : sans moi, tu ne serais pas ici aujourd'hui et tu ne converserais pas avec Grassalkovitch et les autres. Sans moi, tu n'aurais jamais quitté ton bureau.

Ibolya avait haussé le ton, et Kempelen, fort ennuyé, regarda autour de lui.

— Calme-toi, je t'en prie.

— Je suis d'un calme olympien. Je ne fais que te conseiller la prudence : c'est moi qui t'ai conduit jusqu'ici et je peux aussi bien te ramener d'où tu viens.

— Ce n'est pas exact, et tu le sais parfaitement. (La voix de Kempelen s'était durcie mais il continuait à chuchoter, sans se départir de son sourire.) Ce ne sont que mensonges. Si je suis ici, c'est parce que j'ai construit une machine à jouer aux échecs. Et tu n'as pas le pouvoir de provoquer ma chute, quelles que soient les raisons qui pourraient t'y inciter.

— Est-ce un défi ?

— Que comptes-tu entreprendre contre moi ?

— Je t'aurai prévenu, Farkas.

Kempelen aperçut Grassalkovitch, qui lui faisait signe avec impatience.

— C'est bien, continue à me prévenir, mais permets-moi, je t'en prie, d'aller mener des conversations moins vaines. (Kempelen lui tendit sa coupe de champagne, car elle avait presque vidé la sienne.) Elle te tiendra compagnie à ma place.

Elle le suivit des yeux tandis qu'avec un enjouement feint, il regagnait le cercle de Grassalkovitch et s'excusait de son retard en brocardant sans nul doute la veuve un peu éméchée. Ibolya vida les deux coupes et sortit de l'Engelsaal, une troisième à la main. Sa détresse ne devait pas avoir de témoins, surtout pas Wolfgang von Kempelen.

Elle regagna la salle de conférences, qui n'était ni gardée ni fermée, ouvrit la porte et la referma derrière elle. La pièce n'était éclairée que par la lueur des flambeaux dressés dans le parc, dehors. Sur le seuil, Ibolya but encore pour se donner du courage, puis elle traversa la salle, s'approcha de la table où se trouvait la mystérieuse cassette, fit le tour de l'androïde et retira le drap qui les recouvrait, lui et son buffet, prudemment, pour ne pas réveiller le dormeur.

Mais le Turc ne dormait pas : ses yeux grands ouverts étaient rivés sur elle, comme l'autre fois à Vienne. On aurait presque dit qu'il l'attendait. Il demeura cependant immobile. C'était le premier homme que son frère n'avait pas réussi à battre. Celui dont tout le monde parlait, mais qu'en définitive personne, pas même son créateur, ne connaissait vraiment.

— Bonsoir, chuchota Ibolya, et elle laissa l'étoffe glisser à terre. (Elle avala encore une gorgée et l'observa.) Tu es seul, toi aussi ?

Elle vida sa coupe, qu'elle posa sur l'échiquier. Précautionneusement, elle caressa la main gauche du Turc sur son coussin de velours. Elle retira ce dernier, le posa par terre et remonta le mécanisme de la machine. Puis elle retira le dispositif de blocage. Les rouages cliquetèrent. Mais le Turc ne bougea pas.

— À toi de jouer, mon cher, l'encouragea Ibolya.

Docilement, l'automate leva la main, qui survola l'échiquier, et la posa à l'emplacement où aurait dû se trouver un pion blanc. Mais les pièces avaient été rangées depuis longtemps, et ce furent deux doigts d'Ibolya qui se glissèrent sous la main de l'androïde. Il les prit et les reposa doucement à côté de l'échiquier. Elle soupira. Elle contourna le buffet, se plaça derrière l'androïde et lui caressa le cou.

— Tu es froid dehors, mais tu brûles au-dedans, murmura-t-elle. C'est ce qui nous distingue de tous ces abominables automates humains qui sont en bas, de ces hypocrites qui dissimulent leur être véritable sous des fards épais et sous des vêtements qui sont comme une armure de fer. N'es-tu pas de mon avis ?

Le Turc inclina la tête en avant. Il l'avait comprise. Mieux encore : il tourna légèrement les yeux vers la baronne, posant son regard sur le sien. D'abord effrayée, Ibolya émit un petit rire.

— Pourquoi pas ? Après tout, Pygmalion l'a bien fait.

Prenant le visage du Turc entre ses deux mains, elle baisa la bouche de bois, laissant des traces de rouge sur les lèvres de la machine. Elle avait le souffle court. Les yeux du Turc exerçaient sur elle un effet presque hypnotique et les rouages fredonnaient une mélodie envoûtante. Elle ne parla plus. Elle rabattit le bras droit de l'androïde en arrière, comme elle avait vu Kempelen le faire un jour, retroussa sa robe et s'assit sur ses genoux. Puis elle rabaissa le bras de bois, s'emprisonnant ainsi dans l'étreinte du Turc. Les cuisses de l'automate présentaient une saillie, dure mais rembourrée par son caftan moelleux, qui s'enfonçait dans l'entrejambe d'Ibolya. Elle caressa la garniture de fourrure de la main d'abord, puis de la joue, et gémit. Ses lèvres se posèrent à nouveau sur le Turc ; sur son front, sur ses sourcils et puis sur son cou dénudé. Pendant ce temps, elle le maintenait par la nuque tout en se caressant les jambes de l'autre main, de plus en plus haut, en direction de ses cuisses nues. Son bassin dessinait des mouvements circulaires sur les genoux du Turc. Elle sortit alors un sein de son décolleté et en frotta le téton sur la fourrure du Turc. Prenant appui contre le bord de la table à jouer, elle rejeta la tête en arrière. De sa main droite, elle attrapa le bras du Turc jusqu'à ce que l'étoffe du caftan se tende. Les doigts de sa main gauche s'étaient frayé un chemin sous son jupon et caressaient son pubis. Le Turc semblait vouloir la seconder : la main de l'automate glissa vers le haut de sa cuisse, se posa dessus et se réchauffa à son contact. Extasiée, Ibolya s'empara de cette main et chercha à l'introduire en elle, mais, dès qu'elle la toucha, elle sentit des doigts souples et courts qui échappèrent à son étreinte. Jetant un coup d'œil vers la gauche, la baronne aperçut un petit bras qui disparaissait dans l'ouverture du buffet, retirait la porte derrière lui et la fermait de l'intérieur.

Elle poussa un hurlement, chercha à se relever avant que d'autres mains ne sortent des entrailles de la machine pour la saisir, mais les bras du Turc la maintenaient fermement. Elle se contorsionna, frappa et rua, se glissa sous le bras gauche de la machine, perdant sa perruque, tomba et, à quatre pattes, s'éloigna le plus rapidement possible de l'automate, entravée par son jupon qui avait glissé. Elle entendit un bruit d'étoffe qui se déchirait. À quelques mètres de l'androïde, elle se retourna et le contempla, hors d'haleine. Mais, bien que le mécanisme fonctionnât encore, le Turc ne bougeait plus ; il regardait fixement devant lui.

Une porte s'ouvrit. Les yeux de Wolfgang von Kempelen durent s'habituer à la pénombre qui régnait dans la salle de conférences avant de reconnaître Ibolya, qui, assise sur son derrière, le regardait, les yeux écarquillés, les cheveux en bataille, barbouillée de rouge à lèvres, les bas et le jupon descendus, un sein jaillissant de son corsage. Kempelen ferma la porte et arrêta le mécanisme de l'automate. On n'entendait plus que le souffle d'Ibolya. Il s'accroupit à côté d'elle.

— Tout va bien ?

Il avait l'air sincèrement soucieux.

D'un doigt tremblant, la jeune femme désigna l'échiquier, chercha ses mots et lança enfin :

— Il y a un homme là-dedans !

— Chut ! Du calme.

Kempelen posa la main sur son bras, mais elle se déroba.

— Ne dis pas du calme ! Il y a quelqu'un dans ce meuble !

— Quelle imagination tu as, Ibolya ! Ce n'est que le Turc, voyons. Tu as sans doute un peu trop bu.

Il l'aida à se relever.

Elle rajusta son corset.

— Ton joueur d'échecs ne marche que parce qu'il y a quelqu'un dedans. Tu nous as tous trompés. (Kempelen lui tendit la perruque qu'elle avait perdue, mais elle ne la prit pas.) Tu es... un escroc ! Tu dupes tout Presbourg... toute l'Europe avec ta prétendue machine !

Ibolya se dirigea vers l'automate et frappa contre une des portes de façade.

— Ouvrez, là-dedans !

Devant l'absence de réaction, elle chercha à ouvrir la porte. Elle était solidement fermée.

— Je t'en prie, Ibolya. C'est absurde.

Elle se retourna vers lui.

— Ouvre. Je veux voir qui m'a touchée !

Kempelen soupira. De toute évidence, la baronne ne tolérerait aucun refus. Il prit un trousseau de clés dans la poche de son pourpoint, sans le lui tendre, cependant.

— À quoi bon ? Tu sais qu'il y a quelqu'un à l'intérieur, c'est assez.

— Tu l'admets donc ?

— Oui.

Avec un petit rire, Ibolya secoua la tête.

— C'est incroyable.

— Permets-moi de t'adresser toutes mes félicitations, ma chère, dit Kempelen d'une voix nettement plus enjouée. Tu es l'une des très rares personnes à connaître le secret de mon Turc.

— Nous serons bientôt plus nombreux.

Kempelen demeura coi.

— Tu n'as tout de même pas l'intention de parler !

— Ah bon ? Et pourquoi ?

— Ibolya, soyons raisonnables : tu garderas le secret... en échange, je ne dirai à personne ce que tu as... ce que tu as fait ici.

Il brandit la perruque, telle une pièce à conviction.

— Cela ne me préoccupe guère. En revanche, je suis impatiente de savoir ce que dira ton impératrice bouffie quand elle apprendra que son cher génie n'est qu'un imposteur. Et comment Grassalkovitch se tirera d'affaire après les éloges dithyrambiques des automates qu'il prononçait tout à l'heure encore.

— Pour l'amour du ciel, que penses-tu obtenir ainsi ?

— Ne le comprends-tu pas ? Te rendre la monnaie de ta pièce, à toi qui m'as prise puis rejetée.

— Je t'en supplie, Ibolya : ne fais pas cela. Toute mon existence en dépend. Tu voulais m'effrayer ? Tu y es parvenue, tu peux être contente. Je t'en prie. (Il prit ses mains dans les siennes.) Je t'en prie instamment. Ne fais pas cela, s'il te plaît. En mémoire de ce que nous avons partagé… de ce que nous sommes libres de ressusciter à tout moment.

— Tu veux parler de… notre tendre liaison ?

— Oui. Oublie ce que je t'ai dit tout à l'heure.

Ibolya sourit, attendant la suite.

— Comment te dissimuler que je t'adore et te désire encore de tout mon corps et de toute mon âme ?

Kempelen s'était approché et avait chuchoté les derniers mots. Il ne s'attendait pas à la gifle qui l'accueillit. Incrédule, il posa la main sur sa joue.

— Fi donc ! Quelle déchéance ! Venir ramper ainsi, toi qui ne supportais plus ma présence il y a un quart d'heure encore. Tu cherches à m'abuser, comme tu abuses les autres ! Mais je suis plus maligne qu'eux, sais-tu ? Si encore tu avais été sincère, peut-être aurais-je réfléchi. Mais tu n'as pas d'estomac, Farkas ; en vérité, tu n'as plus rien de hongrois, tu n'es plus qu'un Allemand ordinaire, et jamais Wolfgang ne méritera ma pitié.

Elle lui arracha le trousseau des mains et ouvrit les portes antérieures, tandis qu'il la regardait faire, paralysé. Le bras gauche du Turc posé sur la table frémit.

— Alors, où est l'esprit de ta machine ?

Elle fit le tour du buffet et déverrouilla la porte arrière droite, qui resta close car elle était fermement maintenue de l'intérieur. Mais Ibolya était la plus forte, et elle réussit à l'ouvrir. On entendit un bruit sourd dans les entrailles du meuble. Soudain, le bras du Turc se tendit à travers toute la largeur de l'échiquier et frappa Ibolya au front pendant qu'à l'intérieur du pantographe quelque chose se brisait dans un grincement. La baronne recula d'un pas, se prit le pied dans son jupon qu'elle n'avait pas encore rajusté, trébucha et tomba à la renverse. Sa nuque heurta la table sur laquelle était posé le coffret de Kempelen avec un bruit qui ressemblait à celui d'un clou qu'on enfonce dans le bois, et elle s'effondra. La dernière chose qui bougea furent les plis de sa robe qui retombaient peu à peu autour d'elle.

Pendant une éternité, Kempelen et Tibor restèrent aussi muets et immobiles que le Turc et la baronne. Puis le petit homme essaya de se glisser hors du buffet par la porte à deux battants. Ses mouvements maladroits achevèrent de briser le pantographe. Kempelen avait repris les clés. Il s'agenouilla devant la porte et barra le passage à Tibor.

— Reste là-dedans, lança-t-il d'un ton sans réplique.

— *Madre di Dio*, que s'est-il passé ?

— Rien de grave. Elle est tombée. Je vais m'occuper d'elle tout de suite. Mais tu ne dois pas sortir, Tibor.

Kempelen attendit que Tibor ait acquiescé, puis il referma la double porte, ainsi que toutes les autres. Il souleva Ibolya et l'allongea sur la table à jouer. Elle ne saignait pas. Prudemment, il posa deux doigts incertains sur son cou, où se trouvait l'artère.

— Comment va-t-elle ? demanda Tibor de l'intérieur de la machine. (Kempelen ne répondit pas.) *Signore* Kempelen ! Comment va-t-elle ?

— Elle est morte, répondit le chevalier.

— Non ! (Et, comme Kempelen ne disait rien :) C'est impossible.

— Tibor, son cœur ne bat plus. Elle est morte.

— *O dolce Vergine*, se lamenta le nain. *O dolce Vergine, dolce Vergine, perdona, ti prego !* (Il se mit soudain à pousser des cris perçants :) Je veux sortir ! Je veux sortir d'ici ! Laissez-moi sortir ! (Il donnait de violents coups de pied et de poing contre les parois, de sorte que le buffet battait comme un pouls sous les mains de Kempelen.) Je veux sortir !

Kempelen s'accroupit à côté de l'automate.

— Tibor, écoute-moi bien, maintenant. Ta seule chance de quitter ce lieu sain et sauf, c'est dans l'automate. Il faut que tu restes à l'intérieur. Je m'occupe de tout.

— Non ! *Prego*, je veux sortir !

Kempelen frappa du plat de la main contre le bois, qui claqua.

— Tibor, ils te condamneront à mort pour cela, *capisci* ? Tu mourras, si tu sors. (Tibor s'était mis à pleurer.) T'ai-je déjà trompé ? demanda Kempelen. T'ai-je déjà trompé, Tibor ? Réponds-moi !

— *No, signore*, répondit Tibor en sanglotant.

— Tu vois bien. Cette fois non plus, je ne te tromperai pas. Tout se passera bien, mais il faut que tu m'obéisses.

— *Si, signore.*

Kempelen se releva, tandis que Tibor priait la Vierge de lui accorder miséricorde.

— *Ave Maria, gratia plena, dominus tecum, benedicta tu in mulieribus...*

— Silence ! cria Kempelen. Il faut que je me concentre.

Tibor continua à prier tout bas. De temps en temps, un sanglot lui échappait encore.

Les yeux clos, Kempelen se massa les tempes. Puis il remit la perruque d'Ibolya sur sa tête. Il la prit à bras le corps, attrapa sa coupe de champagne et les porta jusqu'à la porte ouverte qui donnait sur le balcon. Il s'assura que le parc était encore vide et sortit.

La nuit était tiède, presque estivale déjà. Kempelen posa le verre sur la balustrade. Il prit une profonde inspiration qui lui déchira la poitrine. Les lumières des flambeaux se brouillaient sous ses yeux. Contemplant une dernière fois le visage d'Ibolya, il la souleva au-dessus de la balustrade et la lâcha.

Elle tomba, tête la première, sur la terrasse pavée. Son corps ne fut découvert que lorsque les invités sortirent pour assister au spectacle. Les lumières alternativement vertes, rouges et bleues du feu d'artifice éclairèrent le cadavre aux yeux grands ouverts. À ce moment-là, Wolfgang von Kempelen avait depuis longtemps rejoint les autres invités pour s'entretenir avec enthousiasme des progrès des métiers à tisser mécaniques en Angleterre.

Olympe

On l'avait baptisée Élise vingt-deux ans plus tôt, et elle n'avait adopté le mélodieux surnom de Galatée que parce que, dans ce métier, aucune femme ne se faisait appeler de son vrai nom. Elle n'eut donc aucun mal à redevenir Élise chez les Kempelen. Il avait suffi qu'elle s'invente un nouveau patronyme. Les moyens mis en œuvre pour accomplir sa mission s'étaient révélés efficaces, mais, deux mois après son accord avec Friedrich Knaus, elle n'avait pas encore atteint son objectif.

Elle avait su présenter un visage différent à chaque occupant de la maison : pour Anna Maria von Kempelen, elle était la domestique un peu naïve qui admirait sa maîtresse, ne demandait qu'à se laisser instruire, partageait sa dévotion et enviait son existence. En même temps, elle prêtait une oreille compatissante quand Anna Maria était d'humeur à partager ses soucis, et lui donnait raison sur tous les points. En présence de sa patronne, elle se faisait aussi peu engageante que possible, descendait sa coiffe sur son front et marchait voûtée.

Seule avec Jakob, en revanche, elle usait de tous ses charmes : un battement de cils effarouché, une boucle échappée de son bonnet, un panier à linge à ramasser au bon moment pour exhiber un décolleté irrésistible. Elle jouait la pucelle pieuse hésitant entre coquetterie et pudeur et qui, en secret, n'attendait qu'un homme comme lui, qui était prête à se laisser fléchir, mais pas du jour au lendemain, peu à peu, dont la conquête exigerait les talents de séduction qu'il était seul à posséder.

À l'égard de Katarina, enfin, l'autre servante, elle était l'auxiliaire assidue qui ne remettait jamais en question l'infériorité de sa position, et une auditrice empressée dès qu'il y avait des ragots à glaner sur la vie des maîtres.

Il n'y avait qu'auprès de Kempelen que ses stratégies étaient vaines. Friedrich Knaus s'était trompé à son égard : il était vaniteux, certes, mais pas au point de tomber dans le piège d'une feinte admiration ; il était un homme, bien sûr, mais trop maître de lui pour succomber à ses tentatives de séduction. Ce ne serait certainement pas de lui qu'elle apprendrait le secret du Turc.

Car, de toute évidence, secret il y avait. L'interdiction de mettre les pieds à l'étage supérieur, l'injonction de ne parler à âme qui vive de son travail dans la maison, les barreaux, les fenêtres murées, la prudence de Kempelen avant, pendant et après les représentations – tout cela révélait qu'il cherchait à tout prix à dissimuler quelque chose. Qu'il s'agît du procédé de fabrication d'un mécanisme parfait ou d'une supercherie, Élise n'aurait su le dire. Malgré les mois passés avec Knaus, la mécanique lui était restée aussi incompréhensible et, en définitive, aussi inintéressante que les échecs.

Ses manœuvres d'approche auprès de Jakob ne lui avaient valu que des contes à dormir debout, mais elles n'avaient pas été entièrement inutiles : elles lui avaient permis, d'une part, de constater que l'assistant était moins loquace qu'il n'y paraissait ; mais elle pouvait espérer que son baiser donnerait au jeune homme l'envie de poursuivre le jeu. Évidemment, si elle voulait en tirer davantage, il faudrait qu'elle lui en propose davantage.

Pour le reste, la seule découverte qu'elle avait faite était l'existence du mystérieux compagnon de Jakob.

Elle les avait surpris par hasard, un soir qu'elle revenait de la poste : une petite silhouette trapue, appuyée sur une canne, qui avait accompagné le Juif à La Rose d'or. Élise les avait suivis discrètement, attendus plusieurs heures dans le froid et, quand l'homme avait quitté la taverne sans Jakob, elle lui avait emboîté le pas. Elle l'avait perdu dans les ruelles obscures du Weidritz lorsque, soudain, deux ivrognes qui l'avaient prise pour une putain s'étaient mis à l'importuner. Celui-là même qu'elle recherchait avait alors surgi du néant pour se porter à son secours, se ruant comme un forcené sur les deux marauds avant de prendre la fuite en claudiquant. Quelqu'un qui cherchait à échapper aux gendarmes alors qu'il venait d'accomplir un acte héroïque avait, c'était certain, quelque chose à cacher. Sur le pavé, elle avait trouvé une chaîne et une médaille de la Vierge, un vieux bijou à deux sous, comme on en offre aux enfants. Les traits difformes de l'inconnu étaient restés gravés dans sa mémoire, mais elle avait eu beau surveiller Jakob et le suivre jusque dans le quartier juif, elle n'avait plus jamais aperçu son sauveur dans les rues de la ville.

Knaus lui avait laissé du temps, mais il commençait à trépigner d'impatience. Tous les jours, à Vienne, il recevait de nouvelles communications sur les triomphes du Turc, sur l'engouement que continuait à susciter ce prodige, que l'on se bousculait pour admirer ; mais Galatée ne progressait guère dans son enquête. Knaus lui avait envoyé deux lettres au bureau de poste, et, dans ses réponses, elle lui avait assuré qu'elle était sur la bonne voie : ce n'était plus qu'une question de temps. Mais Knaus ne voulait plus attendre, et elle commençait elle-même à être pressée : elle devait en être à présent à son troisième mois de grossesse et ne pourrait pas dissimuler éternellement son ventre sous son tablier. Or il fallait qu'elle ait accompli sa mission avant d'être obligée de partir, pour toucher le salaire de Knaus et mettre son enfant au monde loin de la cour viennoise. Ses projets s'arrêtaient là. Ce qu'elle ferait ensuite de l'enfant et de sa propre vie, elle ne l'avait pas encore résolu. Quand elle y songeait, dans ses moments de loisir, elle avait la gorge serrée.

Mais, pendant qu'Élise cherchait une nouvelle tactique, la baronne Ibolya Jesenák, l'ancienne maîtresse du chevalier de Kempelen, fit une chute mortelle du balcon à la suite d'une représentation du joueur d'échecs au château Grassalkovitch, et les événements s'enchaînèrent d'eux-mêmes.

Pour les habitants de Presbourg, la mort de la veuve Jesenák était un scandale, sans doute, mais n'avait rien d'une énigme : la baronne avait toujours été encline aux humeurs sombres, plus encore que ne l'est ordinairement son peuple, pourtant connu pour son tempérament mélancolique. Le cercle des amis d'Ibolya s'était rétréci au fil du temps. Ses connaissances masculines se divisaient en deux groupes : ses anciens amants soucieux de discrétion et ses soupirants évincés. Les uns et les autres évitaient tout commerce avec elle. Les femmes qui l'avaient considérée comme une rivale redoutée l'écrasaient de leur mépris. Seul son frère, le baron János Andrássy, lui était resté fidèle ; les mauvaises langues chuchotaient que cet amour fraternel n'était pas parfaitement platonique – rumeur aussi mensongère que dangereuse eu égard à la promptitude avec laquelle le lieutenant de hussards provoquait ses détracteurs en duel.

Chacun savait que, depuis la mort de son mari, on n'avait vu Ibolya Jesenák de bonne humeur que lorsqu'elle était grise. Elle avait bu, la nuit de sa mort. Son billet d'adieu était la coupe de champagne vide posée sur la balustrade. Sans doute n'avait-elle plus supporté, cette nuit-là, l'ennui de sa vie solitaire et, dans l'ivresse de l'alcool, avait-elle décidé de mettre fin à ses jours.

La théorie adverse avait peu de défenseurs, mais ils n'en étaient que plus opiniâtres : le Turc avait, disaient-ils, tué la baronne en la précipitant du haut du balcon. Il leur était difficile d'expliquer comment les choses s'étaient passées – après tout, l'automate était cloué à sa table et ne pouvait remuer que la tête, les yeux et un bras. Pourtant, l'évidence n'arrêtait pas les accusateurs, qui mettaient en avant les mobiles du crime. Primo, l'automate était turc et la baronne hongroise, or tous les Turcs souhaitaient la mort des Hongrois. Secundo, Andrássy avait été à deux doigts de battre ce Turc-là. L'automate s'était vengé de l'affront en prenant à

Andrássy l'être qui lui était le plus cher : sa sœur. Tertio, la liaison de la veuve Jesenák avec Wolfgang von Kempelen était un secret de polichinelle dans les milieux aristocratiques de Presbourg. De surcroît, on les avait vus se quereller dans l'Engelsaal, une demi-heure à peine avant la mort d'Ibolya – *ergo*, Kempelen avait donné ordre à sa créature de le débarrasser d'une maîtresse devenue encombrante.

La théorie du Turc homicide fut bientôt étayée par une nouvelle en provenance de Marienthal : le vieil instituteur qui avait, lui aussi, disputé contre le Turc une partie nulle quelques semaines auparavant avait rendu l'âme – il ne s'agissait pas d'une mort violente, certes, mais de la petite vérole, ce qui ne faisait, semblait-il, aucune différence. D'aucuns en conclurent que le Turc châtiait les adversaires qui avaient osé le braver en les faisant mourir, eux ou un être cher. On parla de la « malédiction du Turc », et certains de ceux qui avaient grincé des dents après s'être fait battre par la machine se félicitaient à présent de l'absence de talent qui les avait préservés de ses foudres assassines. Un vigneron de Ratzersdorf, qui avait joué en avril contre le Turc, affirma alors avoir entendu dans sa tête, pendant la partie, la voix de l'androïde. Le Turc l'avait menacé, s'il gagnait, de les punir, lui, ses enfants et les enfants de ses enfants, en leur envoyant le choléra et en desséchant ses vignes.

Mais ces esprits extravagants étaient minoritaires. C'était le même genre d'hommes que ceux qui juraient avoir vu la Dame noire de la tour Saint-Michel, la blanche Lucie, ou les esprits des douze conseillers municipaux assassinés ; des gens qui prenaient Frédéric II pour le diable incarné, Catherine II pour une cannibale friande de nouveau-nés et tenaient les Juifs pour responsables de la peste. Après avoir reçu de nombreuses lettres lui demandant de mettre en garde ses lecteurs contre la malédiction du Turc, Karl Gottlieb von Windisch publia dans la *Gazette de Presbourg* un éditorial acéré recommandant aux imbéciles de « se taire et de ménager leur encre ou de quitter le pays immédiatement », car la superstition de quelques naïfs faisait honte à toute la ville.

Pour la première fois, le mot d'hérésie fut associé au nom de Wolfgang von Kempelen, et l'Église dressa l'oreille. Sous l'égide du prince primat Batthyány, les théologiens de la ville débattirent de l'attitude qu'il convenait d'adopter à l'égard de la machine du chevalier von Kempelen et de l'opportunité de lui demander de mettre fin aux représentations de son Turc.

À la suite de cette réunion, Wolfgang von Kempelen obtint le soutien inconditionnel de ses frères de la loge La Pureté et plus particulièrement du secrétaire secret de la loge, Windisch en personne, qui, au cours d'une conversation, surnomma son ami le « Prométhée de Presbourg ». Il fallait absolument que Kempelen continuât à présenter sa machine à jouer aux échecs au monde entier, d'autant plus que les réactions au suicide de la baronne avaient montré que le flambeau des Lumières, qui éclairait leur époque, n'avait pas encore embrasé le foin humide qui tenait lieu de cerveau à un certain nombre de leurs concitoyens. Laisser ce prodige de la technique prendre la poussière dans un débarras ? Autant imaginer que Christophe Colomb ait fait demi-tour au milieu de son voyage, que Léonard de Vinci n'ait peint que des tableaux jusqu'à la fin de sa vie, ou que Klopstock fût demeuré instituteur.

Après la séance à la loge, Nepomuk von Kempelen s'adressa à son frère.

— J'ai entendu dire que tu t'étais absenté un moment pendant la fête de Grassalkovitch. Pardonne-moi, mais je tiens à savoir si tu as été mêlé à la mort d'Ibolya. Toi, ou ton nain.

Comme Kempelen ne répondait pas immédiatement, Nepomuk renouvela ses excuses :

— Je suis navré, mais il fallait que je te pose la question.

— Non, dit enfin Wolfgang. La réponse est non. Je ne sais pas comment Ibolya est morte, et Tibor n'en sait pas davantage. Il était à l'intérieur de la table à jouer, laquelle était de surcroît recouverte d'un drap. Il n'a rien entendu. Mais tu as eu raison de m'interroger. J'en aurais peut-être fait autant à ta place.

Nepomuk acquiesça d'un signe de tête.

— Pauvre femme. Nous l'avons peut-être raillée une fois de trop.

— Nous n'avons rien fait qui ait pu la précipiter dans la mort, Nepomuk. Tout au plus aurions-nous pu en faire davantage pour l'empêcher d'arriver à cette extrémité.

— Paix à son âme. Puisse son paradis être rempli d'anges séduisants, de sexe masculin, cela va sans dire, de fontaines de champagne et d'une garde-robe vaste comme Versailles.

Kempelen sourit.

— Pourquoi le duc Albert n'a-t-il pas assisté à la séance d'aujourd'hui ? Y serais-je pour quelque chose ?

— Ce n'est pas impossible. Vois-tu, si les calotins se décident à intervenir, il se trouvera pris en tenaille entre toi, ou la loge, et Batthyány. Il doit faire preuve de doigté.

— Prendra-t-il le parti de Batthyány ?

— Je ne le pense pas. Tu es toujours un favori de sa mère, c'est un homme raisonnable, je suis son proche collaborateur... et je ne manquerai évidemment pas de dire un mot en ta faveur.

Reconnaissant, Kempelen serra le bras de son frère.

— Peut-on se fier au nain ? demanda alors Nepomuk.

— Pourquoi cette question ?

— Parce que je ne peux le souffrir. Parce que je ne puis m'empêcher de voir en lui une engeance infernale, un petit être fourbe qui, un jour, tombera le masque et te mettra en danger. Comment veux-tu qu'un homme que le monde a accablé d'avanies ne devienne pas lui-même mauvais ? Je pourrais en dire autant de ton Juif, à y bien réfléchir. Tu as rassemblé autour de toi une singulière équipe de réprouvés. Mais, au moins, on peut voir clair dans le jeu du Juif.

— Jakob n'a aucune raison de me trahir. Quant à Tibor, il m'est plus fidèle que jamais. Il m'arrive de me méfier davantage de ma propre épouse que de lui, assura Kempelen. Et, pour l'amour du ciel, cesse d'appeler Jakob le *Juif*. Il a un nom.

Le lendemain encore, la main que Tibor avait posée sur la cuisse de la baronne conservait son parfum. Il l'avait savonnée, frottée jusqu'au sang pour se débarrasser de ces effluves qui lui rappelaient la femme qu'il avait tuée. Il avait eu beau faire, la fragrance douceâtre des pommes demeurait dans ses narines. Comme lady Macbeth, Tibor ne parvenait pas à effacer les traces imaginaires de son crime. Il avait peu dormi depuis le drame, et, quand il réussissait enfin à s'assoupir, il faisait des cauchemars fiévreux dans lesquels il voyait la tête fracassée de la baronne, ce visage sublime transformé en une bouillie de sang, d'os et de cervelle, bien que Kempelen lui eût juré ses grands dieux qu'elle était morte sur le coup, sans souffrance ni écoulement de sang ; sa chute seule était responsable de ses affreuses blessures. Tibor savait à présent que Jakob avait dit vrai lorsqu'il lui avait raconté l'histoire de la cloche de l'hôtel de ville dont le son ébranlait jusqu'à la moelle ceux qui n'avaient pas la conscience pure. Heure après heure, elle lui rappelait sa faute et ses deux notes semblaient crier inlassablement *Tu-ée, tu-ée.*

C'était un accident, bien sûr, comme la mort du Vénitien. Mais cette fois, il ne s'agissait pas de reprendre ce qui lui appartenait. La catastrophe était due à sa lubricité. S'il s'était dominé, s'il avait laissé sa main à l'intérieur du buffet – quitte à la poser sur lui-même, malgré le péché, puisque, après tout, la baronne en avait fait autant –, l'affaire se serait limitée à une anecdote plaisante qu'il aurait pu rapporter à Jakob le lendemain au milieu d'éclats de rire.

Sa faute ne s'arrêtait pas là : non content d'avoir tué une femme, il avait déçu Wolfgang von Kempelen, l'homme qui l'avait sorti de prison, qui le payait, le nourrissait, le logeait, lui avait même offert un ami, l'homme qui lui avait fait découvrir un monde depuis les entrailles de sa merveilleuse invention, qui, sans lui, lui serait demeuré caché à jamais. L'homme qui, par son intervention hardie, l'avait sauvé en maquillant la mort de la baronne en suicide. Ce meurtre, Tibor l'expierait dans l'au-delà, mais la faute commise à l'égard de son bienfaiteur, il avait bien l'intention de la racheter ici-bas : cinq jours après l'incident du château Grassalkovitch, il proposa à Kempelen de quitter son service, de renoncer à l'intégralité de son salaire et de repartir de sa demeure tel qu'il était arrivé à Venise – sans rien sur le dos que ses vêtements et avec un échiquier de voyage pour toute possession – afin de fuir l'empire ou de se rendre aux autorités, au gré du chevalier.

– Je ne désire rien de tel.

Ils étaient assis l'un en face de l'autre dans son cabinet de travail ; entre eux, la machine à parler, à laquelle Kempelen avait eu de moins en moins le loisir de travailler au cours des dernières semaines.

– Tu restes à Presbourg, tu restes à mon service et à ma solde, et tu restes le cerveau de ma machine à jouer aux échecs.

Tibor secoua la tête. Il avait froid.

– Non.

– Comment cela, « non » ? Mais si, c'est moi qui te le dis.

– Pourquoi êtes-vous aussi bon pour moi ? Je ne l'ai pas mérité.

– Ce n'est pas pour toi que je suis bon, c'est surtout pour moi. Réfléchis un peu : si tu t'en vas maintenant, je ne pourrai plus présenter l'automate et l'on se demandera ce qui s'est passé cette fameuse nuit au palais. On finira par m'accuser. On se rappellera que je n'étais pas dans la salle avec les autres, au moment des faits. Toi parti, je n'aurai plus aucun témoin pour jurer qu'Ibolya était déjà morte quand je l'ai poussée du haut du balcon. On m'accusera de l'avoir assassinée. Ibolya était baronne, son mari a été un homme d'État influent… je n'aurai droit à aucune clémence. Et personne ne me croira si je prétends que le responsable est un nain.

– Je me dénoncerai. Je subirai la peine que je mérite.

– Et tu révéleras à tous que l'automate n'était qu'une tromperie. La famille Kempelen pourra dire adieu à Presbourg et à l'empire des Habsbourg.

Tibor se tassa encore un peu plus sur sa chaise.

— Il faut continuer à présenter le Turc comme si de rien n'était, reprit Kempelen. Ibolya s'est donné la mort parce qu'elle n'était pas heureuse, et la présence de l'automate dans la même pièce au même moment n'est qu'une coïncidence. Les esprits romanesques qui croient le Turc coupable se calmeront vite.

— Mon salaire…

— Garde-le. Je ne profiterai pas de la situation.

Kempelen regarda Tibor. Le nain s'était mis à pleurer. En soupirant, le chevalier se leva et fit le tour de la table pour s'approcher de lui.

— C'était un accident, Tibor. Un accident, provoqué par la conduite absurde d'Ibolya. Tu n'es pas un assassin. Tu es un homme bon, faible peut-être, mais qui ne l'est pas ? Bien que mes relations avec Dieu soient, mettons…, assez flottantes, je suis certain qu'Il te pardonnera.

Tibor avait honte de ses larmes, mais il avait tant d'autres motifs de confusion. Surmontant son aversion intime, Kempelen s'accroupit et prit le nain dans ses bras. Celui-ci se cramponna à lui.

— Y a-t-il autre chose que je puisse faire pour toi ?

— Oui. Je voudrais me confesser.

— Je regrette. C'est impossible. Il n'en est pas question. Encore moins maintenant qu'auparavant.

— Il faut absolument que je me confesse.

— C'est exclu. Dans notre intérêt à tous les deux, s'obstina Kempelen en secouant la tête. L'Église, surtout… Ils n'attendent qu'une occasion pour me détruire.

— *Signore*… C'est vraiment important. Je ne dors plus, je ne mange plus… Il faut qu'on me donne l'absolution ou je vais dépérir. (Kempelen resta silencieux.) Je ne peux plus jouer. *Scusi*, mais je ne pourrai plus entrer dans cette machine tant que je n'aurai pas confessé ce qui est arrivé avec elle.

Kempelen fit la grimace.

— Si je comprends bien, tu ne me laisses pas le choix. Bien, je vais voir ce que je peux faire. Je vais essayer de te trouver un prêtre.

Il sortit avec Tibor de son cabinet de travail. Dans l'atelier, Jakob rapiéçait le caftan déchiré du Turc. Il leur adressa un sourire forcé.

— Tous les problèmes sont réglés ? demanda-t-il.

— Des problèmes, permets-moi de te le rappeler, répliqua Kempelen avec une dureté soudaine, que nous n'aurions pas eus si tu avais fait ton travail comme je te l'avais demandé. Si tu n'avais pas, avec une légèreté impardonnable, abandonné l'automate pour te divertir en compagnie de jeunes baronnes, Ibolya Jesenák serait encore vivante aujourd'hui... Tibor ne serait pas bourrelé de remords et nous n'aurions aucun problème.

Jakob ouvrit la bouche, la referma, et dit enfin :

— Judit Grassalkovitch m'a presque obligé à l'accompagner.

— Tu m'en vois navré.

— Elle m'a assuré que les portes étaient fermées et gardées ! protesta Jakob.

On aurait dit un écolier à qui l'on demande raison d'une incartade.

— Peu m'importe. Je t'avais dit de rester avec l'automate. Tu t'en es dispensé pour des motifs cousus de fil blanc. Tu as laissé Tibor en plan, Jakob. Ce n'est pas là l'attitude d'un collègue, et encore moins d'un ami.

Jakob chercha vainement une réplique.

— Je suis désolé, murmura-t-il enfin.

Sans un mot, Kempelen regagna sa pièce de travail, dont il referma doucement la porte derrière lui. Jakob se tourna vers Tibor, tout sourire.

— Eh bien, dis donc. Ce vieux sorcier. Quel sermon ! chuchota-t-il. Passe-moi les ciseaux, tu veux ?

Tibor regarda un moment son compagnon droit dans les yeux sans bouger. Puis il se retira dans sa chambre, laissant l'assistant seul avec la machine. Kempelen accorda trois jours de congé à Jakob.

Le lendemain matin, Kempelen introduisit dans la maison un moine en froc brun-gris noué d'une corde blanche.

Tibor, qui regardait à la lucarne, les vit arriver par la rue du Danube. Le visage du frère demeurait invisible, caché par son capuchon qui lui tombait sur le front. Kempelen demanda à Tibor de s'asseoir sur le lit de sa chambre, puis il disposa un paravent devant lui pour créer des conditions identiques à celles d'un confessionnal, mais aussi pour que le prêtre ne puisse pas le voir. Kempelen ne semblait pas avoir plus confiance que Jakob dans le secret de la confession. Il fit entrer le prêtre, qu'il présenta à Tibor comme un moine du couvent des Franciscains du Brotmarkt. Il ne donna aucun nom. Puis il laissa les deux hommes seuls.

Le nain demeura silencieux un long moment. Transi, il tremblait de tous ses membres.

— Quel que soit le péché que tu as commis, dit alors le moine, retiens ceci : Dieu pardonne à tous les pécheurs pourvu qu'ils se repentent.

Il n'aurait pu trouver paroles plus appropriées. Tibor se calma sur-le-champ, son tremblement disparut en même temps que ses frissons.

— Bénissez-moi, mon père, parce que j'ai péché, commença-t-il. Je désire me confesser avec humilité et contrition. Ma dernière confession remonte à un mois et une semaine.

— Dis-moi contre quels commandements de Dieu tu as péché.

Et Tibor raconta comment il avait tué. Si sa confidence choqua le moine, celui-ci n'en laissa rien paraître. Lorsque le nain se tut, le prêtre déclara qu'un tel péché ne pouvait s'expier à l'aide de quelques prières. Il ordonna à Tibor de s'adresser tous les jours à Dieu et à la Mère de Dieu, de combattre ses appétits charnels et d'espérer l'assistance de son entourage.

Puis il repartit, et Tibor poussa un soupir de soulagement. Sur les trois confessions qu'il avait faites à Presbourg, celle-ci avait été la plus pénible, sans doute, mais aussi la plus salutaire. Le choix de ce franciscain prouvait une fois de plus que l'on pouvait se fier aux décisions de Kempelen.

Quand il entendit les deux hommes descendre l'escalier, il passa dans l'atelier et, par la fenêtre, les regarda quitter la maison. Kempelen avait manifestement l'intention de raccompagner le frère à son couvent. Ils n'échangèrent pas une parole. Tibor était sur le point de quitter la croisée quand Élise sortit dans la rue, regarda autour d'elle puis suivit les deux hommes en direction de la porte Saint-Laurent tout en jetant prestement un foulard sur sa tête. Tibor fronça les sourcils. Kempelen ou le moine avaient-ils oublié quelque chose qu'elle voulait leur rapporter ? Tibor la suivit des yeux jusqu'à ce qu'elle ait disparu.

Le compagnon de Kempelen retira son capuchon dès qu'ils eurent franchi la porte de la ville pour s'engager dans la Hutterergasse. L'homme ne portait pas de barbe, il avait le teint pâle, les cheveux d'un roux foncé ; ses joues et son nez constellés de taches de rousseur le faisaient paraître plus jeune qu'il n'était. On ne remarquait pas qu'il était un peu plus grand que Kempelen parce qu'il courbait la tête en marchant.

— Non, dit Kempelen.

Son compagnon se tourna vers lui, et l'autre s'expliqua.

— Personne ne doit remarquer que tu t'es déguisé en moine.

— Il fait tellement chaud sous ce froc. Je meurs de soif, se plaignit le rouquin tout en se rendant aux objections de Kempelen.

— Il t'obéira, reprit le faux moine un peu plus tard. Mes exhortations ont été efficaces, j'en suis sûr. Il est tellement dévoré de culpabilité qu'il fera tout ce que tu lui ordonneras.

Kempelen se contenta de hocher la tête. Il ne souhaitait pas mener cette discussion dans la rue.

— Tu as réglé cette affaire de main de maître. Faire croire à un suicide alors qu'elle était déjà morte, et qui plus est avec la moitié de Presbourg à deux pas...

— Je t'en prie, protesta le chevalier, et il leva la main pour faire taire son compagnon.

L'homme opina du chef.

— Tout ce que je veux dire... Il n'est pas impossible qu'il me réclame à nouveau. Dans ce cas, fais-moi signe. Je t'aiderai volontiers si je suis encore en ville. En fait, je devrais peut-être envisager sérieusement de me faire moine.

— Merci.

— Cette Jesenák, faut-il qu'elle ait perdu la tête, paix à son âme. Batifoler avec un automate ! Est-ce que j'embrasse mon boulier, moi ? Est-ce que je me mets en tête de séduire le métier à tisser de ma femme ? (Il rit.) Quand pourras-tu, à ton avis, parler avec le vénérable de ma réception comme apprenti à la loge ?

— Dès que mes problèmes actuels seront un peu oubliés. Dès que l'on pourra recevoir une requête de ma part sans penser à la machine à jouer aux échecs. Cela risque, je le crains, de prendre plusieurs mois. Mais tu peux compter sur moi.

— Ce n'est pas urgent.

Ils tournèrent dans la Schlossergasse, passèrent devant les boutiques des tonneliers et des tailleurs de pierre. Le beau temps avait incité les artisans à ouvrir leurs échoppes, de sorte qu'on pouvait les voir travailler. Les murs des maisons renvoyaient les coups réguliers de l'acier sur la pierre, produisant un concert arythmique évoquant le bruit de la pluie qui dégoutte d'une corniche. Dans un de ces ateliers, songea Kempelen, on est en train de graver le nom d'Ibolya Jesenák dans la pierre.

— Cela ne dérange pas les frères que je me sois acheté un titre nobiliaire et que j'aie troqué mon nom de Stegmüller contre celui de von Rotenstein ? demanda le rouquin.

— Tu aurais été reçu plus facilement en tant que Georg Stegmüller authentique qu'en tant que faux Gottfried von Rotenstein, c'est certain.

— Tu oublies que Grassalkovitch n'était, lui aussi, qu'un simple fonctionnaire. Or plus personne ne remet sa noblesse en question. Mais c'est peut-être une chose que tu as du mal à comprendre. Après tout, tu es né avec le *von*, toi.

Ils étaient arrivés à la pharmacie de L'Écrevisse, à l'ombre de la tour Saint-Michel. Mais, au lieu d'emprunter la porte principale, ils entrèrent par-derrière, par un étroit passage entre les maisons. Dans une pièce donnant sur la cour, Stegmüller se changea pour enfiler une blouse d'apothicaire. À contrecœur, et bien qu'il eût des choses plus importantes à faire, Kempelen accepta le verre de vin que lui offrait le faux moine. Celui-ci lui remit ensuite une tisane qui devait soulager la toux de sa fille. Teréz avait eu deux ans trois jours plus tôt ; un anniversaire qu'ils avaient à peine fêté en raison des événements, et parce que la petite fille était malade.

— Possèdes-tu des armes ? demanda Kempelen à brûle-pourpoint, au moment de prendre congé.

Stegmüller resta interdit avant de répondre :

— Un pistolet à culasse mobile de Suhl, pour mes voyages. Je peux t'en procurer un meilleur, si tu veux.

Le chevalier secoua la tête.

— Ce n'était qu'une question.

Il quitta la pharmacie et regagna la rue du Danube par un autre chemin que celui par lequel ils étaient venus.

Le jour de l'Ascension, par une journée estivale et sans nuages, la baronne Ibolya Jesenák, fille du baron Andrássy, fut mise en terre au cimetière Saint-Jean, dans la trentième année de sa vie. On retrouvait dans le cortège funèbre un grand nombre des invités de la fête de Grassalkovitch, auxquels s'étaient joints plusieurs hussards du régiment d'Andrássy. Tous ses anciens amants étaient présents, parmi lesquels, chuchotait-on, les deux frères Kempelen flanqués de leurs épouses. Wolfgang von Kempelen transpirait sous son habit de drap noir. Il gardait les yeux rivés au sol, espérant ainsi dissuader les autres de lui adresser la parole. Ces funérailles étaient une pénible obligation, et moins il attirerait l'attention, mieux cela vaudrait. Il avait conscience que l'on parlait tout bas de lui et de son automate.

Ce fut à la porte du cimetière, alors que Kempelen se croyait hors de danger, que la situation se gâta : le caporal Dessewffy, un camarade d'Andrássy, et sa femme demandèrent à Kempelen s'ils pouvaient s'inscrire pour la prochaine représentation du Turc ; ils furent immédiatement entourés d'une foule de curieux. Le chevalier eut beau essayer de calmer les esprits, les plaisanteries à propos de l'automate fusaient. Cette humeur enjouée ne céda que lorsque János Andrássy lui-même s'approcha. Il demanda à parler en particulier à Wolfgang von Kempelen. Le silence se fit aussitôt.

Kempelen et Andrássy parcoururent quelques pas côte à côte, avant que le chevalier ne prenne la parole.

— Baron, permettez-moi de vous exprimer une fois encore toutes mes condoléances. Vous savez que, depuis notre toute première rencontre, un lien étroit m'unissait à votre sœur. S'il est quelque chose que je puisse faire pour vous...

Andrássy sourit et esquissa un geste de dénégation, comme pour signifier à Kempelen que cela allait sans dire.

— Je n'ai qu'un désir, c'est que vous acceptiez de répondre à une question.

— Je vous en prie.

— Où étiez-vous au moment où ma sœur est tombée du balcon ?

— J'étais allé me rafraîchir.

— Tout ce temps ? Votre absence a duré longtemps, me semble-t-il.

— Il faisait très chaud ce soir-là, rappelez-vous.

Andrássy fit un signe de tête.

— Pendant ce temps, avez-vous vu ma sœur ?

— Non. Elle était dans la salle de conférences. Je m'étais retiré au cabinet de toilette.

— Sa robe était en désordre, son rouge à lèvres et son fard à joues avaient coulé. Sa perruque était de travers comme si elle l'avait remise précipitamment.

— Sur tout ce qui m'est sacré, baron, je n'en suis pas responsable.

Andrássy posa la main sur le bras de Kempelen pour l'apaiser.

— Ne vous méprenez pas. Ce n'est pas sur vous que pèsent mes soupçons.

— Mais sur...

— Sur votre Turc.

214

Kempelen resta interloqué.

— Baron... Je vous en prie. Je ne puis croire que vous prêtiez l'oreille aux récits des insensés qui prétendent que mon automate aurait tué votre sœur !

— Un des laquais a, paraît-il, remarqué la présence de rouge à lèvres autour de la bouche du Turc. Et, comme je vous l'ai dit, la tenue de ma sœur était en désordre.

— Qu'en concluez-vous ?

— Que ma sœur ne s'est pas suicidée. Que votre machine l'a importunée par ses avances lubriques avant de la précipiter dans la mort.

Kempelen s'apprêtait à répliquer vertement, mais il se reprit :

— Avec tout le respect que je vous dois, dit-il, permettez-moi de juger cette hypothèse absurde. C'est une machine, comme vous le dites fort justement. Les machines sont incapables... d'importuner les êtres vivants ou de les assassiner.

— De même qu'elles sont incapables de jouer aux échecs !

Andrássy avait relevé les sourcils et souriait avec la même douceur qu'en face du Turc.

Kempelen mit un moment à retrouver l'usage de la parole.

— Fort bien, baron. Vous êtes convaincu que mon automate s'est rendu coupable du crime dont vous l'accusez. Quant à moi, je ne peux que vous assurer une fois encore que cela est tout à fait impossible. Comment régler ce déplaisant différend ?

— Selon les Écritures, répondit Andrássy. En soldats. Je vous prie de détruire le Turc.

— Je vois. (Kempelen inspira puis expira profondément.) Je regrette, mais je ne puis le faire, et je ne le ferai pas. Voyez-vous, cette machine est devenue le sens même de ma vie, et je ne saurais davantage m'en priver que vous ne sauriez vous passer de votre cheval et de votre sabre. Sans parler du tollé que cela provoquerait à travers l'empire.

— Il faudra pourtant que vous vous y résolviez, ou je devrai user d'autres façons.

Il n'y avait plus l'ombre d'un sourire sur le visage d'Andrássy.

— Comment comptez-vous faire ? Auriez-vous l'intention de vous introduire chez moi avec une hache pour transformer ma machine en petit bois ?

— Je le ferais volontiers, mais je dispose d'autres moyens. Je pourrais par exemple vous demander encore une fois si vous avez vraiment passé tout ce temps à vous rafraîchir. Et quelle était la teneur de votre conversation avec ma sœur qu'un certain nombre d'invités ont certainement remarquée. Il ne vous aura pas échappé que, ces dernières années, l'amour inconsidéré que vous vouait Ibolya s'était teinté d'une certaine amertume. Vous aviez de bonnes raisons de souhaiter sa mort : vous aviez entretenu avec ma sœur une liaison qui menaçait de vous valoir quelques désagréments ultérieurs.

— La moitié de Presbourg a eu une liaison avec votre sœur. Si cela suffisait...

Andrássy lui asséna une gifle si violente que Kempelen en perdit l'équilibre. Sans lui laisser le temps de reprendre ses esprits, Andrássy avait arraché son bonnet fourré de sa tête, avait tiré son sabre, dont il pointait la lame sur Kempelen.

— Je te passerai par le fer, canaille. Et tu auras beau être le jouet favori de l'impératrice, tu expieras les paroles que tu as prononcées sur la tombe de ma sœur. Debout !

Mais Wolfgang von Kempelen ne bougea pas. Andrássy ne toucherait pas un homme à terre. Sa lèvre éclatée dégoulinait de sang. Quelques hommes, qui avaient suivi la scène de loin, se précipitèrent. Kempelen entendit une femme crier, mais il n'aurait su dire si c'était la sienne. Il lui vint à l'esprit qu'Ibolya l'avait frappé sur la même joue moins d'une semaine plus tôt.

— Debout ! cria encore Andrássy.

Déjà ses hussards l'entouraient tandis que Nepomuk se portait au secours de Kempelen. Il voulut aider son frère à se redresser, mais celui-ci préféra rester couché jusqu'à ce que les hussards eussent ramené leur lieutenant à la raison et qu'Andrássy eût rengainé son sabre avec autant de force qu'il en aurait volontiers mis à en transpercer le corps de son adversaire.

Kempelen se releva enfin. Il avait les jambes molles, et Nepomuk dut le soutenir. Andrássy marcha alors sur lui, secouant d'un geste impatient les mains qui cherchaient à le retenir. Il s'arrêta, respirant à petits coups par le nez ; les yeux plissés, il retira le gant de sa main droite et, sans quitter Kempelen du regard, l'en frappa au visage avant de le jeter à ses pieds. Une tache de sang maculait l'étoffe blanche.

— Je vous laisse le choix, chevalier von Kempelen : détruisez votre Turc ou croisez le fer avec moi.

Bousculant le groupe de hussards qui l'entourait, Andrássy se dirigea ensuite vers sa calèche sans reprendre son colback et sans échanger un mot avec quiconque.

Jakob tourna le gant ensanglanté entre ses mains, puis le tendit à Tibor en secouant la tête.

— *Détruisez votre Turc ou croisez le fer avec moi*, cita Kempelen. Quelle relique. Il doit occuper ses loisirs à chasser le dragon ou à rechercher le saint Graal.

— Un duel ? demanda Jakob. Il va vous... vous battre ?

— Il va me tuer oui, tu peux le dire. Et peu importe l'arme que je choisirai. Il se bat depuis l'enfance. Mais je ne me présenterai pas. (Les deux autres lui jetèrent un regard interrogateur.) Il se calmera. Ou ses aides de camp le ramèneront à la raison. Je suis sûr qu'il reviendra bientôt à de meilleurs sentiments. Le sang qui tache ce gant sera le seul à avoir été versé dans cette affaire.

— Je suis désolé, *signore*, dit Tibor.

— Je sais. Inutile de le répéter.

— Prolongerons-nous le repos du Turc ? demanda Jakob.

— Non. Nous avons suffisamment sacrifié à la piété. Il rejouera après la Pentecôte. Vous verrez que la malédiction du Turc va attirer une foule de curieux. Les mères menacent déjà leurs enfants de faire venir le Turc s'ils ne sont pas sages. (En souriant, Kempelen se tourna vers Jakob.) À propos de malédiction, les esprits superstitieux ne redoutent pas seulement le Turc. Il paraît qu'un golem hante également nos ruelles depuis peu. J'en ai entendu parler à la Chambre de la cour. Mais le golem de Presbourg est moitié moins grand que l'original pragois et porte une élégante redingote sur son corps d'argile. Si la gendarmerie n'était pas intervenue à temps, il aurait presque occis deux bourreliers. Le gendarme qui l'a poursuivi a raconté que, pendant qu'il courait, le golem s'est ratatiné et que, finalement, il s'est entièrement dissous dans le sol. Pose la question à ton rabbin, à l'occasion. Il sait peut-être quelque chose ?

Tibor resta muet, mais, dès que Kempelen fut sorti, il demanda à Jakob :

— Qu'est-ce que c'est qu'un golem ?

— Autrefois, le puissant rabbin Löw de Prague créa un homme d'argile, comme Dieu avait jadis créé l'homme à partir d'argile et, grâce à des formules de la cabale, lui insuffla la vie. Le golem protégeait les habitants du quartier juif des attaques des chrétiens. À l'époque, il n'était pas rare que l'on apporte en secret des cadavres dans le quartier pour accuser ensuite les Juifs de meurtre. Le golem était chargé de patrouiller dans les rues. C'est un être muet et simple d'esprit, mais il exécute tous les ordres qu'on lui donne. Sur son front, il porte l'inscription *aemaeth*, ce qui veut dire *vérité*. Si son maître efface la première syllabe, il reste le mot *maeth*, qui veut dire *mort*, et le golem redevient un tas de terre. Les golems ne sont pas seulement utiles : ils sont dangereux à cause de leur force indomptable et surtout parce qu'ils grandissent de jour en jour, la terre du sol venant s'ajouter à celle de leurs pieds. Une fois, un golem est devenu si grand que le rabbin ne pouvait plus atteindre son front pour effacer la lettre et le détruire. Il a donc imaginé une ruse ; il a demandé au golem de lui retirer ses bottes et, quand le colosse s'est baissé, le rabbin lui a effacé la lettre du front. Le golem était *maeth*, mais la motte d'argile était si grosse qu'elle est tombée sur le rabbin et l'a écrasé sous son poids. Quelle est la morale de cette histoire ?

Tibor haussa les épaules.

— Ne joue pas avec les fantômes ou, un jour, tu seras leur victime, dit Jakob. C'est du moins ce que dit la cabale.

Tibor se remémora la nuit qu'il avait passée dans le quartier des pêcheurs. L'idée que sa chute dans une flaque de boue ait pu le transformer en figure de légende juive l'amusa.

Le clergé de Presbourg avait pris la décision de contraindre Kempelen à cesser de faire jouer le Turc, marque d'arrogance envers la Création divine. C'est ainsi que le Prométhée de Presbourg fut convoqué par le Zeus de la même ville, le comte Joseph von Batthyány, prince primat de Hongrie et archevêque de Gran.

Prométhée gravit l'Olympe, où Zeus l'accueille aimablement. Pendant qu'ils échangent des civilités et tiennent des propos futiles, chacun jauge son adversaire. Zeus a l'intention de l'impressionner par son titre et par la pompe qui l'entoure, et de prononcer un jugement qui paraîtra clément tout en étant inflexible, et sur un ton qui ne tolérera pas de réplique. Prométhée, quant à lui, se promet de fléchir le puissant par une feinte humilité, tout en s'opposant obstinément à sa volonté et, par des paroles pleines de logique et parfois de sophismes, d'écarter les arguments caducs de la religion.

— L'homme véritable ne vous suffit donc point, que vous deviez en créer d'artificiels ? demande Zeus avec un sourire, engageant ainsi les hostilités.

— Mon Turc n'est qu'une machine au service de l'homme. Comme toutes ses semblables, elle doit accomplir un travail à la place de l'homme et lui faciliter la vie, réplique Prométhée.

— Accomplir un travail ? De quel travail parlez-vous ? Jouer aux échecs serait donc un travail ? (Le coup de Zeus n'a pas manqué son but.) Votre machine n'est ni utile ni agréable à Dieu.

— En quoi une machine serait-elle plus agréable à Dieu qu'une autre ? Un métier à tisser n'est-il une meilleure machine que parce qu'il fabrique quelque chose ? Ou est-ce l'aspect de ma machine qui vous dérange : un Turc, un incroyant ? Refuseriez-vous aussi un métier à tisser s'il se présentait sous l'aspect d'un musulman qui noue des tapis ? Je modifierais le visage de mon automate et le conduirais au baptême si je ne craignais qu'il ne se pique de rouille.

L'image arrache à Zeus un petit sourire, mais il secoue la tête.

— Ce n'est point la forme de votre machine qui me dérange, c'est sa fonction : la pensée. La pensée est la qualité que Dieu a réservée à l'homme seul, au sein de Sa grandiose Création. C'est la pensée, l'âme pensante, qui nous distingue des bêtes. Une machine humaine capable de penser – qui, plus encore, surpasse l'homme dans la pensée, le don qui est véritablement le propre de l'être humain –, cela ne doit pas être. Vous vous placez ainsi au-dessus de Dieu et de son œuvre.

— Point du tout, dit Prométhée, inclinant légèrement la tête en signe d'humilité. Je suis un mortel comme les autres.

— Raison pour laquelle votre machine intelligente ne doit pas exister.

— Mais elle existe, et, loin de dénoncer l'imperfection de la Création divine, son existence ajoute encore à sa gloire !

Zeus se cale contre son dossier et se caresse le menton.

— Expliquez-moi cela, voulez-vous ?

— Je suis un homme, la créature de Dieu, et les talents que Dieu m'a donnés m'ont permis de construire une machine qui pense. L'homme pense, mais Dieu dirige : je ne suis que Son instrument.

— C'est une impasse, réplique Zeus. Votre logique est pour le moins tortueuse. En affirmant que c'est Dieu qui dirige l'homme, il ne vous est que trop facile de Lui imputer tous les actes de l'homme, aussi impies soient-ils, le mensonge, le vol et l'assassinat aussi bien. Or la responsabilité de vos œuvres réside en vous, et non en Dieu. (Prométhée veut protester, mais, d'un geste, Zeus le réduit au silence.) Au demeurant, prétendez-vous vraiment me faire changer d'avis à l'aide d'arguments théologiques ? Vous qui vous souciez aussi peu de l'Église que votre créature ? Quand avez-vous, pour la dernière fois, assisté à la sainte messe ? Quand vous êtes-vous confessé ? Quand vous êtes-vous entretenu pour la dernière fois avec Celui dont vous vous posez ici en truchement ? Ayez au moins la franchise de vous en tenir à votre athéisme et à vos idéaux maçonniques, à ce que vous appelez Lumières et qui ne sont pour moi que poudre aux yeux.

Zeus se saisit alors de lourdes chaînes, d'anneaux de fer et d'un marteau, il s'empare de Prométhée et, en quelques coups puissants, l'enchaîne au rocher.

— Vous avez un foie, vous aussi, chevalier von Kempelen, dit Zeus, et il commande à un aigle de venir le lui dévorer. Votre machine humaine apporte de l'eau au moulin de philosophes fourvoyés comme Descartes qui prétendent faire accroire au monde que les machines sont supérieures aux hommes. Et que l'homme est une machine défectueuse, qui ne fait que croire qu'elle possède une âme. Vous êtes-vous jamais demandé sur quoi débouchent ces théories matérialistes ? Je vais vous le dire : sur l'incertitude et le chaos, l'assassinat et le meurtre.

Prométhée se débat dans ses chaînes, mais force lui est d'admettre qu'il ne pourra se délivrer par ses propres moyens.

— Descartes lui-même pensait que les hommes possèdent une âme que Dieu leur a donnée.

— Parce qu'il avait peur de l'Église. Ce n'était que l'aveu réticent d'un lâche. Il était en réalité un homme de votre trempe. On dit qu'il aurait lui-même possédé un automate, une reproduction de sa fille prématurément disparue. Quand il a fait voile vers la Suède, Dieu lui aurait envoyé une mer houleuse et les marins auraient jeté l'automate par-dessus bord, comme jadis Jonas, pour apaiser la mer et envoyer par le fond cette œuvre de magie noire. Une réplique de sa fille morte ! Quelle hérésie ! La résurrection des morts n'est permise qu'à Un seul !

L'espace d'un instant, le soleil se voile, et, levant les yeux, Prométhée aperçoit l'aigle du châtiment qui tournoie au-dessus de lui, noir contre le ciel d'azur.

— N'oubliez pas que votre grand savant Albert le Grand possédait, lui aussi, un automate, objecte Prométhée.

— Que l'encore plus grand Thomas d'Aquin a eu bien raison de détruire d'un coup de pied rageur, rétorque Zeus. Cela prouve que certains péchés s'expient déjà ici-bas. La Mettrie, ce funeste matérialiste qui n'avait de cesse de surpasser Descartes dans ses provocations et proclamait à qui voulait l'entendre que l'homme était une machine, s'est étouffé prématurément avec un pâté truffé. Je n'imagine pas meilleure fin pour un matérialiste. Que Dieu accorde Sa miséricorde à son âme immortelle et qu'Il me pardonne cette raillerie.

La dernière heure de Prométhée approche. Nul Héraclès ne lui apportera le salut. L'aigle pousse des cris perçants et, déjà, Zeus s'éloigne.

— Je ne suis pas le premier homme à avoir construit des automates, et je ne serai certainement pas le dernier ! lui hurle Prométhée. Peu importent vos injonctions, vous ne pourrez pas plus arrêter l'évolution que vous n'avez pu empêcher les luthériens d'exister, que vous n'avez pu réfuter les connaissances sur la place de la Terre dans l'Univers ou faire taire les matérialistes, dont l'enseignement, je tiens à le préciser, n'a aucun sens pour moi. De même que, jadis, on n'a pu empêcher la parole du Christ de se faire entendre.

— Dans ce cas, je me contenterai d'avoir combattu vaillamment et d'avoir, au moins, remporté cette bataille. Et je vous prie, si vous ne voulez pas me fâcher pour de bon, de renoncer à cette incroyable insolence qui vous conduit à vous comparer au Sauveur.

L'aigle s'apprête à fondre sur Prométhée quand Zeus l'arrête, d'un geste de la main. Il s'approche une dernière fois du malheureux et lui parle en confidence.

— J'estime fort les hommes intelligents comme vous et ne vous veux point de mal. Soyez heureux de n'avoir que moi pour adversaire. En Espagne, les constructeurs d'automates de votre acabit sont encore traduits devant la Sainte Inquisition et brûlés. Si les flammes de l'enfer ne suffisent pas à vous effrayer...

— L'Espagne est bien loin de Presbourg. Le Moyen Âge aussi, du reste. Menaceriez-vous encore Galilée du bûcher aujourd'hui ?

Les muscles de Prométhée se tendent, ses traits se crispent, sa nuque tremble. Son front ruisselle de sueur. Ses chaînes grincent sous l'effort. Zeus lui doit encore une réponse. Il fait signe à l'aigle d'approcher.

— L'Église est loin d'être aussi impuissante que vous le souhaitez sans doute, lance Zeus en guise d'adieu. Ainsi, l'impératrice, qui a fait de moi le premier serviteur de l'Église de ce pays, est une femme pieuse.

— L'impératrice, répond Prométhée avec un grand sourire, est ma bienfaitrice.

Dans un nuage de poussière, les chaînes se détachent du rocher. Avant que l'aigle n'ait pu l'atteindre, Prométhée, libre, s'enfuit d'un bond. Des blocs de pierre pendent encore au bout de ses chaînes, mais ils n'entravent pas sa course, son retour éperdu dans le monde des hommes et des machines humaines.

Dans une lettre personnelle, le duc Albert de Saxe-Teschen répondit à la prière du prince primat Batthyány, qui souhaitait faire interdire à Wolfgang von Kempelen de présenter son automate joueur d'échecs. Le gouverneur hongrois ne partageait pas les inquiétudes religieuses de l'évêque, expliquait-il, et, l'eût-il voulu, il n'avait pas les moyens juridiques d'imposer une telle mesure. Au demeurant, cette machine avait été fabriquée pour répondre au vœu exprès de l'impératrice. Le duc Albert concluait en espérant que ce fâcheux conflit entre science et Église serait promptement réglé.

Prométhée Kempelen se fit alors porter une bouteille de champagne et, sans témoins, trinqua avec sa créature à sa victoire contre Zeus Batthyány, au soutien du duc Albert et à sa renommée croissante. Et il songea, ce qu'il n'avait encore jamais fait, que son œuvre n'inspirerait peut-être pas seulement des mécaniciens et des mathématiciens, mais également des philosophes.

Le lendemain de la reprise fort bien accueillie par le public des représentations du Turc, Katarina démissionna sans crier gare de son poste de cuisinière et de servante. Elle quitta la demeure des Kempelen sans réclamer ni arriérés de salaire ni certificat, et aucun argument d'Anna Maria ne put la fléchir. Kempelen demanda alors à Élise de monter dans son cabinet de travail, car il souhaitait lui parler. La jeune fille avait apporté une cruche d'eau fraîche – une attention bienvenue car le soleil de juin rendait le bureau de Kempelen torride. Quand elle entra, il était en train de travailler à sa machine à parler. Il la pria de prendre place et, après avoir bu une gorgée d'eau, il lui demanda si elle était satisfaite de son emploi et de son salaire, ou si elle avait un grief sur le cœur. Élise secoua la tête en silence.

— Sais-tu alors pourquoi Katarina ne veut plus travailler chez nous ? Aurait-elle peur de mes machines ?

— Je ne crois pas. (Élise gratta son bonnet.) Il fait vraiment très chaud ici.

— Tu peux retirer ta coiffe. Je t'en prie.

Élise hésita, puis souleva son bonnet de sa tête et se recoiffa de la main. Elle reposa ensuite les mains sur ses genoux.

— Il y a bien quelque chose, dit-elle, mais je ne sais pas si cela a quelque chose à voir avec le départ de Katarina.

— De quoi s'agit-il ?

— Dimanche dernier, après la messe... un des bedeaux m'a demandé de rester parce que le curé voulait me voir. À l'église Saint-Sauveur.

— Oui. Je la connais.

— Il a été très aimable. Mais il m'a dit qu'il se passait dans cette maison des choses que la religion n'approuve pas... la machine et tout ça. Et il m'a fait comprendre, je crois, que je ne devais pas continuer à travailler ici. Qu'ils pourraient à tout moment me trouver un autre emploi, un meilleur emploi. Peut-être qu'ils ont dit la même chose à Katarina.

Kempelen avait les yeux fixés dans le vague et réfléchissait.

— C'est bien probable, observa-il. Mais alors, pourquoi restes-tu ?

— Parce que je ne peux pas croire que l'on blasphème Dieu dans cette maison. Et parce que je me plais ici.

— C'est bien, Élise. J'augmenterai ton salaire.

— Monsieur est trop bon.

— Je tiens à récompenser ta fidélité. De surcroît, il va falloir que tu travailles davantage tant que nous n'aurons pas remplacé Katarina. Il faut t'attendre à subir d'autres attaques. Peut-être devrais-tu aller à la messe dans une autre église, à l'avenir.

Élise acquiesça d'un signe de tête.

— Il s'agit d'une petite clique d'ennemis du progrès, et j'espère de tout cœur qu'ils se calmeront vite. Heureusement, d'autres ne sont pas comme eux. Regarde. Un de nos invités nous a consacré un article, à l'automate et à moi. Il arrive tout droit de Londres.

Kempelen tendit le bras vers un journal déplié et le donna à Élise, par-dessus la table.

— C'est... de l'anglais ? demanda Élise après y avoir jeté un coup d'œil.

— Bien sûr. Pardonne-moi. (Kempelen reprit le journal.) En tout cas, l'auteur ne dit que du bien du Turc. (Il parcourut les lignes.) Voilà. « Il paraît impossible d'acquérir davantage de connaissances sur la mécanique que n'a su le faire ce gentleman... Aucun artiste n'a jamais construit machine aussi merveilleuse. » Et il conclut : « De fait... on peut tout attendre de son savoir et de sa compétence, qui sont encore... renforcés par une inhabituelle... non, par une *rare* modestie. »

Kempelen inspira profondément, le regard rivé sur les lignes. Puis il leva les yeux vers Élise, qui lui souriait, les yeux étincelants, et se surprit en plein péché d'orgueil.

— Je te l'accorde, je ne viens pas de te donner à proprement parler une preuve de modestie.

Ils rirent tous deux d'un air complice.

— Bien, reprit Kempelen. Ce sera tout.

Tandis qu'Élise se levait, Kempelen reposa la revue anglaise à côté de la table. En se redressant, il fit un faux mouvement. Il ferma les yeux et posa la main sur sa nuque endolorie.

— Depuis que je suis allé voir Batthyány, j'ai le cou en piteux état, expliqua-t-il. J'ai l'impression d'avoir traîné un bloc de pierre.

— Me permettriez-vous... ? demanda Élise. Je sais guérir les torticolis ; une aimable religieuse m'a appris cela quand j'étais à l'école.

Avant que Kempelen n'ait pu répondre, elle avait fait le tour de la table et s'était placée derrière lui. Elle posa la main sur sa nuque et commença à la masser. Kempelen resta crispé jusqu'à ce que l'autre main vienne seconder la première.

— Vous verrez, dans quelques minutes, vous n'aurez plus mal, déclara-t-elle un peu plus bas.

Elle poursuivit son massage un moment. Alors, seulement, elle sembla prendre conscience de l'inconvenance de la situation : ses doigts ralentirent leur mouvement, s'arrêtèrent tout à fait et s'écartèrent de Kempelen.

—Je suis désolée, balbutia-t-elle, tout intimidée. Je n'ai pas réfléchi.

Il pouvait presque entendre à sa voix qu'elle avait rougi.

— Non, non. Continue. Cela me fait du bien.

Avec sa permission, Élise recommença à lui pétrir la nuque. Comme un homme épuisé qui lutte contre le sommeil, Kempelen sentit ses yeux se fermer tout seuls tandis que la pression des doigts détendait les muscles douloureux, mais il s'obligea à relever les paupières.

— Comment va ta tante de Bystrica ?

— C'est Prievidza, corrigea Élise. Elle va bien, je vous remercie.

Kempelen ferma les yeux. Il huma le parfum de la jeune fille qui ne l'avait jamais frappé auparavant. Et, malgré les travaux ménagers, ses mains étaient restées douces. Il imagina qu'elle se passait avec la main une mèche de cheveux derrière l'oreille. Pour le reste, il ne pensait à rien.

226

Surtout, il n'entendit pas Anna Maria s'approcher du cabinet de travail. Il ne remarqua sa présence que lorsqu'elle s'arrêta sur le seuil, contemplant la scène, les yeux écarquillés.

Élise retira ses mains trop tard et se croisa les bras dans le dos, comme pour dissimuler deux malfaiteurs. Pendant quelques secondes, la scène se figea. Rien ne bougeait, à l'exception d'une guêpe égarée qui se cognait inlassablement à la vitre.

— Tu peux te retirer, Élise, fit enfin Kempelen.

Sans un mot, Élise ramassa son bonnet et quitta la pièce sous le regard sévère d'Anna Maria.

— Veux-tu bien m'expliquer cela ? demanda l'épouse, offensée.

— Veux-tu bien commencer par fermer la porte, je te prie ?

Anna Maria obtempéra mais resta debout, pâle, les bras croisés sur la poitrine.

— Voici plusieurs jours que j'ai mal à la nuque. Élise m'a proposé de me soulager. J'ai accepté avec reconnaissance. Voilà tout.

— Il faut la renvoyer.

— Calme-toi. Elle m'a massé la nuque, c'est tout.

— Elle n'est pas ta femme.

— C'est un fait. Mais il se trouve que ma femme ne m'a pas encore proposé de me soigner ainsi.

— Je veux que tu lui donnes son congé immédiatement.

— Je n'en ferai rien, car nous nous retrouverions sans servante, objecta Kempelen. Si tu tiens à te mettre en colère contre quelqu'un, que ce soit moi. Elle est innocente comme l'agneau, elle n'a rien à se reprocher.

— Tu as l'intention d'en faire ta nouvelle Jesenák ?

— Anna Maria, je t'en prie. Ce n'est pas un sujet de plaisanterie. J'ai toujours obéi à tes caprices, mais tu devrais imposer quelque frein à ta jalousie. Je ferai ce que tu voudras, mais je tiens à ce qu'Élise reste.

— Tout ce que je voudrai ?

— Oui, tout.

— Dans ce cas, débarrasse-toi du Turc.

Kempelen plaça une main en conque derrière son oreille, comme s'il n'avait pas bien entendu.

— Pourquoi diable devrais-je faire une chose pareille ? Le Turc nous fait gagner une fortune – une fortune, au demeurant, que tu n'as guère eu scrupule à dépenser jusqu'à ces dernières semaines –, il nous ouvre toutes les portes, on ne parle que de nous en ville...

— Justement. J'en ai assez qu'on parle de nous. On raconte que l'automate a tué la Jesenák.

— Les imbéciles disent cela, et comme tu n'es pas une imbécile tu sais que ce n'est pas vrai.

— Je préfère ne pas me demander qui a sa mort sur la conscience, si l'automate n'est pas coupable.

— Elle-même, combien de fois faudra-t-il te le dire !

— Katarina est partie parce qu'elle avait peur du Turc.

— Mais non. Katarina est partie parce qu'elle avait peur des curés. C'est très différent.

— Peut-être, mais cela ne rend pas la situation plus facile. (Anna Maria s'assit sur la chaise qu'avait occupée Élise et la rapprocha de la table.) Je voudrais retrouver l'homme que j'ai épousé. Tu avais un bon emploi, une pension sûre et d'excellentes perspectives de t'élever dans la société. Et voilà que tu gaspilles tout ton argent et tout ton temps en inventions ou plus exactement en tours de prestidigitation, tu engages un impie et un monstre, tu risques de te ridiculiser devant l'impératrice, d'être banni par l'évêque et tué par le baron. Et tout cela pour quoi ? Pour la gloire, dans l'espoir qu'un jour, alors que tu seras mort depuis longtemps, ton effigie de bronze ornera une place de cette ville.

— Jalouserais-tu ce que j'ai accompli ?

— Non. Bien sûr que non. Je ne veux que ton bien. Le nôtre. Je t'aime.

Kempelen haletait.

— Dans ce cas, ne me dicte pas ma conduite.

— Renvoie Élise.

– Que crains-tu donc ? Tu ne redoutes tout de même pas que je tombe amoureux d'elle ? Tu me connais suffisamment. Ce qui t'inquiète, c'est qu'elle puisse s'acquitter de ce qui est ton devoir conjugal.

– Cesse donc...

– Qu'elle puisse être la femme qui me donnera des enfants...

– Je t'en prie !

– ... qui ne crèvent pas à la naissance...

Anna Maria se couvrit les yeux des deux mains et cria :

– Wolfgang !

– ... comme Julianna, Andreas et Marie.

Anna Maria fondit en larmes et Kempelen se tut. Il était allé trop loin. Il remarqua alors, consterné, qu'il avait compté ses enfants morts sur ses doigts. Silencieux, il regardait sa femme, recroquevillée sur sa chaise, et dut se retenir pour ne pas fracasser à coups de marteau les pièces de sa machine parlante qui lui avaient coûté tant de travail.

Puis il quitta son cabinet sans réconforter son épouse et descendit à la cuisine. Il donna congé pour ce jour-là et pour le suivant à Élise, qui fondit en larmes, et demanda à Branislav de conduire dès le lendemain Anna Maria avec Teréz à Gomba, leur domaine situé à une journée de voiture à peine, à l'est de Presbourg. La mère et l'enfant y passeraient l'été avec Branislav. Kempelen pria ce dernier de veiller tout particulièrement sur sa femme, qui, expliqua-t-il, avait les nerfs fragiles, un état probablement dû à la chaleur.

Tibor avait rencontré Élise en pleine nuit dans le Weidritz, et il l'avait vue suivre Kempelen et le franciscain. Elle n'était pas simplement curieuse : elle espionnait. Ses soupçons étaient devenus une certitude le jour où ils restèrent seuls un moment, elle et lui, à l'issue d'une représentation ; lui dans la machine à échecs, elle qui, au lieu de balayer la pièce, s'efforçait d'ouvrir avec un rossignol le mystérieux coffret de Kempelen. Elle pensait, bien sûr, que personne ne l'observait et ne rangea le crochet qu'en entendant des pas dans la cage d'escalier. L'obscurité de la machine avait aiguisé l'ouïe de Tibor ; il n'avait donc pas vu ce qu'elle faisait, mais il l'avait entendue en retenant son souffle. L'absence provisoire d'Anna Maria, de Teréz et de Branislav laissait à Élise davantage de liberté pour fureter. Kempelen et Jakob, surtout, n'étaient pas assez méfiants. Un jour, alors que Tibor, assis à sa table, était en train d'étudier une fin de partie, une tige de fer fut introduite avec force grattements dans la serrure de sa porte. Quelqu'un cherchait à forcer le verrou. Tibor avait fermé à double tour, comme toujours depuis la visite surprenante de Kempelen et de son frère. Il resta immobile, impuissant, les yeux rivés sur la serrure, veillant à ne faire aucun bruit. De toute évidence, Élise n'était pas très versée dans le maniement du rossignol. Elle dut déclarer forfait ; au bout de dix minutes de vaines tentatives, elle renonça, avec un soupir de découragement. Tibor demeura longuement immobile. Il savait qu'un jour ou l'autre, elle ouvrirait cette porte et percerait le secret du joueur d'échecs.

Pourquoi renonça-t-il à avertir Kempelen ? Un mot de lui, et Élise eût été à la rue, le Turc en sécurité et, avec lui, Tibor, lequel n'ignorait pas qu'il risquait l'échafaud pour l'assassinat de la baronne. Peut-être était-ce la fierté, le sentiment d'être supérieur à Kempelen et à Jakob, car il savait quelque chose qu'eux ne savaient pas. Sans doute croyaient-ils Élise trop sotte pour nourrir de telles intentions. Seul Tibor savait qui elle était vraiment. Il avait bien remarqué, l'une ou l'autre fois, que Jakob n'était pas insensible à ses coquetteries, il l'avait entendu se vanter de tourner la tête à Élise – s'il en avait été d'abord jaloux, il s'amusait à présent de voir que son compagnon se faisait berner : seul le secret du Turc intéressait la jeune femme.

Élise parcourait un labyrinthe au centre duquel Tibor l'attendait. Il était le prix, le trésor, la vierge dans sa tour, et cette idée l'exaltait. Elle dirigeait vers lui tous ses efforts, sans le savoir encore. Ils allaient se rencontrer à nouveau. Bien sûr, les évenements risquaient ensuite d'aller très vite, et il n'était pas exclu que Tibor y trouve la mort, mais il n'y croyait guère : il avait longuement observé Élise, Jakob lui avait raconté ce qu'il savait de sa vie, il l'avait aperçue à l'église, elle portait sa médaille de la Vierge sur le cœur – elle n'était pas femme à le livrer au bourreau. Et, s'il se trompait, la volonté de Dieu s'accomplirait.

En juillet, un courrier apporta à Kempelen une invitation de Marie-Thérèse à se rendre à la cour de Vienne. L'impératrice lui faisait savoir qu'avec toutes les rumeurs qui entouraient la fabuleuse machine, elle ne pouvait résister à la tentation de l'affronter elle-même. Elle profiterait de cette partie qui se tiendrait à la mi-août pour discuter avec Kempelen de ses projets à venir et du soutien qu'elle pouvait leur apporter. D'autre part, son « *cher fils* Joseph », retenu par d'autres obligations lors de la première présentation de la machine, avait manifesté le désir de faire la connaissance du Turc. Kempelen se félicita d'avoir envoyé Anna Maria à Gomba, car il pourrait ainsi se préparer tranquillement à cette représentation, la plus importante de sa carrière.

Il espérait également que cette invitation à Vienne mettrait fin à la morosité persistante de Tibor. « Après Vienne, tout ira mieux », disait-il, sans expliquer plus avant ce qui allait changer. Peut-être les apparitions du Turc se feraient-elles plus rares, laissant ainsi à Kempelen le loisir de se consacrer entièrement à sa machine parlante. Peut-être en avait-il assez de ses démêlés avec le baron Andrássy, avec l'Église et, maintenant, avec son épouse. Tibor reprendrait son existence d'antan, qui n'avait rien de particulièrement plaisant, mais lui avait au moins permis de garder son innocence et de ne pas outrager Dieu.

Kempelen et Jakob étaient sortis, l'automate se trouvait dans l'atelier et non dans son débarras – il n'aurait pu y avoir situation plus tentante pour Élise. D'un geste désormais expert, elle ouvrit les portes de l'atelier et examina la machine. Le Turc la regardait sévèrement, comme s'il savait qu'elle était venue le démasquer, mais, tant que son mécanisme n'était pas remonté, il ne pouvait rien faire pour l'en empêcher.

Elle s'assit par terre, à droite de l'androïde, pour déverrouiller la porte arrière, celle qui dissimulait les rouages. Mais, alors qu'elle cherchait encore sur son trousseau le passe le plus approprié, la porte s'écarta de l'intérieur, dans un silence irréel, car les gonds étaient parfaitement huilés. Bouche bée, Élise contemplait la table à jouer, et les ténèbres qui s'ouvraient derrière la cloison. Un visage lui souriait tristement. Un instant, il sembla désincarné, et elle crut à une illusion – en effet, dans l'ombre, le mécanisme présentait le dessin d'une figure humaine : deux roues dentées pour les yeux, un ressort pour le nez, un cylindre pour la bouche –, mais, lorsque ce visage bougea, elle aperçut également un buste et un bras. Elle cligna des yeux.

— Salut à toi, dit-il, et, comme elle ne répondait pas : Je suis le secret de la machine à jouer aux échecs.

Elle inspira pour répondre quelque chose, mais le souffle lui manqua et aucun mot ne sortit. Puis elle expira bruyamment.

— C'est bien ce que tu cherchais, n'est-ce pas ? demanda-t-il tout bas, pour ne pas l'effaroucher.

— Oui, répondit Élise.

— Je t'attendais. Je savais que tu viendrais.

Elle plissa les yeux.

— Je te connais… c'est toi qui…

— Oui, acquiesça Tibor, et il posa les yeux sur la chaîne qu'elle portait au cou ; la médaille elle-même était cachée sous le corselet.

Ils se turent tous les deux. Elle parce qu'elle ignorait ses intentions, lui parce qu'il ne savait que dire.

— Regarde, voilà comment je fais bouger la main du Turc, chuchota-t-il enfin.

Élise s'approcha du meuble, et, non sans fierté, Tibor lui montra comment il dirigeait le bras de l'androïde à l'aide du pantographe et puis comment il remuait la tête et les yeux. Il lui expliqua que la seule fonction de l'engrenage était de faire du bruit et lui révéla comment il arrivait à se rendre invisible, même quand toutes les portes étaient ouvertes. Alors, seulement, il sortit du buffet par la porte à deux battants ; comme elle était restée assise, ils avaient à peu près la même taille.

— Tu es... tu as...

Elle faillit dire « rétréci » mais n'acheva pas sa phrase. Tibor compléta à sa place.

— Je suis petit. Oui. J'avais des talons hauts, cette nuit-là.

Il s'assit en face d'elle, comme pour masquer leur différence.

— Tu veux savoir autre chose ?

— Comment t'appelles-tu ?

— Tibor.

— Moi, Élise.

— Je sais.

— Pourquoi me raconter cela, Tibor ?

— Tu l'aurais découvert toi-même, tôt ou tard. Je t'ai observée.

— Je ne comprends pas... Pourquoi n'as-tu pas prévenu Kempelen ?

— Parce que je ne voulais pas qu'il te renvoie. Parce que je crois cet emploi important pour toi. Jakob m'a dit que tes parents sont morts. Je sais que ce n'est pas facile d'être seul. Et, malgré tout, je crois que tu n'es pas méchante. On t'a proposé une récompense si tu apprenais la vérité ?

Élise acquiesça de la tête. Elle s'attendait à la question suivante.

— Friedrich Knaus ?

— Qui ?

— Tu ne connais pas Knaus ?

Elle fit signe que non.

— L'évêque me l'a demandé... enfin, pas l'évêque lui-même, un père, en son nom. Il m'a demandé... non, il m'a dit que c'était mon devoir de chrétienne. Après ce qui s'est passé au palais Grassalkovitch.

Alors seulement, Élise prit conscience que Tibor s'était trouvé dans la même pièce qu'Ibolya Jesenák avant son suicide, qu'il était peut-être même le dernier à l'avoir vue vivante. Et elle sut avec certitude que la baronne n'avait pas mis fin à ses jours : le nain l'avait tuée parce qu'elle en savait trop long. Et cet enchaînement logique conduisait à sa propre mort, car la pitié de Tibor pour l'orpheline était évidemment tout aussi mensongère que l'état même de l'orpheline. Elle portait un couteau sous son jupon, mais elle n'aurait pas le temps de l'atteindre. Elle avait bien vu comment il s'était joué de deux hommes adultes. Elle était perdue.

Tibor remarqua sa pâleur soudaine.

– C'était un accident, dit-il précipitamment. Un malheur. Elle a fait une mauvaise chute. Alors il l'a jetée du balcon pour faire croire à un suicide. Personne n'a voulu sa mort.

– Je te crois, dit-elle, bien que ce ne fût pas vrai.

Ils restèrent silencieux jusqu'à ce que Tibor reprenne :

– Que vas-tu faire, maintenant ?

– Je ne sais pas. Que dois-je faire ?

– Ne nous trahis pas. J'ai tué la baronne. Si on l'apprend, on me poursuivra et on me pendra. Kempelen pense qu'accident ou non, je serai exécuté. L'église te paie ?

– Non. Pas un sou. Il n'en a pas été question.

Tibor hocha la tête.

– Cela témoigne de ta sincérité. Si c'était une question d'argent, Kempelen accepterait certainement de te payer davantage. Ou moi.

Du doigt, Tibor essuya un peu de poussière qui s'était déposée sur les pieds du meuble. Il aurait voulu rester éternellement là, avec elle, aussi déplaisant que fût leur sujet de conversation.

– Je voudrais te demander une faveur, dit-il, ne serait-ce que pour me remercier de t'avoir aidée cette nuit-là, dans le quartier des pêcheurs. Je voudrais que tu me préviennes à temps, le jour où tu auras l'intention de nous trahir. Laisse-moi quelques jours pour fuir Presbourg. Il me faut un peu d'avance. Et Kempelen… est un homme bon. Il mérite aussi cet avantage. En contrepartie, je ne dirai rien de notre rencontre jusqu'à ce que le moment soit venu.

Cet arrangement ne pouvait que lui être profitable. La décision de le respecter ou de le rompre resterait entre ses mains. Elle accepta.

— Au nom de la Sainte Vierge ? demanda-t-il.

— Au nom de la Sainte Vierge, répondit-elle avec un élan de pitié pour tant de crédulité.

— Laisse-nous jouer à Vienne, supplia-t-il avec force. Une semaine de plus ou de moins, cela n'a guère d'importance pour toi. Ce sera peut-être notre dernière représentation. Alors tout sera fini, et l'évêque ne s'y intéressera plus. Tu resteras innocente, aussi bien à son égard qu'à celui de Kempelen.

Elle se souvint de la chaînette et la sortit de son corselet pour la lui rendre.

— Non, dit-il en levant la main. Garde-la, s'il te plaît. Qu'elle soit un gage. Tu me la rendras le jour où tu décideras de nous trahir. Pas avant.

Élise regarda l'image éraflée de Marie et inclina la tête. À cet instant précis, elle décida d'attendre avant de parler à Knaus. Certes, le Souabe n'aurait pu espérer meilleur moment pour dénoncer la supercherie de l'automate que pendant la partie contre l'impératrice. Quel triomphe ! Il l'aurait payée princièrement pour cet exploit, mais elle se refusait à lui accorder une telle victoire. Si Knaus devait confondre Kempelen, ce serait sans bruit.

Pour quelle raison aurait-elle dû renoncer à sa vie actuelle ? Elle était payée par les deux camps. Pourquoi tuer cette poule qui pondait deux œufs d'or à la fois ? Plus elle retarderait l'heure de la révélation, plus elle gagnerait d'argent. Peut-être pourrait-elle même exploiter l'exaspération grandissante qu'inspiraient à Knaus les succès de Kempelen et lui faire augmenter la mise. Elle avait dupé les hommes, tiré profit de leurs appétits autant que de leur confiance puérile dans les serments et, pour la première fois, peut-être, de cette année si difficile, elle se sentait forte à nouveau.

Elle ne comprit que plus tard quel était véritablement l'homme qu'elle avait rencontré : un nain vénitien difforme, un assassin sensible qui vivait dans la crainte de Dieu, un joueur génial qui manipulait de l'intérieur la plus grande invention ou plus exactement la plus grande escroquerie du siècle. Tout cela était vraiment fantastique. Un singe ou un cul-de-jatte, comme l'avait soupçonné Knaus, ne l'auraient pas étonnée davantage.

Vienne

Par sécurité, Tibor voyagea à l'intérieur de l'automate. Jakob s'était révolté contre l'inhumanité de ce mode de transport, mais Kempelen lui rappela que Tibor n'était en sûreté qu'aussi longtemps que le secret du Turc était préservé. Le nain se résigna à son sort et demanda seulement à disposer de suffisamment d'eau pour supporter le voyage malgré la touffeur de ce milieu d'été. L'air pesait, immobile, au-dessus du Marchfeld. La March et le Danube n'étaient plus que des filets d'eau tiède qui coulaient si lentement dans leur lit qu'on aurait pu croire qu'ils remontaient le courant. Branislav étant absent, Kempelen avait engagé deux hommes de peine pour les accompagner au cours de cet aller-retour à Vienne ; ils allaient à cheval comme Kempelen, alors que Jakob occupait, une fois de plus, le banc du cocher de la voiture à deux chevaux. L'automate était rangé transversalement derrière lui. Il n'était pas recouvert d'un drap, et Jakob avait assujetti une cloison au côté de la voiture, de sorte que le Turc regardait la route par-dessus l'épaule du jeune homme.

Un voile laiteux couvrait le ciel. La lumière diffuse du soleil effaçait tout relief, aucun souffle de vent n'agitait les herbes et les feuillages. Le paysage ressemblait à une peinture poussiéreuse.

Ils avaient quitté Presbourg depuis une heure quand ils furent rattrapés par des cavaliers au galop : le baron János Andrassy sur son cheval arabe, flanqué d'un côté par son caporal Béla Dessewffy, de l'autre par György Karacsay, un lieutenant de son régiment. Les trois hussards dépassèrent le convoi puis firent accomplir une demi-volte à leurs montures. Andrássy et Kempelen se trouvèrent ainsi face à face.

— Baron, salua Kempelen.

— Chevalier, répondit Andrássy, fuyez-vous la ville ?

— Point du tout, fit Kempelen. (Ses deux hommes avaient contourné la voiture et pris position, sur leurs gardes, à côté de leur maître.) Je me rends à Vienne sur l'invitation de Sa Majesté.

Le baron, impressionné, leva les sourcils.

— Fort bien, mais je ne vous laisserai pas passer avant que vous ne vous soyez acquitté de votre dette.

Andrássy détacha les lanières de sa sacoche et en tira un coffret plat qu'il ouvrit. Il contenait, bien rangés dans du feutre vert, deux pistolets.

Le baron regarda autour de lui : la route impériale était bordée de prés parsemés de quelques arbres isolés.

— Je n'aurais pu rêver lieu plus propice. Faites attention, ils sont chargés.

Il tendit à Kempelen un pistolet, crosse en avant. Le chevalier laissa ses deux mains posées sur sa selle. Ses hommes s'agitèrent et, comme s'ils sentaient leur nervosité, leurs chevaux se mirent à piaffer. Le lieutenant Karacsay s'avança vers eux et prononça quelques mots, après quoi les deux hommes – avec un regard oblique à Kempelen – reprirent au trot la direction d'où ils étaient venus. Jakob les suivit des yeux, déconcerté.

— Peut-être   préférez-vous   le   sabre ?   demanda Andrássy. Béla sera mon témoin. Votre assistant le vôtre.

— Je ne me battrai pas, baron. Nos deux vies me sont trop chères. Je ne suis pour rien dans la mort de votre sœur, par Dieu et par tous Ses saints.

— Vous ne sauriez en dire autant de votre machine.

238

— Elle n'y est pour rien non plus. Le jour où elle sera en mesure de tenir un pistolet ou de manier le sabre, je vous ferai prévenir et vous pourrez la provoquer en duel. En attendant, je vous demande de bien vouloir nous laisser passer.

Le baron secoua la tête et sortit le second pistolet du coffret.

— Baron, je me rends chez l'impératrice, reprit Kempelen d'une voix forte, et vous n'êtes pas, que je sache, au-dessus des lois.

— Je vous laisserai passer, pour l'amour de l'impératrice, déclara Andrássy en armant les deux chiens, mais je ne renonce pas à mon exigence, et je me permettrai d'insister. Ce que j'avais de plus précieux au monde m'a été retiré. Vous subirez le même sort.

Andrássy pointa le pistolet qu'il tenait dans sa main gauche vers le Turc, mais Jakob, qui entre-temps s'était levé d'un bond, dressa les mains et cria « Non ! » pour empêcher le baron de tirer.

Andrássy abaissa brièvement son arme et sourit.

— Un Juif pour toute défense ? Crois-tu sérieusement me dissuader de tirer ?

Visant à nouveau, il fit feu. Jakob sauta juste à temps du banc de cocher et tomba en heurtant le sol. La balle traversa la poitrine creuse du Turc. Andrássy leva son second pistolet, ferma l'œil gauche et pressa sur la détente.

La balle transperça le placage, le bois et le feutre du buffet, effleura une languette métallique du mécanisme qui tinta, se fraya un passage au milieu de l'enchevêtrement de roues, traversa un pignon, en délogea un autre de son châssis, ricocha sur un cylindre et changea de trajectoire, pénétra sans difficulté dans l'épaisseur de lin puis de peau et s'enfonça dans la chair, roussit des poils, déchira des veines et des muscles avant de heurter une côte, ce qui amortit le coup, et de perdre ainsi sa puissance. Elle s'arrêta à côté d'esquilles d'os dans un muscle lacéré, au milieu du flot de sang que répandaient les veines perforées, tandis que l'étroit chemin qu'elle avait parcouru se refermait derrière elle.

Andrássy ne prit pas la peine de ranger ses pistolets dans leur coffret et les fourra en vrac dans sa sacoche.

— Baron, vous n'êtes qu'une exécrable relique, lança Kempelen sans se départir de son calme.

— Je ne vous demanderai pas raison de cette insulte, que je mettrai sur le compte de l'émotion. Je crois en effet m'être exprimé de façon tout aussi désobligeante au cimetière, répliqua Andrássy en attrapant ses rênes. Je vous attends à Presbourg. Ne me faites point lanterner, sinon, les dégâts ne se limiteront pas à du bois et à du fer.

Andrássy donna des éperons ; Dessewffy et Karacsay le suivirent, mettant la main au front pour prendre congé de Kempelen. Les hussards n'accordèrent aucune attention à Jakob. Celui-ci dut reculer d'un pas pour éviter leurs chevaux, mais il trébucha et tomba dans le fossé qui longeait la route. Lorsqu'ils se furent éloignés d'une quarantaine de mètres, il se releva d'un bond, animé d'une énergie soudaine, les pourchassa en courant sur quelques pas, dans un tourbillon de poussière tout en jurant :

— Revenez, bande de lâches ! Coquins ! Canailles ! Fripons ! Espèces de... Hongrois à barbe en pointe ! Sacs d'asticots !

Il voulut leur jeter des pierres mais n'en trouva pas. Pris d'une fureur aveugle, il ramassa une poignée de sable et arracha des touffes d'herbe pour les lancer dans leur direction.

— Cesse donc, Jakob ! cria Kempelen, qui avait depuis longtemps sauté de sa selle pour monter à l'arrière de la calèche.

Jakob reprit ses esprits et courut vers son maître, qui ouvrait la double porte du buffet. Ils firent sortir Tibor en le tirant par les bras. Quelques pièces d'échecs roulèrent de la caisse en même temps que lui. Un cercle rouge s'élargissait sur sa chemise blanche, au niveau de la poitrine.

— Ils sont partis ? demanda le nain, les dents serrées.

— Oui.

Tibor retint néanmoins ses cris et ne s'autorisa qu'un gémissement sourd. Ils l'installèrent dans l'espace dégagé, derrière l'automate. Là, ils lui arrachèrent sa chemise, découvrant une petite plaie sur la partie droite de la poitrine. De temps en temps, un flot de sang clair jaillissait du trou. Ils allongèrent Tibor sur le côté, et Kempelen fronça les sourcils en constatant que, dans son dos, la chemise était imbibée de sueur mais ne portait aucune trace de sang.

— La balle est restée à l'intérieur.

Jakob lui jeta un regard interrogateur, ne saisissant pas la portée de ses propos.

— Va me chercher de l'eau et un morceau de tissu.

Pendant ce temps, Kempelen se débarrassa de son pourpoint et remonta ses manches. Il ouvrit le couvercle du coffret de cerisier. Celui-ci contenait ses outils. Il en sortit toute une panoplie de pinces, qu'il disposa sur le sol de la calèche, à côté de Tibor. Dès que Jakob eut apporté l'eau, il en arrosa deux des instruments qu'il frotta pour les sécher. Il tendit à son assistant une tenaille à grandes mâchoires.

— Il faut que tu écartes les lèvres de la plaie.

— Pardon ?

— Enfonce cette pince dans les chairs, puis écarte les deux branches. Autrement, je n'arriverai jamais à extraire la balle.

— Je ne peux pas.

— Tu vas me faire le plaisir de prendre sur toi.

Jakob saisit la tenaille. Il tremblait, transpirait à grosses gouttes et avait le teint cendreux. Kempelen attrapa une autre pince.

— Finissons-en.

Jakob s'agenouilla à côté de Tibor. Il avait les yeux rivés sur la tenaille comme s'il n'avait jamais rien vu de tel.

— Monsieur von Kempelen ? entendit-on crier depuis la route.

Kempelen se releva et descendit de calèche. Les deux fuyards étaient de retour.

— C'est nous, annonça inutilement un des deux hommes. Les officiers nous ont dit que nous pouvions revenir. (Il aperçut alors une tache de sang sur la chemise de Kempelen.) Tout va bien ? Avez-vous besoin d'aide ?

— Disparaissez, l'un comme l'autre, répliqua le chevalier. Je n'ai que faire de poltrons de votre espèce.

— Et notre salaire ? demanda l'homme, tout penaud, après être resté muet un instant.

Kempelen ouvrit sa bourse et en sortit deux pièces, qu'il leur jeta.

— Vous n'en aurez pas davantage. Et, maintenant, allez au diable.

Il attendit qu'ils se fussent éloignés pour rejoindre Jakob et Tibor.

— Bien, allons-y.

Jakob, hésitant, approcha son outil de la plaie. Il prit ensuite une profonde inspiration et enfonça la tenaille dans la chair. Tibor hurla de douleur en se débattant. Jakob retira aussitôt sa pince et, d'effroi, la laissa tomber par terre.

Kempelen ramassa une des pièces d'échecs éparpillées autour d'eux.

— Ouvre la bouche, ordonna-t-il.

Il inséra la figure entre les dents de Tibor, qui les referma dessus. Kempelen s'assit sur le nain et, des genoux, lui maintint solidement les bras écartés de part et d'autre du corps.

— Tiens-lui la tête, dit-il à Jakob, qui la coinça entre ses cuisses.

Tibor ne pouvait plus bouger que les jambes. Kempelen regarda Jakob. Le Juif enfonça la tenaille dans la plaie. Tibor fermait et ouvrait alternativement les paupières. Il se tordait de douleur, mais les deux autres l'immobilisaient. La pince heurta la côte, et ce contact lui arracha un nouveau frémissement. Kempelen inclina la tête et, très lentement, tirant la langue, Jakob écarta les tenailles. Le sang jaillit. La pièce d'échecs grinça entre les dents de Tibor.

— Nous y sommes, dit Kempelen. Continue. Courage.

Jakob obtempéra, maintenant les deux tiges écartées. Les muscles ensanglantés entouraient les mâchoires de la tenaille. Kempelen se mit à l'œuvre. Tibor gémit.

— Cesse donc de te plaindre. Tu as tué sa sœur, grommela Kempelen.

Sa pince dérapa une fois, mais, ensuite, tout alla très vite, et il ressortit l'instrument, dont l'extrémité ensanglantée enserrait la balle de plomb déformée. Avec soulagement, Jakob suivit son exemple et ils sentirent les muscles de Tibor se détendre sous eux. Du bout de la langue, il expulsa la pièce d'échecs de sa bouche. Ce qui avait été jadis une tour blanche n'était plus qu'un morceau de bois broyé et imprégné de salive. Un éclat de vernis collait encore aux lèvres de Tibor.

– Bande-lui la poitrine, ordonna Kempelen à Jakob. Le plus serré possible.

Puis il se releva, laissa négligemment tomber la balle et prit un chiffon pour nettoyer le sang qui souillait ses mains et les instruments. Il posa la pince sur l'échiquier. Les trois hommes ruisselaient de sueur. Jakob déchira des lés d'étoffe et entreprit maladroitement de bander l'épaule et le bras de Tibor jusqu'au coude. Kempelen avala quelques gorgées d'eau et le regarda faire. Puis son regard se porta vers le Turc. La balle qui lui avait transpercé le buste n'avait guère fait de dégâts. C'est à peine si l'on distinguait les trous sur la chemise de soie et le caftan.

Le second coup de feu avait endommagé plus gravement la machine comme l'homme. Kempelen ouvrit la porte qui dissimulait l'engrenage et vit du premier coup d'œil la roue dentée détachée. Il attrapa la pince pour essayer de la remettre en place mais dut se rendre à l'évidence : il lui faudrait procéder à la réparation plus tard.

Pendant ce temps, Jakob pansait Tibor sans cesser d'invectiver le baron Andrássy, des injures manifestement plus destinées à le calmer lui-même qu'à réconforter le blessé.

Une heure et demie après l'agression, ils reprenaient la route pour Vienne.

À leur arrivée, ils allongèrent Tibor sur le lit de Kempelen. Après que Jakob eut changé ses bandages et que Kempelen lui eut apporté à manger, il s'endormit immédiatement. L'après-midi n'était pourtant pas encore achevé. Les deux autres se mirent à l'ouvrage pour essayer de réparer l'automate, une tâche laborieuse car ils n'avaient que peu d'outillage et aucune pièce de rechange. Ils parlaient peu, évitaient soigneusement de mentionner la représentation dont ils ignoraient encore si elle pourrait avoir lieu deux jours plus tard.

Le lendemain matin, Kempelen partit à cheval pour Schönbrunn afin de demander à un aide de camp de Sa Majesté s'il était envisageable de différer la présentation de l'automate. La réponse fut négative. Sa Majesté avait un emploi du temps extrêmement chargé et s'était libérée tout exprès pour jouer contre le Turc. Une défaillance de celui-ci ne manquerait pas d'être interprétée comme une offense.

Couvert de sueur, Kempelen revint à l'Alsergrund et savoura la fraîcheur relative de son appartement. Il avait rapporté des fruits du marché et s'assit au chevet de Tibor. Son nouveau bandage était déjà teinté de rouge.

— Peux-tu bouger le bras ? demanda Kempelen.

Tibor leva le bras droit, écarta les doigts puis les serra en poing. La blessure n'était douloureuse que lorsqu'il posait le bras.

— Pourras-tu jouer demain ?

— S'il le faut.

Kempelen acquiesça.

— C'est bien. J'apprécie ton attitude. Il le faut, en effet. Il n'y a pas moyen de l'éviter. L'enjeu est de taille, cette fois. Mais je peux te promettre que cela ne durera pas longtemps. Marie-Thérèse joue bien, sans plus. J'ai disputé une partie contre elle et j'ai gagné.

— Gagné ? Contre l'impératrice ?

— Il s'agissait, à mon sens, d'une sorte de mise à l'épreuve. Elle était curieuse de voir si je lui laisserais la victoire comme se croient sans doute obligés de le faire les courtisans. Je l'ai battue – et je suis allé jusqu'au bout.

Kempelen demanda à Tibor s'il avait besoin de quelque chose et le laissa seul pour aller inspecter la machine avec Jakob. Aucun dégât n'était irréparable, à l'exception de la roue dentée endommagée qui n'empêcherait cependant pas le mécanisme de fonctionner. Il faudrait attendre d'être de retour à Presbourg pour recouvrir d'un nouveau placage le vilain trou qu'avait laissé la balle dans le buffet, mais l'assistant raccommoda le feutre de manière à dissimuler l'intérieur.

Lorsque Jakob suggéra de faire venir un médecin pour examiner la blessure de Tibor et éventuellement la recoudre, Kempelen le morigéna, lui rappelant le danger que représenterait la présence d'un inconnu. La plaie n'était pas bien grande, par bonheur. Si Tibor n'était pas guéri à leur retour à Presbourg, il ferait venir un médecin digne de confiance. Mais Jakob continua d'insister jusqu'à ce que Kempelen lui intime l'ordre de se taire : Tibor dormait dans la chambre voisine. Il se remit alors au travail.

Marie-Thérèse accorda au chevalier Wolfgang von Kempelen l'honneur d'une promenade en sa compagnie dans le parc du château de Schönbrunn, avant sa partie d'échecs contre l'automate. Kempelen lui avait donné le bras. Un garde et une dame de compagnie de l'impératrice les suivaient respectueusement à quelques pas. Ils se rendirent jusqu'au tertre situé au sud du château qui offrait une vue dégagée sur Schönbrunn, Vienne et le Wienerwald. Il n'y avait pas un nuage dans le ciel, et, bien qu'il fût encore tôt, l'ombrelle était déjà indispensable. Une nouvelle journée torride s'annonçait et l'on pouvait prévoir un orage dans la soirée.

De noir vêtue malgré le soleil, Marie-Thérèse avait haleté tout au long de l'ascension. Elle se redressa péniblement et essuya la sueur qui perlait à son front.

— Quelle vieille folle je suis ! Est-ce à vous ou à moi-même que je cherche à prouver quelque chose en m'infligeant pareille expédition ? Je ferais mieux de ménager mes forces pour affronter votre Turc.

— Si cela peut réconforter Votre Majesté, dit Kempelen, je vous avouerai que ma perruque nage quasiment sur ma tête.

Elle désigna la colline du doigt.

— Ici, Hohenberg me fera édifier un arc de triomphe. Et là, en bas, à nos pieds, je souhaiterais avoir une fontaine.

Kempelen se retourna.

-- Dans ce cas, je vous conseillerais – en admettant que Hohenberg ne l'ait point déjà prévu – de disposer le réservoir ici même, au sommet. Devant ou derrière votre arc de triomphe.

— Vous entendez-vous également dans cette partie ?

— Nous avons installé plusieurs fontaines dans le banat.

— Dans le banat, bien sûr. Kempelen, mon cher Kempelen, avec vous, rien n'est jamais *ennuyeux*. C'est entendu, je ferai appel à vous le jour où l'on construira ma fontaine, et vous vous chargerez du système d'alimentation.

— Ce serait un immense honneur pour moi, Votre Altesse.

Ils redescendirent la colline et regagnèrent le château par les jardins ornés de parterres de fleurs.

— À propos du banat, reprit l'impératrice, je vais être obligée de vous y envoyer une fois encore, vous m'en voyez navrée. Si l'affaire n'exigeait pas l'homme le plus compétent, je demanderais évidemment à un autre…

— Je m'y rendrai volontiers.

— Un an encore tout au plus, et je vous promets de vous laisser tranquille. Sans doute êtes-vous impatient de vous consacrer à votre nouvelle machine – celle qui parle. Où en êtes-vous, au demeurant ?

— Elle se tait encore, Majesté. Mais elle est en bonne voie. Il est vrai que je manque d'argent, et surtout de temps.

— N'en dites point davantage, Kempelen. Ne craignez rien, vous aurez de l'argent. Votre Turc va me convaincre de mettre la main à la bourse, j'en suis persuadée. Vous obtiendrez alors tous les moyens nécessaires et même, si tel est votre vœu, le poste dont je vous ai parlé, au Cabinet de la cour.

L'impératrice écarta son ombrelle pour observer le ciel.

— *Il fait très beau.* Nous jouerons dans les jardins, votre Turc et moi. Par un temps pareil, il serait dommage de s'enfermer dans un château, *n'est-ce pas* ?

On transporta donc l'automate depuis le salon blanc et or jusqu'au Kammergarten. Les arbres ne ménageaient même pas suffisamment d'ombre pour abriter les spectateurs. Aussi plaça-t-on la table à jouer en plein soleil. Les quatre roues crissèrent et s'enfoncèrent dans le gravier. En très peu de temps, le plateau de la machine, de couleur sombre, fut si chaud qu'on ne pouvait plus le toucher et que l'air vibrait au-dessus. L'épaisse doublure de fourrure du caftan semblait singulièrement déplacée sous ce soleil de plomb.

Les spectateurs étaient moins nombreux, mais plus illustres que lors de la première représentation. On notait la présence de nombreux hommes d'État tels que Haugwitz, von Kaunitz, le comte Cobenzl et les maréchaux Laudon et von Liechtenstein. Certains étaient venus par curiosité, d'autres pour répondre au désir exprès de l'impératrice. Ils discutaient politique avec l'empereur Joseph en jetant d'un air faussement dégagé des regards furtifs au Turc. Marchant sur les traces de sa mère, le jeune empereur avait un peu forci du cou, mais sa haute taille évitait toute impression d'embonpoint. Aussi s'abstenait-il simplement de baisser le menton. Comme de coutume, il portait un pourpoint austère, d'esprit prussien, bleu foncé aux revers rouges, sur un gilet et des culottes jaunes, une écharpe aux couleurs de l'Autriche en bandoulière. À l'instar des autres hommes, il s'exposait au soleil sans protection – von Kaunitz, dont le teint était pâle et sans fard, avait déjà un coup de soleil sur le nez –, tandis que les femmes s'abritaient sous des ombrelles et se rafraîchissaient en agitant leurs éventails. Les laquais qui faisaient passer des plateaux chargés de verres d'eau et de cidre étaient pris d'assaut. Un Nègre en livrée servait du raisin et jetait sur l'échiquier et le Turc des regards lourds de soupçons. Le plus jeune des enfants de l'impératrice, Maximilian Franz, s'évertuait à tirer sur le vêtement de l'automate, jusqu'à ce que sa nourrice lui demandât d'aller à l'ombre. L'impératrice conseilla à Kempelen de se rendre un jour à Versailles avec sa machine car sa petite Marie-Antoinette, dit-elle, adorait les poupées mécaniques.

Friedrich Knaus se dissimulait au milieu des spectateurs ; il préférait ne pas se faire remarquer car il avait été la première victime éminente du Turc, mais, surtout, parce qu'il espérait pouvoir examiner discrètement la machine et en percer à jour le fonctionnement. Mais Jakob le repéra et glissa un mot à Kempelen. Le Hongrois se dirigea alors bravement vers le mécanicien de Sa Majesté qu'il salua d'une poignée de main cordiale.

— Quelle bonté de nous faire une seconde fois l'honneur de votre présence, dit Kempelen. Mais peut-être avez-vous obéi aux ordres de Sa Majesté ?

— Non point, je suis venu de mon chef, répliqua Knaus avec un sourire mielleux. Comment pourrais-je manquer une présentation de votre fameuse machine à jouer aux échecs ? Espérons seulement que sa victoire prévisible n'irritera pas trop l'impératrice.

Les préparatifs étaient achevés. Lorsque l'impératrice vit la seconde table de jeu, elle protesta :

— Je tiens à m'asseoir en face du Turc. Comme Knaus l'autre fois.

— Mais, Votre Majesté, l'automate n'est pas…

— Inoffensif ? Cessez donc, c'est *ridicule*. Un homme tel que vous ne pense tout de même pas que ce brave Turc aurait pu pousser la malheureuse veuve Jesenák par la fenêtre ?

Comme de coutume, le spectacle commença par la présentation du buffet vide. Une fois toutes les portes refermées sauf une, Kempelen se pencha de façon à paraître jeter un ultime coup d'œil tout en allumant la bougie du nain à la sienne. Puis il ferma. En temps ordinaire, il aurait posé son bougeoir sur la table à jouer, mais, sous ce soleil éclatant, c'eût été incongru ; il souffla donc la mèche.

L'impératrice prit place. Un domestique lui approcha un fauteuil, un autre se posta derrière elle, armé d'un parasol, et un troisième lui tendit ses lunettes.

— Nous allons bien voir si le mahométan triomphe de la chrétienne.

Kempelen remonta le mécanisme et retira le dispositif de blocage. Avec son assurance habituelle, le Turc avança son cavalier. Marie-Thérèse chaussa ses lunettes pour examiner le coup et joua, elle aussi, son cavalier. Ceux des spectateurs qui n'avaient encore jamais vu l'automate à l'œuvre applaudirent à tout rompre, mais un regard de l'impératrice suffit à les rappeler à l'ordre.

— Cela n'a rien d'un exploit. Sinon eu égard à cette chaleur peu commune.

En vérité, Tibor n'avait pas souvenir d'avoir autant transpiré de sa vie. Lorsque l'automate avait été installé dans le jardin, il avait versé un peu de son eau sur sa chemise pour se rafraîchir. Mais il n'avait fait que gaspiller une boisson précieuse, car, désormais, il était trempé de la tête aux pieds. Ses vêtements lui collaient à la peau ; le feutre et le bois eux-mêmes étaient humides. Il n'avait pas la place de s'essuyer le front avec sa manche et devait se contenter de ses mains, qu'il frottait ensuite sur sa chemise. Quand il se penchait sur son échiquier, des gouttes de sueur tombaient sur les pièces. Tibor avait l'impression d'avoir gonflé comme une pâte à gâteau sous l'effet de la chaleur ou de se dilater comme du métal. Il se cognait à des angles qui ne l'avaient jamais gêné auparavant, et souffrait de se tenir voûté. Parmi toutes ces roues qui tournaient autour de lui, pourquoi n'y en avait-il pas une munie d'ailettes qui auraient agité d'une brise fraîche l'air stagnant dans les entrailles de l'automate ? Il est vrai que la bougie, accessoire indispensable entre tous, se serait peut-être éteinte. Sa flamme ne lui semblait pas beaucoup plus chaude que l'atmosphère environnante. Sa fumée était à peine perceptible, couverte par l'odeur de transpiration, elle-même dissimulée par les puissants effluves du bois chauffé par le soleil. Tibor avait l'impression que des scarabées ou des fourmis s'étaient introduits dans la machine et couraient sur sa nuque, dans ses cheveux, mais ce n'étaient que des filets de sueur. Celle-ci ruisselait dans sa bouche sans étancher sa soif et lui brûlait les yeux. Sa blessure surtout lui cuisait sous son bandage détrempé. Sur son torse, le trou palpitait comme un second cœur. Il éprouvait des picotements dans tout le bras droit ; il avait le bout des doigts insensible sans pouvoir discerner si c'était la blessure ou la position que la souffrance lui imposait qui en était la cause. Quoi qu'il en fût, le moindre déplacement du pantographe lui était pénible. Tibor avait les mains si moites qu'il avait peur de le laisser glisser à mi-parcours. Il envisagea de se servir de sa main gauche, mais il manquait de pratique, et le seul coup qu'il joua ainsi fut saccadé et imprécis. Mais il ne devait pas se plaindre : cette blessure était un châtiment opportun, presque bienvenu, pour le crime qu'il avait commis. Après tout, la balle aurait aussi bien pu – œil pour œil – lui fracasser le crâne. Tibor voyait tourner à côté de lui le cylindre qu'elle avait effleuré avant de s'enfoncer dans son corps ; la petite bosselure du laiton passait régulièrement de haut en bas, disparaissait et réapparaissait. Puis elle s'immobilisa. Le mécanisme s'était arrêté.

Tibor se figea. Il était temps de remonter le ressort. Cette partie contre l'impératrice lui vaudrait toute l'estime de Kempelen : en pareilles circonstances, le torse transpercé, jouer contre la femme la plus puissante d'Europe et gagner sans la moindre erreur, qui pourrait se vanter de pareil exploit ?

– Il me semble que votre Turc souffre quelque peu de la chaleur, observa Marie-Thérèse pendant que Jakob remontait le mécanisme. Ses gestes me paraissent d'une étrange lenteur. Il doit pourtant être habitué à de telles températures dans sa patrie, *n'est-ce pas* ?

– Il se peut que la chaleur ait déformé le métal des éléments intérieurs.

– Les machines souffriraient-elles donc de faiblesses humaines, elles aussi ? répliqua l'impératrice avec un sourire, avant de reporter son attention sur la partie.

Kempelen jeta un coup d'œil à Joseph, qui devisait avec animation avec Haugwitz. De toute évidence, ils ne s'entretenaient pas uniquement de l'automate. Joseph n'était pas, au demeurant, le seul à être distrait ; le chevalier se promit de ne plus organiser de représentations en plein air.

Sur ces entrefaites, Marie-Thérèse repéra le trou qu'avait laissé la balle dans la porte, sur sa gauche.

– Que s'est-il passé ? Auriez-vous des souris ?

Sans laisser à Kempelen le temps de s'engager dans une explication, l'impératrice enfonça son petit doigt dans l'orifice.

– Ou serait-ce un trou d'aération pour le mécanisme ?

À travers les roues dentées, Tibor vit le feutre se creuser ; la couture sommaire céda et il aperçut un doigt tout entier – un ver rose qui inspectait son nouvel environnement avec curiosité. Pris de panique, il fit un écran de ses deux mains pour masquer la lumière de la chandelle, précaution bien inutile car le doigt n'y voyait pas. Au moment où il avait les mains devant la bougie, un élancement douloureux lui traversa la poitrine. Sa main droite tressaillit et, par inadvertance, enfonça la mèche de la bougie dans la cire, où elle s'éteignit immédiatement avec un léger grésillement. Il se retrouva dans le noir.

– Je vous en prie, Votre Majesté, prenez garde ! Je ne voudrais pas que votre doigt se prenne dans les rouages !

L'impératrice recula immédiatement sa main et le feutre se remit en place.

Le désespoir d'un homme perdu au fond d'une grotte et dont l'unique torche se serait éteinte n'aurait pu égaler celui de Tibor. Le nain essaya d'empêcher la panique de l'envahir : ils avaient mis au point un plan pour parer à cette éventualité : si, d'aventure, sa bougie s'éteignait, il devait faire bouger les yeux du Turc. Ce signal ferait comprendre à Kempelen qu'il devait, sous un prétexte quelconque, inspecter l'intérieur du mécanisme pour lui redonner du feu. Dans le noir, le nain s'empara des câbles qui actionnaient les yeux et tira énergiquement dessus. Le Turc leva les yeux au ciel, ne laissant plus apparaître que le blanc.

Un murmure parcourut le public.

– Votre musulman a un malaise ? demanda l'impératrice.

Kempelen fit un pas en avant pour inspecter l'androïde. Le signal était clair, mais la bougie de Kempelen était éteinte. Il n'y avait de feu nulle part. Il ne pouvait rien faire pour aider Tibor.

– Il réfléchit, voilà tout, expliqua Kempelen. Il va poursuivre la partie. Votre Altesse impériale peut s'asseoir.

L'impératrice joua. Tibor entendit au-dessus de lui les deux aimants qui s'attiraient puis se détachaient. Mais il ne les voyait pas. Il leva la main droite vers l'envers de l'échiquier malgré les élancements qui lui déchiraient la poitrine, mais il n'avait plus aucune vision d'ensemble, au milieu de tous ces clous et de ces petites plaques de fer. Il frôla une roue dentée qui lui griffa le bras et laissa retomber la main. Bien. Kempelen ne l'aiderait pas. *Il va poursuivre la partie.* La consigne était claire. Tibor devait continuer jusqu'au bout, coûte que coûte. Il ferma les yeux – un geste de pure forme, car il faisait nuit noire – et essaya de se remémorer l'état de la partie. Le fou de l'impératrice était menacé par un de ses pions. Elle avait donc dû reculer ce fou pour le mettre à l'abri sur une des deux cases sûres. Mais laquelle ? Tibor se décida pour celle de derrière. C'est ainsi que lui-même aurait joué. Il tâta les pièces de son propre échiquier – prudemment, pour éviter un nouvel accident –, attrapa le fou rouge et le posa sur la case correspondante. Il s'était déclaré incapable de jouer sans l'échiquier, mais, là, s'il était effectivement « en aveugle », du moins gardait-il la faculté de toucher les pièces. Il avança ensuite agressivement sa dame car, s'il y avait une chose qu'il souhaitait, c'était en finir au plus vite. Son avantage était suffisant. L'impératrice ne pouvait plus le mettre en danger. Il manipula le pantographe sans erreur. Les battements de son cœur se ralentirent un peu. Ne faisait-il pas légèrement plus frais dans la machine maintenant que la bougie était éteinte ? En tout cas, les bruits lui semblaient plus proches à présent qu'il n'y voyait plus : les rouages, les murmures des spectateurs, le gravier qui crissait sous les pas, et même le léger halètement de l'impératrice, assise à moins de trois pieds de lui.

La partie se poursuivit. Après chaque coup de l'impératrice, il tâtait les plaques métalliques et, calmement, arrivait à en déduire ses déplacements. Il s'empara d'un cavalier de l'impératrice qui était en mauvaise posture. Encore quatre coups tout au plus, et elle serait mat.

Tibor avança son pion. Mais, lorsque le Turc reproduisit son coup, il renversa une pièce. Tibor l'entendit distinctement. La case qu'il croyait libre ne l'était pas. Le fou de l'impératrice... Finalement, elle ne l'avait pas reculé. Il posa son pion.

— Qu'y a-t-il ? demanda Joseph. L'automate a commis une erreur ?

Il fallait que Tibor retire son pion, et Kempelen redresserait le fou rouge. Le nain attrapa le pantographe et, ce faisant, renversa plusieurs pièces. L'une d'elles roula de l'échiquier et tomba sur le plancher de bois en faisant un bruit qui lui parut assourdissant. Le pantographe n'arriva pas à s'emparer du pion. Tibor essaya encore. Le deuxième essai fut le bon. Il recula le pion, mais il ne savait plus que faire. Il avança un pion d'une case située au bord de l'échiquier – un coup parfaitement absurde, mais au moins régulier. Il perçut la confusion des spectateurs. Il ne devait surtout pas se laisser démonter. Il fallait qu'il reconstitue le plus rapidement possible l'état du jeu. Sur son échiquier, c'était le chaos. Il repéra au toucher plusieurs pièces couchées ; certaines partageaient la même case, une autre avait complètement disparu. Il n'arriverait pas à remettre le jeu en place même en se fiant aux petites plaques de métal. Marie-Thérèse joua, une plaque métallique tinta au-dessus de lui. Cela n'avait plus d'importance. Tibor était perdu. Il ne lui restait qu'à éviter que la défaite ne tourne à la catastrophe, car le mécanisme tournait toujours, le Turc semblait toujours plongé dans ses réflexions. Il n'y avait qu'une solution : arrêter les rouages. Tibor attrapa une pièce qu'il glissa entre deux roues dentées. On entendit un bref grincement, et l'automate s'immobilisa.

Ni Kempelen ni Jakob ne comprirent que, si le mécanisme s'était arrêté, c'était du fait de Tibor et non parce que les ressorts étaient détendus. Jakob remonta la manivelle. Les roues demeurèrent immobiles.

— Que se passe-t-il encore ? demanda l'impératrice d'un ton plus sévère.

— *Un moment*, dit Kempelen. Je vais voir cela de plus près.

Il ouvrit la porte arrière, et Tibor cligna des yeux, ébloui par la clarté soudaine. Comme la vapeur qui monte d'une casserole quand on retire le couvercle, un peu de chaleur s'échappa alors de l'automate, laissant pénétrer un flot d'air plus frais. Les deux hommes se regardèrent droit dans les yeux. Tibor admira la maîtrise et l'assurance dont Kempelen faisait preuve malgré la situation. Lui-même se contenta de faire non de la tête. Kempelen referma aussitôt la porte.

— Toutes mes félicitations, Votre Majesté, lança alors le chevalier. La victoire est à vous, car mon Turc se voit contraint, j'en ai peur, d'abandonner la partie. La chaleur a provoqué des dégâts dont la réparation nécessitera malheureusement un certain temps.

— Nous avons gagné ? demanda Marie-Thérèse.

— Oui. Votre Majesté est ainsi la première à vaincre mon joueur d'échecs. Je n'aurais pu souhaiter la victoire à meilleur adversaire. Applaudissements !

Peu de spectateurs répondirent à son invitation. Le désarroi était manifeste.

L'impératrice exprima alors l'avis général :

— Une victoire trop aisée contre la plus grandiose invention du siècle. Une défaite m'eût été plus agréable que pareil succès.

— Oh, j'insiste pour une revanche ! répliqua Kempelen, d'une voix qui tremblait un peu.

— Contre une machine cassée ?

— J'aurai réparé les dégâts d'ici à demain : ce n'est qu'une vétille et nous pourrons alors rejouer au même endroit, ou reprendre la partie en l'état où elle se trouve à présent.

— Nous partons demain pour Salzbourg.

— Dans ce cas, j'attendrai votre retour, et nous...

— Non. Vous n'attendrez pas.

– Mais c'est…

–Peut-être viendrons-nous un jour à Presbourg. (L'impératrice se leva de son fauteuil, sans feindre, cette fois, les vieilles dames infirmes.) C'est un lieu que nous aimons. Jusque-là, adieu, chevalier von Kempelen.

Kempelen faillit parler, mais il se ravisa et s'inclina en souriant. Les yeux au sol, posés sur le gravier qui entourait ses pieds, il remarqua qu'un léger vent s'était levé, rafraîchissant son visage baigné de sueur. Lorsqu'il releva la tête, l'impératrice était déjà loin. Les spectateurs formaient la haie sans manquer d'observer Kempelen, qui suivait l'impératrice du regard, comme le faisait, à côté de lui, sa créature, le Turc. Kempelen se tourna vers Jakob et lui dit une futilité, simplement pour masquer son embarras. Il continuait de sourire, comme si cette représentation manquée n'était qu'une bagatelle qui ne le tracassait guère. Jakob avait un peu plus de mal à maîtriser ses traits ; il fallut que Kempelen lui chuchote « Contenance ».

Des nuages glissaient entre ciel et terre. Lorsque Kempelen se retourna, le public s'était largement dispersé. La plupart avaient suivi l'impératrice à l'intérieur du palais. Joseph et Haugwitz poursuivaient leur conversation comme si la démonstration de l'automate n'avait été qu'une interruption fâcheuse et dénuée d'intérêt. Les laquais rangeaient les chaises, emportaient les rafraîchissements. Personne n'adressa la parole à Kempelen – personne, sauf Friedrich Knaus, qui n'avait pas quitté sa place et se trouvait à présent en face de lui, les mains croisées dans le dos, la tête légèrement inclinée, parfaite incarnation du respect. À pas tranquilles, presque nonchalants, il s'approcha de la table à jouer et regarda le Turc en souriant.

– Oui, bien sûr, la chaleur, fit-il, et il frappa d'un air entendu sur le plateau de la jointure des doigts, comme s'il savait ce qui se cachait dessous. Il m'est arrivé d'observer un ralentissement des systèmes d'horlogerie lors d'une chaleur extrême. Mais un arrêt, ma foi, non, un arrêt, jamais.

– Puis-je vous aider ? demanda Kempelen.

— M'aider ? Moi ? Oh ! non, chevalier. Je n'ai pas besoin d'aide. Mais vous, peut-être ? J'ai en ville un excellent atelier, si vous vouliez donc raccommoder un peu votre… appareil, vous êtes le bienvenu, très cordialement. Je mettrai à votre disposition mon outillage et mes modestes connaissances, si vous le souhaitez. En toute amitié, bien sûr, entre membres de la même confrérie.

— Je vous remercie. Cela ne sera point nécessaire.

Knaus fit un signe de tête qui s'adressait également à Jakob. Il fit mine de s'éloigner, opéra un demi-tour, posa un doigt sur sa bouche et sourit d'aise avant de confier à Kempelen la cause de son amusement.

— Savez-vous ce que Sa Majesté impériale vient de dire à propos de nos automates ? Ce sont, selon lui, des reliques du passé, des jouets poussiéreux qui datent d'avant-guerre. Mieux vaudrait, selon lui, mettre de l'argent et de l'énergie au service d'inventions plus judicieuses. Et voilà : hier encore d'*avant-garde*, aujourd'hui *antiquités*. S'il n'était empereur, je l'aurais contredit avec ardeur.

Il quitta les jardins en musardant, traînant les pieds dans le gravier, prenant le temps de s'incliner sur un buisson de roses blanches pour en humer le parfum. Kempelen, Jakob et la machine restèrent cloués sur place. Jakob lui-même n'eut pas le cœur à lancer quelque repartie.

Le ciel s'était assombri sur la ville, mais la pluie se faisait attendre. Ils arrivèrent chez Kempelen juste avant l'orage. Lorsque Tibor émergea enfin de l'automate – affamé, assoiffé et empestant la sueur séchée –, Kempelen se tenait dos à la fenêtre. Le nain prit le verre d'eau que Jakob lui tendit après avoir expliqué à son employeur le malheureux enchaînement de circonstances qui avait conduit à sa défaillance.

Kempelen ne posa pas de question, il ne hocha pas la tête et ne tourna les yeux vers lui que lorsqu'il eut terminé. Il lui dit alors, laconique :

— Tu n'as pas été particulièrement brillant auparavant non plus.

Le temps que Tibor aille se laver, son sentiment de culpabilité s'était mué en mauvaise humeur : après tout, il avait fait tout ce qui était humainement possible pour mener cette partie à bonne fin. C'était Kempelen qui avait accepté que l'impératrice s'asseye à la table à jouer, c'était lui aussi qui n'avait pas pu rallumer sa bougie comme convenu. Et lorsque Tibor retira le bandage souillé, comme soudé à sa peau, et qu'il vit la plaie entourée d'un halo rougeâtre, il se rappela que Kempelen n'avait pas empêché Andrássy de tirer, qu'il ne l'avait pas protégé comme il le lui avait promis.

Après avoir refait le bandage de Tibor, Jakob prit soudain congé, son manteau sur le bras. Kempelen lui demanda de rester, mais l'autre déclara qu'il n'avait plus rien à faire là et qu'il avait envie de faire un tour en ville. Après tout, il avait bien droit à un peu de temps libre. Lorsque Kempelen réitéra son interdiction, Jakob répliqua :

— Je me laisse aisément convaincre, mais pas commander.

De toute évidence, l'ambiance qui régnait dans l'appartement lui était devenue intolérable et il préférait encore la grêle qui avait commencé à s'abattre sur l'Alsergasse. Tibor aurait bien voulu l'accompagner.

Kempelen était encore à la fenêtre lorsque le nain lui annonça qu'il allait s'allonger. Il ajouta :

— C'était notre dernière représentation ?

— Je préfère que nous ne parlions pas de cela aujourd'hui.

Le nain hocha la tête.

— Vous n'auriez pas dû éteindre votre bougie.

Kempelen se retourna brusquement, l'index levé.

— Je te préviens, lança-t-il. Ne t'avise pas de m'imputer la responsabilité du gâchis que tu as fait au Kammergarten. Rappelle-toi plutôt que ce n'est pas la première faute que tu commets et que je suis obligé d'assumer à ta place.

Tibor aurait dû se taire, mais ce fut plus fort que lui.

— Vous ne pouvez tout de même pas faire une comparaison pareille ! Je n'ai rien fait de mal aujourd'hui !

— Pas un mot, dit l'autre, et il tourna les yeux vers la fenêtre. Je ne veux plus entendre un seul mot, c'est compris ?

Tibor se tut et alla s'allonger sur le lit de la chambre voisine. Il ferma les yeux.

À sa surprise, la première image qui lui apparut dans le noir ne fut pas celle de sa récente défaite, ni celle de la colère de Kempelen, du cratère enflammé qui lui dévorait la poitrine, pas plus que les traits de la baronne morte qui l'avaient poursuivi si longtemps, c'était le visage d'Élise. L'unique heure qu'il avait passée avec la petite servante aurait dû être éternelle : ils avaient été assis l'un en face de l'autre en compagnie du Pacha comme de vieux amis, leurs genoux à une paume à peine de distance, la chaleur du corps de la jeune fille irradiant presque jusqu'au sien, à discuter en toute honnêteté de son rôle d'escroc et du sien, de traîtresse. Il se rappela le soleil qui brillait dans l'atelier, la poussière qui flottait dans l'air, transformée par la lumière en une auréole nimbant les cheveux d'Élise, sa médaille sainte dans sa main, son odeur à ses narines. L'image demeura en lui jusqu'à ce qu'il soit endormi. Un sentiment inconnu avait pris possession de Tibor, un sentiment qu'il avait attendu toute sa vie.

J. Jakob regardait la plume tracer les lettres sur le papier. Le châssis qui maintenait la feuille se décala légèrement et la plume dessina la lettre suivante : *a*. Le papier se déplaça à nouveau : un *k* et un *o*. La petite femme de laiton plongea le bec de sa plume dans un encrier, avant de poursuivre sa tâche. *b*. Le papier revint à sa place initiale mais monta d'une ligne, permettant à son nom de famille de s'écrire sous son prénom : *Wachsberger*. Après chaque lettre, le papier se déplaçait ; au bout de quatre, la figurine reprenait de l'encre. La porteuse de plume était une déesse aux cheveux relevés vêtue d'une ample tunique, dont la main droite écrivait tandis que la gauche prenait appui sur un accotoir. Elle était assise sur un immense globe terrestre que deux aigles de bronze portaient sur leurs ailes. Eux-mêmes reposaient sur un socle de marbre brun et noir richement orné. Le châssis sur lequel le papier était tendu était relié à la machine et entouré de fleurs en laiton. L'ensemble avait la taille d'un homme. En comparaison avec cette *Merveilleuse Machine à tout écrire* de Knaus, l'ornementation du *Joueur d'échecs* de Kempelen était d'une austérité presque spartiate.

Jakob
Wachsberger
Écrit à Vienne
Le 14 août MDCCLXX

L'inscription semblait aussi impérissable que celle d'une pierre tombale. Friedrich Knaus détacha le papier du cadre, souffla prudemment sur l'encre pour la sécher et tendit la feuille à Jakob avec un clin d'œil.

— Ne la montrez pas à votre patron, ou il en voudra une, lui aussi.

Knaus déverrouilla le globe. Il s'ouvrit en cinq segments, semblables à des pétales de fleur, révélant les secrets du mécanisme. La supériorité de cette machine était flagrante : les éléments étaient plus précis, plus petits, les rouages plus inventifs que ceux du Turc. Jakob chaussa ses lunettes pour les inspecter de plus près. Knaus lui fit remarquer le cylindre sur lequel on pouvait ajuster les lettres, lesquelles étaient réglées en cet instant précis pour écrire le nom de Jakob, le lieu et la date.

— Elle m'emplit encore de fierté, reconnut le mécanicien en posant une main sur le marbre, bien que ce ne soit pas la plus récente. Son utilité est, je vous l'accorde, réduite, car n'importe quel enfant écrit plus rapidement qu'elle. Et ses capacités sont limitées : elle n'écrit que ce qu'on lui dicte. Il faut par ailleurs qu'il y ait exactement soixante-huit lettres. Elle ne corrige pas les fautes, elle ne rédige pas, elle ne pense pas... (Knaus tourna les yeux vers Jakob, qui observait le cylindre avec une telle attention qu'on aurait pu croire qu'il n'écoutait pas.) Mais ce qu'elle fait, elle le fait de son propre mouvement. Elle est d'une honnêteté absolue. Elle ne prétend pas être ce qu'elle n'est pas.

Jakob releva alors la tête.

– C'est un interrogatoire ? Le cas échéant, je préfère vous dire adieu tout de suite.

Knaus leva la main en signe d'apaisement.

– Mais non ! Cet automate joueur d'échecs ne me fait ni chaud ni froid.

Jakob leva les sourcils.

– Depuis quand ?

– Depuis ce midi.

Knaus s'installa devant son secrétaire.

– J'aurais aimé vous offrir du thé ou une pâtisserie, mais je ne m'attendais pas à votre visite. Vous avez même de la chance de m'avoir trouvé dans mon cabinet. (Jakob plia la feuille sur laquelle la machine avait écrit son nom et prit la chaise que Knaus lui offrait.) Je vous remercie néanmoins d'avoir enfin répondu à l'invitation que je vous avais faite il y a bien longtemps. Vous avez vu ma machine, je vous ai fait visiter mon atelier : est-il autre chose que je puisse faire pour vous ?

– Au printemps dernier, vous m'avez proposé de travailler pour vous. Cette offre tient-elle toujours ?

– Évidemment. À condition que vous n'ayez pas perdu votre habileté entre-temps.

– À combien s'élèverait le salaire ?

– Je vous propose vingt florins.

– Par mois ?

– Qu'imaginiez-vous ? Par semaine, peut-être ?

– Ce n'est pas assez.

– Vraiment ? demanda Knaus en souriant.

Il joignit les mains et se cala dans son fauteuil.

– C'est nettement insuffisant

– Votre navire a pris l'eau aujourd'hui, mon cher, et vous feriez bien de ne pas examiner trop longtemps la main secourable que l'on vous tend. Autrement, vous allez sombrer corps et biens, avec votre fringant capitaine.

— Nous avons essuyé un léger revers aujourd'hui. Une défaillance mécanique.

— Ce n'était pas un revers, non, c'était *la* défaite. J'ai déjà vu des hommes inspirer à l'impératrice un désintérêt soudain pour des motifs plus futiles.

Jakob retira ses lunettes et en replia les branches.

— Vous croyez à son échec, car il répondrait à vos vœux

— Ce qui n'empêche pas sa réalité. Avez-vous observé le visage de votre maître aujourd'hui ? Bien sûr que oui, vous étiez à ses côtés. Une expression peu courante chez lui de désespoir qui se verra de plus en plus souvent sur ses traits, croyez-moi. Il semblait passablement exténué. On aurait cru qu'il venait de passer sous les fourches caudines. Il a même mis sa femme à la porte, tant elle le fatigue.

— Comment savez-vous cela ?

— C'est un homme qui n'a pas l'habitude de la défaite. Notre Prométhée moderne s'est transformé en Icare. Croyez-moi : Wolfgang Kempelen est sur la pente descendante, et je ne vois pas ce qui vous oblige à l'y suivre.

— La loyauté.

Knaus rit.

— Mais bien sûr ! Elle est bien bonne.

— Je veux trente florins. C'est un minimum. Autrement, je reste à Presbourg.

— Nous pourrions nous entendre sur vingt-quatre, non, voyons, vingt-deux, mais vous n'obtiendrez pas davantage de moi. Réfléchissez : d'autres compagnons seraient prêts à payer pour pouvoir travailler avec moi au Cabinet de physique de la cour.

— Et d'autres maîtres verseraient une fortune en échange de mon savoir.

Knaus resta silencieux un instant, pianota du bout des doigts sur le plateau de son secrétaire.

— Bien. Si vous me révélez le fonctionnement de cette machine à jouer aux échecs – cette offre tient toujours, et je reste convaincu qu'il s'agit d'une supercherie –, j'accepterai de faire un effort supplémentaire.

Jakob baissa les yeux avant de les tourner vers la déesse posée sur son globe.

— Malheureusement, je ne fais que des montres, pas le temps, et celui-ci nous est compté, reprit Knaus devant son mutisme. (Il se releva et repoussa sa chaise sans douceur.) Réfléchissez à ma proposition, et songez également que mon prix aura tendance à baisser plus qu'à monter.

Knaus ouvrit la porte de son cabinet de travail pour laisser passer Jakob.

— Adieu. Je suis sûr que nous nous reverrons bientôt.

— Est-ce de cette manière que vous traitez vos collaborateurs ?

— Je n'ai jamais cherché à me faire aimer d'eux. Ce qui m'importe, c'est la faveur des riches et des puissants. Cela répond-il à votre question ?

Sur ces mots, Knaus referma la porte. Dès qu'il fut seul, son visage se fendit d'un grand sourire. D'une démarche sautillante, il s'approcha de sa *Merveilleuse Machine à tout écrire* et, plein d'allégresse, baisa les jolis petits pieds nus de la déesse. Le goût du laiton lui demeura longtemps sur les lèvres.

Neuchâtel. Nuit

Johann avait découvert que le nain était descendu à l'hostellerie de L'Aubier, mais il ne savait pas s'il était accompagné et, le cas échéant, par qui. Carmaux avait, semblait-il, insisté pour se charger de ses frais d'hébergement. Pour le moment, de nombreux bourgeois fêtaient encore l'exploit de Gottfried Neumann en sa compagnie dans la salle de l'auberge.

Johann avait appris que Neumann était arrivé en Suisse treize ans auparavant, venant, prétendait-on, de Passau. Il dirigeait à La Chaux-de-Fonds un petit atelier de deux employés spécialisé dans les *tableaux animés* – des peintures intégrant des mécanismes d'horlogerie qui, dès qu'on les remontait, prêtaient vie à la scène représentée : les forgerons martelaient, les paysans battaient le blé, les femmes puisaient l'eau, les chevaux galopaient, les bateaux naviguaient sur les flots, les nuages glissaient dans le ciel. Neumann était un ami de Pierre et d'Henri-Louis Jaquet-Droz à qui il avait prodigué conseils et idées lors de la fabrication de leur célèbre trio d'automates – trois androïdes dont le premier écrivait, le deuxième dessinait et le troisième jouait de la musique.

Kempelen attendit encore une heure avant d'annoncer à sa femme qu'il devait ressortir. Il emmena Johann. La nuit était aussi inhospitalière qu'on pouvait l'imaginer ; à travers les ruelles, un vent cinglant venu du lac de Neuchâtel chassait des flocons de neige qui s'accumulaient dans les angles et contre les murs des maisons où ils resteraient toute la nuit à moins qu'ils n'en fussent chassés par une nouvelle bourrasque. Le pavé était verglacé. Le soleil printanier ferait fondre neige et glace dès le lendemain matin, mais, pour le moment, l'hiver semblait avoir repris ses droits. Kempelen marchait, abrité du vent par la haute carcasse de Johann.

Lorsque les deux compagnons eurent secoué la neige de leurs manteaux et furent entrés dans la chaleur de la salle, l'aubergiste se précipita vers eux pour leur signifier que son établissement était fermé. Kempelen lui glissa quelques pièces dans la main, et l'homme se ravisa. Le chevalier commanda alors deux punchs puis demanda que l'on fermât la porte et qu'on ne laissât plus entrer personne.

La salle était vide, à l'exception de l'aubergiste et d'une silhouette perdue à une table qui leva les yeux : c'était Neumann. Il avait devant lui une feuille de papier, un fusain et un gobelet. Kempelen se dirigea vers lui, tirant Johann par la manche. Neumann ne bougea pas.

— Alors, tu es vivant, dit Kempelen.

— Toi aussi.

— Oui, répondit Kempelen, dont le visage était redevenu souriant.

Les deux hommes restèrent longtemps muets.

Johann fit un geste involontaire qui manifestait sa gêne devant le silence qui avait suivi ce morne échange de salutations. Kempelen reprit alors la parole.

— Permettez-moi de faire les présentations : voici Johann, Johann Allgaier, et voici Tibor...

— Gottfried. Gottfried Neumann.

— *Gottfried*... Vraiment, tu as pensé à tout.

Tibor et Johann se serrèrent la main.

— C'est lui, le cerveau ?

Johann tressaillit, mais Kempelen lui posa la main sur le bras.

— Ça va, Johann. Il est au courant.

— Vous jouez vraiment très bien, dit Tibor.

— Je vous remercie, monsieur. Et vous retourne le compliment.

Le regard de Johann tomba sur le papier posé sur la table. Tibor y avait dessiné leur partie interrompue.

— Il n'y a pas un échiquier dans toute la maison, expliqua-t-il. J'ai dû m'en dessiner un.

Johann désigna du doigt la case centrale.

— Il va encore y avoir beaucoup d'allées et venues entre ma tour et votre fou.

— Oui. Je suis de votre avis.

— Pensez-vous que vous allez gagner ?

— Je vais m'y efforcer.

L'aubergiste apporta le vin brûlant. Kempelen demanda à Tibor s'il voulait autre chose, mais celui-ci secoua la tête. Kempelen pria alors l'aubergiste et Johann de les laisser seuls. Le tenancier quitta la pièce après avoir ajouté quelques bûches. Johann s'assit près du feu avec son punch et posa les pieds sur un tabouret. Après avoir bu, il s'endormit, ou fit semblant.

Kempelen prit place en face de Tibor, qui scruta son visage avec attention.

— Tu as bonne mine, fit le premier après avoir avalé une gorgée.

— Quelques cheveux gris, c'est tout.

En souriant, il se passa la main sur le crâne. Son front était désormais plus haut, ses cheveux plus rares.

Tibor jeta un coup d'œil en direction de Johann.

— Il est grand. Comment tient-il dans le buffet ?

— J'ai procédé à quelques transformations. Toute la partie postérieure est vide et il est assis sur une planche munie de roulettes. Cela facilite ses déplacements.

Tibor hocha la tête. Kempelen posa les yeux sur l'esquisse.

— Tu as l'intention de gagner, disais-tu ?

— Oui.

— Ta victoire me serait préjudiciable.

Tibor ne jugea pas utile de répondre.

— Johann est plus fort que toi, ajouta alors Kempelen.

– Dans ce cas, tu n'as pas de soucis à te faire.

Kempelen soupira.

– Je voudrais que tu perdes. C'est très important pour le Turc. J'ai encore toute l'Europe à parcourir : Paris, Londres, peut-être Berlin, la foire de Leipzig. Je ne voudrais pas commencer ce voyage par une défaite. (Kempelen retira son manteau.) Je te rembourse les cinquante thalers que tu devras verser.

Tibor se tut.

– Ce n'est pas assez ? J'aurais dû m'en douter. Combien veux-tu ? Cent ? Cent cinquante ? En ce qui me concerne, tu peux bien toucher l'intégralité des deux cents, je ne veux pas de cet argent.

– Moi non plus.

– Serais-tu si fortuné que pareille somme t'indiffère ? (Kempelen s'inclina un peu et baissa la voix.) Tibor, j'ai été en correspondance avec Philidor. Philidor, oui, le grand Philidor, ton maître, en quelque sorte. Il s'est lui-même déclaré prêt à disputer une partie contre le Turc – et à perdre ! Il n'y a rien de déshonorant à cela.

– Je ne perdrai pas, à moins d'être battu par Johann. Et si tu es venu dans l'intention de m'acheter, tu peux repartir dès que tu auras fini de boire.

– Tu cherches à me rendre la monnaie de ma pièce, c'est cela ? Tu veux m'humilier et tu estimes que ce petit plaisir vaut bien tes cinquante thalers ?

– Si j'avais voulu me venger, j'aurais ouvert les portes de la machine dès aujourd'hui, devant tout le monde, et j'aurais crié : « Regardez, voici le secret de cette prodigieuse mécanique ! »

Une bûche crépita dans l'âtre.

– Pourquoi as-tu reconstruit le Turc ? demanda Tibor.

– Pourquoi cette question ?

– Parce que j'avais espéré que tu t'en abstiendrais. Parce que j'avais espéré ne plus jamais le revoir.

– Cela devrait te laisser parfaitement indifférent. (Kempelen se frotta les yeux.) Mais sache qu'il y a toute une série de raisons. Ma machine à parler ne fait aucun progrès. Et j'ai quelques difficultés financières. Teréz a eu un petit frère, ils sont ici avec moi, et il faut que je subvienne aux besoins de mes enfants. L'empereur Joseph n'est pas aussi généreux que feu sa mère, tu le sais probablement. Et puis il ne m'aime pas. Mais il se trouve qu'il y a un an le grand-duc Paul de Russie s'est rendu à Vienne et qu'il a exprimé le très vif désir de jouer contre le Turc. Joseph m'a donc demandé de remettre l'automate en état à l'intention de ce noble invité. Tu imagineras aisément le temps et le travail qu'il m'a fallu pour rendre à cette machine son aspect d'origine. Le corps est entièrement neuf. Et la couleur des yeux n'est pas la même. J'en ai profité pour transformer un peu le buffet, l'élargir de manière qu'un homme normal... normalement grand, comme Johann, puisse s'y introduire. Et voici que d'un coup tout le monde se souvient de ma machine, tout le monde écrit à son propos, Windisch publie son livre. Comme ma patrie connaissait déjà le Turc, je suis parti plus loin, afin de le présenter au reste de l'Europe. Presbourg n'est plus ce qu'elle était depuis que l'impératrice est morte et qu'Ofen est redevenue capitale de la Hongrie.

— Crois-tu sincèrement que cette tournée sera un succès ?

— Que veux-tu dire ? Chercherais-tu à m'inquiéter ?

— Je me demande seulement qui a encore envie de voir des machines qui se comportent comme des hommes. N'y a-t-il pas de nos jours suffisamment d'hommes qui vivent et travaillent comme des machines ? Tous ces esclaves au service de vraies machines... Il n'y a qu'à songer aux nouveaux métiers à tisser.

— Quelle profondeur d'esprit admirable ! observa Kempelen avant d'avaler une longue gorgée de punch. En Bavière, la présentation du Turc a été un succès complet. J'ai bien peur que tu ne sois le seul à haïr le progrès, Gottfried.

Tibor se leva, chiffonna la feuille sur laquelle il avait dessiné la partie interrompue et se dirigea vers la cheminée.

— Le baron Andrássy ne te poursuit plus ? demanda-t-il sans se retourner.

— Andrássy est mort il y a quatre ans. Tombé au champ d'honneur, pendant la guerre de Bavière. Je suppose qu'il a péri comme il l'aurait voulu.

— La malédiction du Turc.

— Exactement. C'est de très bon goût.

Tibor s'approcha de Johann endormi et jeta son dessin au feu. Il regarda les flammes consumer et réduire en cendres l'échiquier. Il n'arriverait plus à y réfléchir cette nuit, de toute façon.

À L'Écrevisse

Tibor ouvrit les yeux. Élise était devant lui. Elle portait une robe rouge sous une pèlerine bleu foncé, et tenait sur le bras gauche un enfant au maillot. Elle sourit et fit un pas vers lui. De sa main droite, elle caressa son torse dénudé et découvrit l'orifice que la balle y avait laissé. « Un trou d'aération pour le mécanisme ? » Tibor était excité. Elle glissa sa main dans sa poitrine, le bout des doigts en avant. La main disparut jusqu'au poignet, s'enfonçant dans sa chair comme dans du beurre. Puis elle la ressortit. Elle tenait son cœur, rouge et brillant comme une pomme. Pourtant, lorsqu'elle le tourna entre ses doigts, il se rendit compte que ce n'était pas un cœur, mais une montre. Tibor baissa les yeux vers sa blessure. Sous la peau, il distingua des tringles, des câbles et des tuyaux déchirés. Ils étaient entourés de paille et d'argile. De l'huile suintait des tuyaux. Lorsqu'il releva les yeux, Élise était partie. Il sentit ses membres se durcir : lorsqu'il remua le bras, il vit qu'il était sculpté dans du bois clair. Une grande charnière au niveau du coude assujettissait le bras à l'avant-bras. De nombreuses attaches articulées, de plus petites dimensions, permettaient aux doigts de remuer. Les yeux de verre de Tibor se posèrent sur un miroir. Sur son front, il déchiffra, en lettres hébraïques noires comme le plomb, *aemaeth*. Le miroir aurait pourtant dû les inverser. Et comment arrivait-il à les lire ? Tout cela était fort étrange. Il se détourna. Il fallait qu'il aille à l'église. Il y trouverait du secours. L'église était haute et construite en pierre sombre. Des vapeurs d'encens voletaient entre les bancs comme des nappes de brouillard. Tibor se dirigea vers l'autel, où le prêtre fumait la pipe. Ce n'était pas de l'encens, mais la fumée du tabac. Le prêtre portait un turban. C'était Andrássy, vêtu du caftan du Turc. De la main gauche, il fit signe à Tibor d'approcher. Il sourit. « Joue contre moi et gagne. » Un échiquier était disposé sur l'autel. Tibor ouvrit la partie. Il gagnerait, naturellement. Les pièces d'Andrássy étaient noires au lieu d'être rouges. L'échiquier avait, lui aussi, des cases noires et blanches. Tibor cligna des yeux : le damier avait grandi. Il mesurait à présent neuf cases sur neuf. Il avait cent cases. Non. Deux cent soixante-cinq. Tout l'autel était recouvert de cases noires et blanches. Tibor jouait toujours avec ses seize pièces. Andrássy, en revanche, en avait de nouvelles. Des figures que Tibor ne connaissait que par ses lectures : une corneille ; un bateau ; une voiture ; un chameau ; un éléphant ; un crocodile ; une girafe. Ils jouaient des coups que Tibor ne connaissait pas. Ils se déplaçaient en courbes. Ils faisaient des sauts immenses. L'oiseau fut déposé sur une case et, de là, il captura le cavalier de Tibor sans sommation, alors qu'il en était fort loin. Andrássy sourit. Comme il ressemblait à sa sœur ! La peinture craquelait sur ses joues. Sa peau tombait en flocons sur le sol, laissant apparaître les os. La chair se détachait de son corps comme le mortier sec d'un mur. Il ne resta finalement de lui qu'un squelette, et sa tête n'était plus qu'un crâne évidé. Mais son sourire était resté. Les deux mains du squelette se déplaçaient simultanément. Quand Tibor jouait un coup, son vis-à-vis en jouait deux. Les figures blanches tombaient les unes après les autres. Bientôt, le bestiaire de pièces noires n'eut plus pour adversaire que le roi blanc. *Maeth*, dit le squelette. Tibor retira son roi de la case pour éviter sa défaite. Il mit la pièce en bouche. Elle était molle et saigna sous ses dents, répandant sur sa langue un goût de fer. Il avala en même temps le sang et la figure. Le squelette essaya de s'emparer de lui. Tibor chercha à s'enfuir. Mais des fils étaient attachés à sa tête et à ses membres. Et l'extrémité de ces fils était entre les mains de son adversaire. Celui-ci les tira, traînant le Tibor de bois sur l'échiquier. De ses doigts osseux, il voulut effacer les lettres de son front. Tibor cria. La main libre du Turc le bâillonna, étouffant son cri. Il ne pouvait plus respirer.

Il se réveilla en sursaut. Élise avait posé la main sur sa bouche. Il inspira par le nez. Il avait les yeux grands ouverts. S'il s'était agi d'une autre main, il l'aurait immédiatement repoussée avec brutalité, mais il resta immobile. La jeune fille était assise sur son lit. Dans son autre main, elle tenait une chandelle. Que faisait-elle ici ? Comment était-elle arrivée à Vienne ? Où étaient Kempelen et Jakob ?

Il lui fallut quelques instants pour émerger de son rêve et reprendre pied dans la réalité. Bien sûr, il n'était plus à Vienne. Ils avaient regagné Presbourg deux jours plus tôt. Il était dans sa chambre de la rue du Danube. Mais cela ne suffisait pas à expliquer la présence de la jeune fille à ses côtés, dans sa chambre, en pleine nuit. C'était comme si elle était sortie de son rêve, bien qu'elle portât sa tenue habituelle, avec un fichu par-dessus, au lieu d'un vêtement rouge et bleu nuit. Le seul point commun entre son songe et la réalité était que son torse ruisselant de sueur était nu, à l'exception d'un bandage, et qu'il avait effectivement un goût de sang dans la bouche.

— Oui ? demanda-t-elle.

Tibor hocha la tête. Elle retira alors la main de sa bouche. Sa paume était souillée de salive et de sang. Elle s'essuya au drap. Tibor s'était mordu la langue en dormant. Il lécha le sang qui barbouillait ses lèvres et remonta le drap pour se couvrir.

— Pardonne-moi, mais tu allais crier. J'ai eu peur que M. von Kempelen ne nous entende.

Elle chuchotait. Elle posa alors sa bougie sur la table de chevet et retira son foulard. Tibor regarda le cadran de la pendule qui se trouvait sur sa petite table de travail. Il était un peu plus de quatre heures et il faisait encore aussi chaud qu'en plein midi.

— Pourquoi… Que fais-tu ici ? demanda-t-il. Que s'est-il passé ?

— J'ai trouvé un bandage couvert de sang dans les ordures et j'ai bien pensé que c'était toi. Je me suis fait du souci.

Elle tendit le doigt vers son bandage. Tibor baissa les yeux sur son torse.

— Une balle, expliqua-t-il. Andrássy.

— C'est grave ?

— Je ne sais pas. La blessure n'est pas grande. Mais elle met du temps à guérir.

— Tu as de la fièvre.

— Oui.

— Tu veux bien me laisser voir ?

Ensemble, ils retirèrent le bandage. Les doigts d'Élise effleurèrent ceux de Tibor, ils glissèrent sur son bras, son dos et sa poitrine. Ils écartèrent l'étoffe, et, bougie à la main, elle s'approcha à deux empans de sa poitrine. La blessure par balle qu'il avait reçue dans la cuisse gauche bien des années auparavant, à la bataille de Torgau, avait cicatrisé rapidement et presque sans douleur. Le coup de feu d'Andrássy, en revanche, avait laissé une vilaine lésion qui refusait de guérir : l'auréole rouge s'était agrandie, l'inflammation était manifeste. Les lèvres de la plaie étaient dures, mais la peau déchirée ne s'était pas refermée. À la lueur vacillante de la bougie, on voyait briller du pus. Tibor s'en était douté : la blessure était grave. Mais le visage d'Élise l'inquiéta plus profondément. Elle soupira.

— Il faut faire venir un médecin.

Il aurait préféré entendre autre chose.

— C'est impossible.

— Kempelen ne veut pas ?

— Il a raison. Un médecin me trahirait.

— Ta plaie commence à suppurer. Si personne ne s'en occupe, tu risques de mourir de la gangrène.

— Ça ou être pendu... Ma vie est entre les mains de Dieu.

Élise secoua la tête.

— Kempelen a-t-il soigné cette plaie ?

— Il n'y connaît rien.

— Voyons. Y aurait-il donc une discipline dont il ne soit pas maître ?

Son ton crâne étonna Tibor. Élise s'en rendit compte et baissa les yeux.

— Je peux aller chercher un médecin, si tu veux.

— Non. Ne fais pas ça.

— Comme tu voudras. (Elle chercha son sac, qu'elle avait posé par terre, en sortit un flacon, quelques chiffons blancs ainsi que des ciseaux, une aiguille et du fil.) Dans ce cas, c'est moi qui m'en occuperai.

Tibor écarquilla les yeux.

— Tu t'y connais ?

— Pas très bien. Mais ce sera toujours mieux que rien, mieux aussi que de remettre ta vie entre les mains de Dieu. (Elle le regarda.) Pardonne-moi. Je ne voulais pas blasphémer. C'est seulement que je me fais du souci.

Tibor hocha la tête.

— Je suis sûr qu'Il comprendra.

Elle ouvrit le flacon et le lui tendit.

— Bois.

Il fronça les sourcils mais avala une gorgée. De la Borovicka. Il fit la grimace et reposa le flacon, écœuré.

— Tout, dit Élise.

— Comment ? Pourquoi ?

— Parce que tu en auras besoin, déclara-t-elle en brandissant une aiguille courbe. Laisse-m'en simplement une gorgée.

Tibor obtempéra et but presque un demi-litre de genièvre. Sans être plus agréable, le goût devint un peu plus supportable. Les effets de l'alcool furent immédiats : il remarqua que ses regards, ses mouvements et ses pensées ralentissaient au fur et à mesure que la douleur dans sa poitrine se dissipait. Il n'avait rencontré Élise que trois fois et avait été soûl deux fois sur trois. C'était étrange. Pendant ce temps, la jeune fille faisait passer un fil dans le chas de l'aiguille. Elle imbiba un linge de la dernière gorgée d'alcool laissée par Tibor.

— J'y vais ?

La tête lourde, il opina. Élise passa alors l'étoffe humide sur sa poitrine. L'odeur amère de la Borovicka se répandit dans toute la chambre. Lorsque le linge toucha la plaie, il eut l'impression qu'on y enfonçait un tisonnier chauffé au rouge. Il gémit tout bas, et ses mains se cramponnèrent à son lit. Des larmes lui montèrent aux yeux. Elle retira le linge.

— *O Santa Madre di Dio,* dit-il une fois qu'il eut recouvré l'usage de la parole.

— Je suis désolée.

Lorsqu'il fut un peu moins crispé, elle continua à nettoyer son torse et la plaie, procédant avec encore plus de douceur. Tibor serra les poings. Il avait les mâchoires contractées.

— Cramponne-toi à ma robe, si ça peut t'aider, dit-elle.

Tibor glissa la main vers la cuisse d'Élise. La robe était retroussée et il attrapa un pli d'étoffe. Il sentait sa jambe dessous à chacun de ses mouvements. Cela ne semblait pas l'importuner. Elle se lava les mains à l'aide du linge imbibé d'eau-de-vie et en frotta également l'aiguille. Puis elle se mit à coudre après avoir demandé à Tibor de s'allonger bien à plat sur le dos. Elle se pencha sur lui ; sans son bonnet, ses cheveux blonds se seraient répandus sur sa poitrine. Grâce sans doute à la Borovicka, il sentait à peine les piqûres d'aiguille. Il la regarda travailler. Elle était concentrée et, tout en cousant, elle se mordait involontairement la lèvre inférieure.

— Je peux parler ? demanda Tibor.

— À condition de ne pas bouger.

— Où as-tu appris à faire cela ?

— Un peu avec ma mère. Le reste au couvent. En fait, c'était du lin et de la laine que je devais coudre... pas de la chair et de la peau.

— Où sont tes parents maintenant ?

— Au ciel. Ils sont morts quand j'étais encore petite. J'ai été élevée par mon parrain.

— Et tu n'es pas encore mariée ?

— Non. J'attends encore.

— Mais, sûrement, tu aimerais fonder bientôt une famille, non ?

Élise soupira sans lever les yeux de la blessure. Après un bref silence, elle répondit :

— Bien sûr.

Un peu plus tard, elle demanda :

— Et toi ?

Tibor releva légèrement la tête et la regarda. Manifestement, elle ne se moquait pas.

— Je n'ai pas de plus cher désir.

— Quand es-tu parti de chez toi ?

— Quand j'avais quatorze ans.

— Qu'est-ce qui t'a chassé de la maison de tes parents ?

— Mes parents eux-mêmes, répondit-il en souriant tristement.

Il lui raconta que son père et sa mère ne l'avaient évidemment jamais aimé – ils avaient donné tout leur amour à ses frères et sœurs, normalement constitués –, mais qu'ils l'avaient toléré, jusqu'à ce que les médisances des villageois les conduisent à le mettre à la porte de la ferme. Il lui décrivit sa longue errance à travers l'Autriche, la Bohême, la Silésie et la Prusse, ses aventures de guerre, le temps qu'il avait passé au monastère et les années qui avaient suivi. De temps en temps, il s'interrompait quand un des points d'aiguille était particulièrement douloureux.

— Pourquoi n'es-tu pas retourné au couvent ?

— Parce que je me sentais trop petit.

— Crois-tu que l'abbé aurait à redire à un moine de petite taille ?

— Je ne pensais pas à mon corps, mais à mon âme.

Élise le regarda dans les yeux. Elle ouvrit la bouche mais, ne trouvant pas les mots, reporta toute son attention sur son ouvrage.

— Comment se fait-il que tu joues aussi bien aux échecs ?

— Je ne sais pas. Franchement, je ne sais pas. Mais je crois… que Dieu a donné à chacun d'entre nous une qualité particulière, dans toute sa perfection. Nous devons espérer la découvrir un jour. Pourquoi est-ce que je joue aussi bien aux échecs ? Pourquoi Jakob est-il capable de donner vie à un morceau de bois inerte ? Pourquoi es-tu aussi belle ?

Élise ne répondit pas. Prenant ses ciseaux, elle coupa le fil au ras de la peau de Tibor. Celui-ci s'assit laborieusement et examina sa poitrine. Comme les branches d'une étoile, une couture recouvrait à présent l'orifice, rapprochant les chairs meurtries. Élise ramassa un linge propre et essuya son visage baigné de sueur.

— Te souviens-tu de notre conversation de l'autre jour ? demanda Tibor. Vas-tu prévenir l'évêque ? Faut-il que je fuie maintenant ?

Elle secoua la tête en signe de dénégation.

— Tu es blessé. Tu ne peux pas voyager. J'attendrai.

Tibor sourit.

— J'irai voir Kempelen demain et je lui demanderai mon salaire. Il me doit plus de deux cent cinquante florins. Je n'ai jamais possédé autant d'argent de ma vie, et je n'ai pas besoin d'une somme pareille. Je t'en donnerai cent. Pour ce que tu as fait pour moi, et pour ton avenir.

— Je ne les accepterai pas.

— J'étais sûr que tu dirais cela.

— Tu es ivre.

— Oui. Mais cela n'a rien à voir.

Élise prit un nouveau bandage et lui en entoura la poitrine.

— Où iras-tu ? demanda-t-elle.

— Je ne sais pas. Je marcherai droit devant moi, c'est tout.

Quand elle eut terminé, elle ramassa silencieusement son matériel et les linges souillés. Puis elle s'assit une dernière fois au bord du lit.

— Laisse la bougie allumée. D'ici à demain matin, elle aura dissipé l'odeur de la Borovicka.

— Je t'aime, dit Tibor à brûle-pourpoint. Que la Mère de Dieu soit témoin de l'amour que j'éprouve pour toi. Je t'aime tant, je te désire tant que je prendrais volontiers un couteau pour me le planter dans le corps, dans le seul espoir que tes mains me soignent à nouveau.

Un profond silence tomba entre eux. On n'entendait que le grésillement de la bougie. Élise résista longtemps, mais elle finit par déglutir. Tibor se laissa retomber, épuisé, contre le mur.

— Pardonne-moi, murmura-t-il. Je t'en prie, ne dis rien ; rien de gentil, surtout. Va. Va, et moi, je dormirai et je continuerai à rêver.

Élise se leva et prit son sac. Elle tourna les yeux vers Tibor. Puis elle se pencha sur lui, déposa un baiser sur son front trempé et quitta la chambre. Elle avait beau se déplacer à pas de velours, il l'entendit trottiner jusque dans la cage d'escalier. Dehors, dans la cour, une grive se mit à chanter.

Elle n'aurait pas dû l'embrasser. Mais elle n'avait pas pu s'en empêcher en le voyant aussi petit et faible, ivre, grièvement blessé et aussi grièvement amoureux. Manifestement, il la prenait pour une sainte. Cent florins, il voulait lui donner cent florins, quelle folie ! À elle, précisément, la moitié de sa fortune ! – à celle qui n'avait cessé de lui mentir et qui le livrerait un jour au bourreau. Sa crédulité, sa religiosité, qui lui faisaient endurer sans broncher tous les coups du destin... Il y avait de quoi se mettre en colère. Elle atteignit la porte Saint-Laurent et s'engagea dans la rue de l'Hôpital. Les premiers oiseaux sifflaient sur les pignons. Décidément, Presbourg n'était qu'un village. À Vienne, à cette heure-là, il y avait déjà ou encore du monde dans les rues. Alors que le pavé de Presbourg restait au petit matin le terrain de jeu des oiseaux, des renards, des lièvres et des rats. Élise se changerait dans sa chambre et reviendrait prendre son service quotidien chez les Kempelen comme si de rien n'était.

Le vent avait tourné si vite, une fois de plus. La découverte de l'existence de Tibor avant le voyage à Vienne avait été une immense victoire. D'un coup, elle avait tenu dans sa main Kempelen et Knaus, mais voilà que le Turc était rentré de Vienne et que, d'après ce qu'elle avait arraché à un Jakob étrangement laconique, la représentation devant l'impératrice avait été un échec. Elle avait à peine vu Kempelen depuis, et, en ces rares occasions, il ne lui avait dit que le strict nécessaire. Quelle décision prendrait Knaus, à présent ? Pouvait-elle, devait-elle partir ? Elle ne demandait rien d'autre. Un Jakob morose et un Kempelen dont la superbe s'était muée en mélancolie : c'était là une société dont elle n'avait que faire. Elle voulait retourner à Vienne, retirer ses grossiers vêtements de domestique et retrouver la cour, ses soieries et ses brocarts.

Mais, à y bien réfléchir, elle n'avait que faire également de Knaus et de ses semblables. Et elle ne voulait pas abandonner Tibor. Il avait confiance en elle, il l'aimait, et, bien qu'évidemment elle ne fût pas amoureuse de lui – comment l'aurait-elle pu ? –, elle se sentait responsable de lui, à son corps défendant.

Elle eut soudain envie de changer de direction, de descendre vers le Danube, de s'allonger dans l'herbe humide de rosée, de regarder les étoiles pâlir et les poissons sauter dans le jour naissant. Sa vie la navrait. Elle n'aurait pas été plus heureuse, elle le savait, si elle avait mené celle qu'elle avait décrite au nain, mais elle aurait bien voulu, en cet instant, que cette existence-là fût la sienne. Elle aurait préféré être une servante malheureuse qu'une courtisane malheureuse, une espionne malheureuse.

L'enfant bougea dans son sein. Elle s'arrêta dans la rue déserte et attendit quelques instants.

Peu après six heures, Élise regagna la demeure des Kempelen. Elle avait acheté au Grünermarkt des petits pains et des croissants ainsi que des œufs frais et du lait. Après avoir rangé ses emplettes à la cuisine, elle alla chercher du bois dans la cour intérieure. Bien que l'air fût tiède, elle frissonna et resta un moment accroupie devant l'âtre, savourant la tiédeur des flammes. Puis elle mit l'eau à chauffer pour le café. Elle sortit du placard du beurre et du miel qu'elle disposa à côté des viennoiseries sur un plateau et coupa du jambon en tranches. Quand l'eau se mit à bouillir, elle se retourna vers le fourneau et découvrit Wolfgang von Kempelen, debout devant la porte ouverte, vêtu d'une chemise, d'une culotte et de hautes bottes de cheval, les bras croisés, une épaule appuyée au chambranle. Il souriait. Élise sursauta et porta instinctivement la main à sa poitrine.

— Bonjour, dit-il tout bas comme si la maison était pleine de gens endormis qu'il ne fallait pas réveiller. Je ne voulais pas te faire peur, mais tu étais tellement occupée que je n'ai pas voulu non plus te déranger dans ton travail. Je t'en prie, continue.

Élise inspira profondément.

— Vous êtes là depuis longtemps ?

— Une éternité, répondit Kempelen. L'eau bout.

Elle retira la casserole de la cuisinière et versa l'eau bouillante sur le café moulu, qui s'enfonça en sifflant.

— Tu as l'air fatiguée. Aurais-tu mal dormi ?

Elle acquiesça, sans quitter les yeux de la cafetière. Elle aurait pu lui retourner la question : à en juger aux cernes sombres qu'il avait sous les yeux, il n'avait pas trouvé le sommeil de la nuit, bien que la lumière eût été éteinte dans sa chambre. Elle s'en était assurée avant de monter chez Tibor. Mais il paraissait de bonne humeur, l'abattement qu'elle avait encore constaté la veille semblait s'être effacé devant une gaieté songeuse.

— Pauvre Élise. Je t'en demande trop, n'est-ce pas ?

— Ça va.

— Les choses ne vont pas tarder à s'arranger. Je vais bientôt prier ma chère épouse de revenir de Gomba avec Teréz. Nous ne serons plus seuls et tu auras peut-être un peu moins de travail. Ton café sent divinement bon.

— Merci, Monsieur.

— Puis-je t'aider ?

— Non, merci. J'ai presque fini.

— Tu peux prendre ton après-midi, si tu veux.

— Merci beaucoup, Monsieur. (Elle posa le café sur le plateau et versa du lait dans un petit pot.) Tout s'est bien passé, à Vienne ?

— Oh, remarquablement, répondit-il, et il répéta, les yeux au plafond : Oui, ce séjour à Vienne a été merveilleux. La prochaine fois, nous t'emmènerons.

Élise se dirigea vers le placard pour prendre une tasse et une soucoupe. Elle dut, pour les attraper, se hisser sur la pointe des pieds.

Kempelen sortit de son immobilité.

— Attends.

Il descendit la vaisselle à sa place et la posa sur le plateau. Puis il regarda Élise. Des doigts de la main droite, il lui releva légèrement le menton puis fit glisser sa paume sur sa joue jusqu'à son oreille et l'embrassa. Élise avait la bouche entrouverte. Elle ferma les yeux. Il lui caressa les lèvres du bout de la langue. Puis sa main gauche se posa sur l'arrière de sa tête. Ils étaient si proches, à présent, que les seins d'Élise touchaient sa chemise, et chacun remarqua que la respiration de l'autre s'était accélérée. Elle rentra le ventre de crainte qu'il ne remarque son renflement. Elle tenait les mains en l'air, incapable de toucher Kempelen comme de les laisser retomber le long de son corps. Les baisers de Knaus étaient voraces et humides. Jakob, malgré toutes ses fanfaronnades, embrassait comme un écolier. Kempelen, non. En d'autres circonstances, Élise aurait pris grand plaisir à ce baiser. Elle comprenait à présent pourquoi la baronne Jesenák s'était entichée du chevalier.

Kempelen s'écarta d'elle, mais il tenait toujours sa tête entre ses mains et continuait à la regarder dans les yeux. Il serra les lèvres comme s'il réfléchissait intensément, mais cette crispation se relâcha bientôt dans un sourire. Il retira ses mains, lui rattacha du bout des doigts une mèche au-dessus de l'oreille, fit un signe de tête, prit le plateau de son petit déjeuner et sortit de la cuisine sans un mot. Élise l'entendit monter d'une démarche leste vers son cabinet de travail. Involontairement, elle lécha ses lèvres encore humides.

Dans l'après-midi, Kempelen frappa à la porte de Tibor et, sans entrer, demanda au nain de le rejoindre dans son cabinet de travail dès qu'il aurait un moment. Tibor s'habilla et traversa l'atelier vide. Il entra dans le cabinet. La machine à parler était posée par terre, dans un coin, protégée de la poussière par un linge. Kempelen avait rangé sa tête en plâtre coupée par le milieu contre le mur, si bien qu'on avait l'impression d'une tête humaine à moitié emmurée. De nombreux papiers étaient posés sur son bureau : des lettres, des notes, des articles de journaux et un calendrier, le tout méticuleusement rangé. Sur une table, un plateau chargé de pâtisseries, de deux tasses et d'une cafetière, dont l'arôme puissant emplissait la pièce.

Kempelen avait reculé son fauteuil, le dossier contre la fenêtre, et avait les jambes croisées. Il tenait sur les genoux une planche à dessin sur laquelle il avait fixé un croquis inachevé de l'automate ouvert. Il paraissait d'excellente humeur. La tension qui avait suivi la mort d'Ibolya, ses démêlés avec le baron Andrássy, l'opposition de l'Église et, surtout, le fiasco de Schönbrunn semblaient l'avoir quitté. Il avait l'air de plusieurs années plus jeune, et sa bonne mine contrastait vivement avec l'aspect de Tibor : exsangue et couvert de sueur, le visage marqué par les souffrances des derniers jours. La consommation immodérée de Borovicka lui avait valu migraine et nausées. Depuis le matin, il n'avait encore rien mangé ; en contrepartie, il avait bu plusieurs litres d'eau.

— Tu m'as l'air tout à fait rétabli, dit Kempelen, contre toute évidence.

Il posa la planche à dessin, l'esquisse et sa mine de graphite sur la table et approcha son fauteuil.

— Tu vas mieux ?

— Un peu.

— Tu m'en vois ravi. Veux-tu du café ? Ou plutôt du vin ou une liqueur ?

— Je prendrais volontiers un café, merci.

Kempelen remplit la tasse de Tibor et la lui tendit. Après s'être servi à son tour et s'être rassis, il entra dans le vif du sujet.

— Je souhaiterais que nous parlions un peu de l'avenir.

Tibor acquiesça de la tête. Le café était délicieux et revigorant.

— J'ai l'intention de demander au bourgmestre Windisch de venir examiner le joueur d'échecs personnellement une nouvelle fois, afin de lui consacrer ensuite un article. Ce dessin sera gravé sur cuivre. (Il tapota la planche à dessin du doigt.) Je le ferais bien moi-même, mais je n'ai pas le temps, que veux-tu… La *Gazette de Presbourg* est lue bien au-delà des limites de la ville ; un article sur le Turc serait un beau sujet pour le journal de Windisch et nous ferait une publicité gratuite. (Kempelen brandit un exemplaire du *Mercure de France* qu'il venait de recevoir de Paris.) Si l'automate fait parler de lui jusqu'à Paris, nous pouvons être assurés de ne pas passer inaperçus ici.

Tibor reposa sa tasse, mais, sans lui laisser le temps d'intervenir, Kempelen reprit :

— Je voudrais organiser une représentation sur un pied bien plus grand que celle du palais Grassalkovitch, mais devant les bourgeois, cette fois. J'envisage de louer le Théâtre italien. Nous pourrions aller sur l'île d'Engerau et y présenter notre automate. Le pavillon turc serait évidemment un lieu idéal. On offrirait à chaque visiteur un moka et une pipe de tabac ! Nous ferions sensation, tu ne crois pas ? Cela ne nous empêchera évidemment pas de poursuivre nos représentations hebdomadaires ici, chez moi. L'été touche à sa fin, il va bientôt faire froid et sombre. Les gens auront à nouveau envie de *divertissements,* et le Turc leur conviendra à merveille. Un mystérieux automate, sur lequel pèse peut-être une malédiction, à la lueur des bougies, alors que, dehors, le vent siffle dans les ruelles – ils se bousculeront. Anna Maria rentrera bientôt de notre résidence d'été, nous engagerons alors une seconde servante pour faire face à l'afflux de visiteurs. Je voudrais qu'à l'avenir l'automate exécute également le saut du cavalier. Tu sais : le cavalier saute sur chacune des soixante-quatre cases, sans jamais revenir deux fois sur la même : un joli petit exploit. Et il faudra voyager ! Il est grand temps de ne plus se contenter de jouer à Vienne, devant l'impératrice – bien que je tienne absolument à lui réclamer une revanche –, mais aussi devant le peuple. Nous verrons bien alors quelles destinations nous pouvons envisager. Ofen, Marburg..., Salzbourg, Innsbruck, Munich, Prague, peut-être... Je suis sûr que partout on réservera au Turc un accueil des plus chaleureux. Les têtes couronnées et les érudits se presseront à nos représentations. Je te sacrifierai les hommes les plus célèbres et les meilleurs joueurs d'échecs d'Europe sur l'autel du Turc !

Tibor se taisait.

– Que penses-tu de cela ? demanda Kempelen.

– Il me semblait que vous aviez dit... qu'il n'y aurait pas d'autre représentation après Vienne ?

Le chevalier fut surpris, ou fit mine de l'être.

– Je n'ai jamais dit une chose pareille. Quand aurais-je dit cela ? Et, surtout, pour quel motif ?

– Il m'avait semblé... à cause de vos ennemis. Et parce que vous voulez construire l'autre machine.

– L'un n'exclut pas l'autre. Et pour ce qui est de ces fâcheux : Batthyány n'est pas au-dessus du duc Albert, et l'on peut espérer qu'après cette funeste agression le baron Andrássy se sera un peu calmé.

– Nous avons perdu contre l'impératrice.

– Et alors ? Tes autres défaites ont-elles compromis la popularité de l'automate ? Point du tout ! Au contraire : chaque fois que le Turc a montré des faiblesses, on s'est précipité de plus belle ! L'impératrice est presque une déesse pour ses sujets ; personne ne s'étonnera qu'elle ait triomphé du Turc. Ce qui ne veut pas dire, cependant, ajouta Kempelen avec un clin d'œil, que tu doives continuer à perdre.

Tibor fit semblant d'avaler une gorgée de café, bien que sa tasse ne contînt plus depuis longtemps qu'un fond de marc noir et boueux. Il fallait qu'il réfléchisse.

— Mais, avant tout, je dois séduire Joseph, reprit Kempelen, car un jour, dans un avenir qui n'est plus si lointain, l'impératrice ne sera plus là, et j'aurai besoin des faveurs du nouvel empereur. Plus tôt je le persuaderai que le Turc est une réalisation prodigieuse et infaillible et pas une boîte à musique inutile, mieux cela vaudra. De surcroît, il est grand temps d'infliger à ce bossu de Knaus une bonne leçon pour le punir de son impertinence.

— Je ne peux pas jouer, dit alors Tibor.

— Comment cela ?

— Je ne peux pas encore bouger mon bras normalement. Je ne veux pas qu'il arrive la même chose qu'à Vienne.

— Cela ne s'est produit que parce que tu as été obligé de jouer dans le noir. Ta blessure n'y était pour rien.

— Le risque existe cependant.

Kempelen hocha la tête.

— Sans doute, sans doute. Tu as raison. (Il médita un instant.) Je vais faire venir un médecin dès que possible. Il soignera ta blessure, il la recoudra au besoin. Comme cela, tu seras sur pied et disponible plus rapidement encore.

— Non, rétorqua Tibor, et, instinctivement, il remonta légèrement le col de sa chemise bien que les fils noirs de la suture fussent invisibles sous le bandage frais. Ne disiez-vous pas qu'un médecin...

— N'aie pas peur. J'en connais un en qui nous pouvons avoir toute confiance.

— Je n'ai pas besoin de médecin.

— Ne sois pas obstiné, Tibor. Bien sûr que si. Je m'y suis opposé trop longtemps, ne cherche pas à m'en dissuader encore. (Kempelen sortit sa plume de l'encrier et ajouta une note à une liste déjà longue.) Il va de soi que nous ne reprendrons les représentations que lorsque tu seras tout à fait guéri. (Kempelen leva les yeux de sa liste.) Autre chose ?

— Pourriez-vous me verser mon salaire ?

Kempelen laissa retomber sa plume.

— Pourquoi ? Tu ne me fais pas confiance ?

— Si. Mais...

— Si tu as besoin de quelque chose, dis-le-nous, à moi ou à Jakob. Nous te le procurerons.

— Ce n'est pas cela.

— Alors quoi ? (Kempelen replongea la plume dans l'encrier.) Si tu me fais confiance, tu n'as aucune raison de te faire payer. De toute façon, tu ne peux rien dépenser et ton argent est tout aussi en sûreté chez moi que dans n'importe banque de dépôt. À moins que... à moins que tu n'aies l'intention de quitter Presbourg à mon insu. Dans ce cas, ne compte pas sur moi pour te donner l'argent nécessaire.

Kempelen jeta à Tibor un regard pénétrant. Le nain était tout à fait éveillé. Sa nausée et ses maux de tête avaient disparu d'un coup, et sa blessure elle-même ne le faisait plus souffrir.

Il posa sa tasse sur le secrétaire, devant lui, et reprit :

— Oui, j'ai l'intention de quitter Presbourg. Je ne veux plus faire fonctionner le Turc. Je vous suis reconnaissant de tout ce que vous avez fait pour moi, mais je veux quitter votre service avant qu'un malheur plus grand encore ne survienne.

Kempelen resta longuement immobile, puis il joignit les mains, comme pour prier. Son regard était rivé sur Tibor, mais ses paupières ne cessaient curieusement de cligner, comme s'il avait une poussière dans l'œil.

— Tu veux une augmentation ? demanda-t-il enfin.

— Non. Je ne veux plus de salaire du tout.

— Je vois. Ainsi, tu as vraiment l'intention d'arrêter. (Tibor acquiesça d'un signe de tête.) Peux-tu m'expliquer pourquoi ?

— Je ne supporte plus cette vie. Quand je ne suis pas enfermé dans la machine, je suis prisonnier de ma chambre. J'apprécie votre compagnie et celle de Jakob, mais je veux sortir, je veux retourner parmi les hommes.

— Ceux qui sont dehors te méprisent et te raillent. L'as-tu déjà oublié ?

— Non. Mais je préfère encore leur hostilité à la solitude.

— Peut-être pourrions-nous te trouver un autre logement… qui te permettrait de circuler plus librement.

— Cela ne suffit pas. De toute façon, je ne veux plus jouer avec cette machine. Je peux supporter l'idée de manipuler un objet que mon Église condamne, je peux supporter la peur que m'inspire Andrássy, mais je n'arrive pas à vivre avec le poids de ma faute : j'ai causé la mort d'un être humain. (Tibor posa les yeux sur l'esquisse de l'automate dessinée par Kempelen.) Chaque fois que je regarde le Turc, je pense que j'ai tué la baronne. Je n'en peux plus.

Un instant, Kempelen donna l'impression de vouloir le contredire.

— Nous avions passé un accord, dit-il enfin.

— Réduisez mon salaire si vous estimez que je n'ai pas respecté notre contrat, répliqua Tibor. Retirez-en vingt, cinquante, cent florins, donnez-moi simplement ce dont j'ai besoin pour me nourrir une semaine. Mais il faut que je parte. Je suis désolé. Je sais que mourrai si je reste ici.

— Tu mourras si tu me quittes, oui ! Je t'ai sorti des plombs de Venise. Tu étais malade, couvert d'ecchymoses, vêtu de haillons qui empestaient l'eau-de-vie, tu croupissais au fond d'une cellule sans lumière, au pain et à l'eau. Est-ce après cela que tu languis ? Cette maison est une cage, peut-être, mais une cage dorée, où tu ne manques de rien.

— Je ne me retrouverai plus jamais dans la même situation qu'à Venise, que Dieu m'assiste. Et si j'échoue cependant, ce sera mon dernier échec ici-bas.

— Tu as de la fièvre ?

— Je vous aurais dit tout cela plus tôt si je n'avais pas espéré ardemment que vous me laisseriez partir après Vienne.

— Tu sais bien que je ne peux rien faire sans toi.

— Cherchez un autre joueur. Je vous aiderai à le trouver, je le formerai. Trouvez-en un autre comme moi.

— Il n'y a en a pas. Tu es unique.

Tibor contempla un instant la table sur laquelle étaient étalés les ambitieux projets du chevalier.

— Je regrette. Je dois partir, insista-t-il.

Kempelen prit une profonde inspiration et se cala dans son fauteuil, bras croisés sur la poitrine.

— Je regrette, moi aussi. Je me vois contraint de te l'interdire.

— Pardonnez-moi, *signore*, mais vous ne le pouvez pas. Je suis un homme libre.

— Tu as raison, je ne peux pas te l'interdire, accorda Kempelen. Mais je pourrais te menacer.

— De quoi ?

Kempelen sourit tristement.

— Tibor, Tibor. Ne me pousse pas à bout. Au nom de notre amitié.

— De quoi voulez-vous me menacer ?

— Tibor, ne gâchons pas tout, veux-tu ? Quelle triste humeur régnerait dans cette demeure si nous étions contraints de continuer à travailler ensemble sans plus nous supporter !

— De quoi voulez-vous me menacer ? s'entêta Tibor.

— Bien, soupira Kempelen. De mettre la gendarmerie à tes trousses si tu désertes, de raconter que tu as déshonoré la baronne Ibolya Jesenák avant de l'assassiner.

— C'était un accident !

— Compte sur moi pour présenter les choses sous un autre jour.

Tibor se dressa d'un bond.

— Dans ce cas, je raconterai qu'elle n'était pas morte quand vous l'avez fait tomber du balcon !

— En admettant que tu racontes cet énorme mensonge sans rougir, à qui accordera-t-on foi ? À un chevalier austro-hongrois, conseiller d'État… ou à un nain italien, dont le dernier domicile connu était la prison de la ville de Venise ?

Tibor resta coi. Il respirait si difficilement que son poumon gauche pressait douloureusement contre sa blessure.

— Tu as le choix. Moi ou le gibet. Tu peux continuer à vivre confortablement en faisant fonctionner l'automate – même si tu en es prisonnier, puisque c'est ainsi que tu vois les choses –, ou tu peux être libre. Libre et mort.

— Vous me trouverez un autre logement ?

— Non. Il n'en est plus question. Tu aurais mieux fait d'accepter cette offre tout de suite ; elle n'est plus valable à présent. Je sais que tu veux quitter Presbourg. Tu resteras donc dans cette maison, où je peux te surveiller. Et, si tu t'obstines dans tes projets de fuite, sache que la région de Presbourg est densément peuplée. Il n'y a ni forêts ni montagnes qui puissent t'offrir un asile. Sans argent, sans personne pour t'aider et avec ta constitution peu commune, tu auras du mal à passer inaperçu. Il ne faudra pas un jour aux gendarmes pour te retrouver.

Tibor faillit sauter à la gorge de Kempelen. Mieux encore, il aurait voulu piétiner la machine parlante jusqu'à réduire en pièces ce prodige inachevé. Mais il savait que lorsqu'il laissait la bride à ses pulsions la catastrophe n'était pas loin. Il se cramponna au bord de la table et réussit à se dominer.

— *Sei il diavolo*, cracha-t-il cependant.

— *Non è vero*, Tibor. Je ne voulais pas en arriver là, je te l'ai dit, mais tu as refusé de m'écouter. Tu ne m'as pas laissé le choix. Et même si tu me hais à présent, ce qui est probable, tu me restes toujours aussi cher. Je te le prouverai en faisant venir un médecin, malgré toutes les contrariétés dont tu es la cause.

Les deux hommes se turent ; Kempelen se leva et passa devant Tibor à une distance respectueuse pour aller ouvrir la porte de l'atelier.

— Mettons un terme à cette pénible discussion, proposa-t-il, avant de tenir d'autres propos dont notre amitié ne se remettrait pas.

Tibor quitta le cabinet de travail. Dès que Kempelen eut refermé la porte derrière lui, des larmes de colère montèrent aux yeux du nain. Un instant, il songea à franchir la porte donnant sur l'escalier, à sortir de la maison tel qu'il était pour s'engager tout bonnement dans la rue du Danube jusqu'à la sortie de la ville, savourant quelques heures durant la route dégagée et le ciel au-dessus, jusqu'à ce que la garde montée l'arrête, le jette au cachot et le conduise à l'échafaud. Mais il ouvrit la porte de gauche, qui le reconduisait dans sa chambre. Pour assouvir sa rage, il se mit à déchirer ses vieux bandages. Il regrettait que la nuit précédente Élise ne lui ait apporté qu'une bouteille de Borovicka, et pas deux.

Calendula officinalis, Chamomilla, Salvia officinalis.
Kempelen parcourut du regard les noms, soigneusement calligraphiés sur les récipients de terre, de porcelaine et de verre coloré. *Verbena hastata, Cannabis sativa, Jasminum officinale, Urtica urens, Rheum, China officinalis.* Les récipients contenant les remèdes ne fermaient pas assez hermétiquement pour empêcher leurs fragrances de s'échapper ; les feuilles, les fleurs et les fruits séchés, les racines et les écorces pulvérisées, les minéraux et les terres médicamenteuses broyés, les teintures, les extraits, les potions, les essences, les huiles de poisson et l'alcool se mêlaient en une seule odeur puissante. Les effluves qui envahissaient ainsi la pharmacie de L'Écrevisse donnaient l'impression que l'on y avait concocté un plat exclusivement cuisiné à base d'épices. Le parfum n'était pas des plus plaisants. À force de vivre là, Stegmüller répandait cette même odeur, et les gens n'aimaient pas se tenir avec lui dans un espace exigu. Il sentait les remèdes, et, comme ceux-ci ne servaient qu'aux malades, il sentait la maladie. Certains le lui avaient fait remarquer, mais l'eau de rose et les parfums les plus suaves restaient impuissants et ne faisaient qu'ajouter à la

cacophonie olfactive. *Ginseng, Lycopodium clavatum, Camphora, Ammonium carbonicum, Ammonium causticum.* Kempelen ouvrit le bocal d'ammoniaque et plongea le nez à l'intérieur. L'odeur âcre chassa sa lassitude mais retourna son estomac vide.

Passant derrière le comptoir, il s'approcha alors de l'étagère où étaient conservés les minéraux : *Zincum metallicum, Mercurius solubilis, Sulphur.* Il entendit Stegmüller fourrager à l'étage supérieur. Il était encore tôt. Kempelen avait expressément prié l'apothicaire de lui accorder un entretien avant l'arrivée de son personnel. Les volets étaient toujours clos et seules deux lampes à huile éclairaient de quelques lueurs les meubles sombres de la boutique. *Silicea, Alumina.* L'étagère située à côté de celle des terres médicamenteuses était munie d'une porte vitrée fermant à clé et les récipients qu'elle abritait étaient nettement plus petits : *Aconitum napellus, Digitalis purpurea, Equisetum arvense, Atropa belladonna.* Kempelen glissa les ongles sous le cadre de la porte vitrée et tira. Elle n'était pas fermée à clé et s'ouvrit avec un grincement discret. L'intérieur ne sentait presque rien. *Conium maculatum, Hyoscyamus niger.* Une planche craqua à l'étage supérieur. La recherche de Stegmüller durait manifestement plus longtemps que prévu. Kempelen attrapa une ampoule brune portant l'inscription *Arsenicum album.* Elle était fermée par de l'étoupe sur laquelle on avait coulé de la cire à cacheter rouge. Il tint le petit flacon à contre-jour devant une lampe à huile et fit glisser la poudre farineuse d'un côté à l'autre.

Derrière lui, Stegmüller descendait les marches quatre à quatre. Promptement, Kempelen remit l'arsenic dans la vitrine et referma la porte vitrée. Il avait encore les doigts sur le cadre quand Stegmüller entra, et il fit semblant de retirer un peu de poussière du bois.

— Je n'arrivais pas à mettre la main sur la corne à poudre, expliqua le pharmacien en posant sur le comptoir la corne, un petit sachet contenant des balles et un pistolet dans son étui.

Bien que Stegmüller ne pût évidemment sentir plus fort que sa pharmacie, Kempelen eut l'impression que l'odeur s'était accentuée depuis son retour. Il sortit le pistolet de sa gaine et l'examina.

— Il m'a rendu de précieux services, observa Stegmüller. Un jour, dans la forêt de Bohême, nous avons été...

— Pourrais-tu m'apporter une lampe ? Il fait tellement sombre, ici.

— Je peux ouvrir les volets. Le jour doit se lever.

— Non. Plutôt la lampe, Georg.

Stegmüller sourit.

— Gottfried. Georg, c'était hier.

— Bien sûr, Gottfried.

Il approcha deux lampes à huile et expliqua à Kempelen le fonctionnement de l'arme.

— Tu n'en as pas ? Pourtant, tes voyages t'ont déjà conduit dans des régions inhospitalières comme la Transylvanie.

— J'ai un pistolet, si. Joli et parfaitement inutilisable. Jusqu'à présent, ce sont toujours les autres qui se sont chargés de tirer : *Qui vit par l'épée périra par l'épée.* Cette maxime me convient à merveille.

— Malheureusement, il semblerait que le baron Andrássy en cultive d'autres.

— En effet.

Kempelen arma le chien, et le laissa retomber.

— Si tu veux t'exercer, dit l'apothicaire, je connais un terrain à Theben où personne ne nous dérangerait.

— Je n'ai toujours pas la moindre intention de relever le défi d'Andrássy. Mais la prochaine fois qu'il vise mes biens ou ma personne, je ne tiens pas à être aussi désarmé qu'à sa dernière tentative.

— Garde-le jusqu'à ce que tu n'en aies plus besoin.

— Merci.

— Et maintenant, ton nain. Où est située la blessure ? Et dans quel état est-il ?

Pendant que Kempelen lui répondait, Stegmüller rassembla sur le comptoir des instruments, des remèdes et des bandages qu'il fourra dans un sac.

— Tu aurais dû me faire chercher quand tu étais à Vienne, dit-il quand Kempelen eut fini. Ce genre de chose peut mal tourner.

Le chevalier remit le pistolet dans son étui.

— As-tu observé Jakob, comme je te l'avais demandé ?

— Oui. Il est inoffensif. Il passe son temps dans une taverne ou une autre, mais ce n'est sans doute pas cela qui t'intéresse. Pour un Juif, il lève drôlement le coude, tu ne trouves pas ? En principe, la loi ne l'autorise pas à toucher au vin.

— Et ma servante ?

— La charmante Élise ? Rien sur elle non plus. Au marché, elle tourne la tête à tous les gars... mais il semblerait qu'elle attende un chevalier monté sur un fier destrier. (Stegmüller adressa une grimace à Kempelen, qui ne réagit pas.) Elle est allée à la poste une fois, mais elle y est venue et repartie les mains vides.

— Elle doit attendre une lettre de sa tante. Ou de son parrain d'Ödenburg.

— Y a-t-il quelque chose entre ton Juif et elle ?

— Tu n'y songes pas ! Elle est presque aussi catholique que Tibor, elle doit tout faire pour l'éviter. Merci de ton aide.

Stegmüller posa la main sur l'épaule de Kempelen.

— Inutile de me remercier, Wolfgang, ton amitié me suffit. Cela – et mon admission prochaine comme apprenti à la loge La Pureté.

Stegmüller mit son sac sur son épaule, Kempelen prit le pistolet, la corne et les plombs.

— Inutile de te le rappeler, ajouta-t-il, pas un mot à qui que ce soit.

— Sinon, le brave apothicaire avalera son poison, compléta Stegmüller en tapotant de la jointure des doigts la vitre de l'armoire où étaient conservés l'arsenic et les autres substances toxiques.

Élise identifia sur-le-champ le faux franciscain qu'elle avait suivi jusqu'à la pharmacie de la tour Saint-Michel et que Kempelen lui présenta alors comme le docteur Jungjahr. Jungjahr – ou Gottfried von Rotenstein, car elle avait découvert son nom – lui fit le baisemain. Kempelen lui demanda du café. Il traitait Élise comme s'il ne s'était rien passé la veille. Les hommes emportèrent eux-mêmes le plateau dans l'atelier, et Kempelen demanda à la servante de ne pas les déranger pendant quelques heures.

Tibor, en revanche, ne reconnut pas son confesseur de l'autre fois. Le pharmacien demanda un tabouret à Kempelen et s'assit au chevet du blessé, tandis que le chevalier restait debout devant la table et contemplait la scène. À l'égard de Tibor également, Kempelen se comportait comme si de rien n'était, comme s'ils ne s'étaient jamais querellés. Il le salua aussi aimablement que Stegmüller, et releva qu'il semblait en meilleure forme. Stegmüller pria Tibor de retirer sa chemise. Il fut surpris de voir une couture noire dessiner comme un réseau sur la blessure et jeta un regard interrogateur à Kempelen.

– Qui a fait cette suture ? demanda celui-ci.

– Moi, répondit Tibor, en s'efforçant d'effacer toute bravade de sa voix.

Stegmüller examina attentivement la plaie et la suture et hocha la tête avec approbation.

– C'est bien. Primitif, mais bien. Où avez-vous appris cela ?

– À la guerre.

– Il y a eu une inflammation, mais elle est en train de régresser, dit alors Stegmüller, s'adressant plus à Kempelen qu'à Tibor. Je n'ai plus grand-chose à faire, en réalité.

– Pourquoi ne me l'as-tu pas dit ? s'enquit Kempelen d'un ton plus sévère.

– Je n'ai jamais réclamé de médecin, répondit Tibor. Tout ce que j'ai dit, c'est que je ne peux pas jouer.

Kempelen fit un signe de tête à Stegmüller, qui nettoya les lèvres de la plaie, y mit un onguent et refit le bandage.

Pendant tout ce temps, Tibor ne quitta pas le prétendu médecin des yeux, tandis que Kempelen ne quittait pas Tibor des yeux. Ils demeurèrent muets, l'un comme l'autre, et un silence complet aurait régné dans la chambre si Stegmüller ne s'était pas parlé à lui-même en travaillant.

À La Rose d'or

Par la lucarne de sa chambre, Tibor regardait les oiseaux qui traversaient le ciel. À en juger par leurs criaillements, il devait s'agir d'oies sauvages. Quand il mettait les mains en pavillon derrière ses oreilles et fermait les yeux, il arrivait même à les entendre battre des ailes. L'angle que formait leur vol était si parfait que chaque côté en aurait pu être tracé à la règle. La distance entre un oiseau et le précédent semblait rigoureusement identique, et, quand l'oie de tête battait des ailes, on aurait dit que ce mouvement se propageait le long des deux lignes comme une vague. Peut-être Descartes avait-il raison, peut-être Dieu était-Il effectivement un mécanicien grandiose et ces oiseaux n'étaient-ils que des machines, *des perpetua mobilia* mus par des ressorts et actionnés par des roues dentées. Nul homme en effet, pas même le meilleur soldat au champ d'exercice, n'était capable de pareille perfection. Son intelligence l'interdirait toujours à l'homme. Ces oiseaux étaient sans doute bêtes comme des machines, mais ils étaient par là même parfaits. Tibor songea au canard artificiel du facteur français d'automates dont il avait vu des illustrations. Il était capable de marcher, de picorer du grain et même de le digérer, mais ne pouvait pas voler parce que ses plumes étaient en fer pesant et non en corne légère. Le canard de Vaucanson regrettait-il de ne pas pouvoir, à l'automne, accompagner ses congénères de chair et de sang en direction du sud ? Quand Tibor releva les yeux, les oies avaient disparu au loin et il ne vit plus que le ciel gris.

En l'espace d'un jour, le temps avait changé du tout au tout. La chaleur étouffante avait cédé la place à une petite pluie froide qui donnait l'impression que l'on était passé d'août à octobre en oubliant septembre. L'humeur de Tibor avait changé tout aussi rapidement. Le bonheur que lui avait inspiré la rencontre d'Élise, la similitude de leurs parcours, la familiarité de leur relation, mais surtout la tendre sollicitude de la jeune femme et son baiser d'adieu n'avaient pas duré vingt-quatre heures. Pendant les deux jours qui suivirent son altercation avec Kempelen, il fut accablé d'une torpeur qu'il n'avait jamais connue. Il passait son temps allongé sur son lit à ne rien faire, sans dormir ; quand il lui fallait bouger pour boire, manger ou satisfaire quelque besoin naturel, il s'en acquittait machinalement. C'était comme sa blessure, qui guérissait toute seule, sans intervention de sa part. Il n'avait pas envie de travailler à son mouvement d'horlogerie, qui gisait sur sa table, inachevé. De temps en temps, il prenait un livre mais ne retenait aucun des mots qu'il lisait. Il avait même du mal à penser et devait faire l'effort de s'y contraindre.

Cependant, dans les rares moments où sa conscience était plus vive, il savait que cette léthargie ne durerait pas. Sans doute son corps et son esprit se concentraient-ils pour une tâche à venir. Laquelle, Tibor n'en savait rien. Ce serait une surprise, pour lui comme pour les autres.

Kempelen demanda à Jakob et à Tibor de remettre le joueur d'échecs en état, de réparer aussi bien les dégâts dus à l'agression d'Andrássy que ceux qu'avait provoqués le remue-ménage de Tibor au Kammergarten. Lui-même devait passer toute la journée à la Chambre de la cour et il leur annonça qu'il assisterait ensuite à une réunion de sa loge. Son absence était un soulagement pour Tibor, qui avait acquis suffisamment de connaissances en mécanique de précision pour assister Jakob dans ses travaux. Au bout de quelques heures, celui-ci mit en place un nouveau placage en bois de loupe sur le panneau transpercé. Ils avaient fini.

— Tu n'es pas très bavard, remarqua Jakob, bien que lui-même n'eût guère desserré les dents de toute la matinée. Dis-moi, ça fait longtemps que nous ne sommes pas allés faire un tour tous les deux. Je n'ai pas eu la gueule de bois depuis une éternité. Et si on allait boire un coup ensemble ce soir ?

— Kempelen sera là.

— Nous arriverons bien à te faire sortir sans qu'il te voie. Écoute, nous nous trouverons une fille chacun, moi une Juive, toi une catholique ; une Sarah pour moi, une Maria pour toi.

— Non, dit Tibor, je ne veux pas.

— Allons, on ne me la fait pas. Tu n'oses pas, voilà tout.

— Jakob, je n'en ai pas envie, je t'assure.

— Tu as peur de Kempelen, lança Jakob en lui donnant étourdiment une bourrade dans l'épaule gauche, sur son bandage. Il fait pression sur toi à cause de l'affaire d'Ibolya, j'aurais dû m'en douter. En apparence, sa mort lui a valu des ennuis – les questions des curés, ce Hongrois fou furieux –, mais, en fait, il en tire profit. Car, par ta faute, il te gardera à sa merci aussi longtemps qu'il le voudra.

— Balivernes, rétorqua Tibor d'un ton bourru, et il se mit à ranger les outils.

Il en fallait davantage pour réduire le Juif au silence. Il continua à discourir, en élevant la voix.

— Après la première représentation du Turc, il dépendait de toi. Maintenant, c'est l'inverse. La mort d'Ibolya est arrivée à point nommé. Vous êtes comme les sœurs de Presbourg... T'ai-je raconté leur histoire ? Tu n'en croiras pas tes oreilles.

— Cela ne m'intéresse pas.

— Voici plusieurs dizaines d'années déjà qu'elles sont mortes, toutes les deux. C'étaient des jumelles attachées par le dos depuis la naissance comme si un pot de colle s'était renversé dans le sein de leur mère. Elles vivaient au couvent des Ursulines. Les savants venaient de Passau pour les examiner, mais aucun médecin n'avait le courage de les séparer. Elles étaient indissolublement liées l'une à l'autre pour l'éternité. Elles ont grandi ainsi, mais l'une est devenue plus grande et plus forte que l'autre. Les deux sœurs se chamaillaient tout le temps. Et, quand elles n'arrivaient pas à se mettre d'accord, la grande faisait le gros dos, si bien que les pieds de la plus petite ne touchaient plus le sol. Elle avait beau protester, l'autre partait et l'emmenait avec elle. Vous êtes exactement comme ça, maintenant, Kempelen et toi.

Tibor continuait à ranger sans rien dire, pendant que Jakob contemplait le plafond, songeur.

– Que sont-elles devenues ? Je crois que… la petite est morte, et, moins d'un jour plus tard, la grande rendait l'âme, elle aussi. Ou le contraire ? C'est grand dommage car, autrement, nous aurions pu sortir avec elles ce soir ; je te colle sur mon dos, tu prends la petite, moi la grande… Bon, enfin, quoi qu'il en soit, comprends-tu où je veux en venir ?

Tibor était devant l'établi, il tournait le dos à Jakob et ne lui répondit pas. L'autre attrapa une chute de bois et la lui jeta à la tête.

– Hé, Alberich, parle-moi.

Tibor se retourna lentement en se frotta l'occiput.

– Te sépareras-tu de Kempelen un instant pour m'accompagner à La Rose ?

– Tout est toujours tellement simple pour toi, dit enfin le nain. Pour toi, tout n'est qu'amusement. Les femmes, le vin, faire le beau, voilà tout ce qui t'intéresse. Moi, je risque de mourir bientôt, mais ça ne te fait ni chaud ni froid.

– Pas du tout ! Si tu dois mourir bientôt, tu as tout intérêt à profiter de la vie maintenant ! (Tibor se détourna, mais Jakob poursuivit :) Fichtre ! Tu songes tellement à demain que tu en oublies aujourd'hui. Tu te préoccupes même déjà de ta vie après la mort. Quelle déception ce sera si tu meurs – et ce ne sera pas de sitôt, je te le jure –, si tu meurs, donc, et que tu découvres qu'il n'y a rien ensuite et que tu t'es donné tout ce mal, que tu as gaspillé tout ce temps en vain.

— Encore un mot contre ma foi, et je quitte la pièce.

— C'est une menace ? Je quitte la pièce ? Parbleu, je tremble de peur. Ne quitte pas la pièce, je t'en supplie à genoux ! Peux-tu me dire tout de même ce que ta foi et la glorieuse Mère de Dieu ont fait pour toi, hormis te tourmenter ta vie durant avant de te laisser t'empêtrer de la sorte ?

Mettant sa menace à exécution, Tibor s'apprêta à regagner sa chambre. Mais Jakob traversa l'atelier à grands pas et se plaça devant la porte, lui barrant le passage.

— Sais-tu qui tu me rappelles ? lui demanda-t-il.

— Je m'en moque.

— Devine.

— Je m'en moque, te dis-je ! Laisse-moi passer.

— Tu me rappelles Tibor, quelqu'un que j'ai rencontré ici même pour la première fois il y a neuf mois : un petit bonhomme maussade et anxieux, qui ne comprend rien à la plaisanterie et qui résiste en bon petit catholique à tout ce qui donne un peu de sel à la vie.

— Et toi, tu me rappelles le Juif superficiel et égoïste, qui ne se préoccupe pas le moins du monde des sentiments d'autrui et qui assomme son prochain de bavardages stupides ! Laisse-moi entrer dans ma chambre.

Jakob fit un pas de côté pour le laisser passer.

— Une dernière fois, irons-nous boire un coup ensemble ce soir ?

— Non.

— Dans ce cas, je vais inviter Élise.

Tibor s'apprêtait à refermer la porte derrière lui quand il se retourna brusquement.

— Tu ne feras pas ça.

Jakob leva les sourcils, étonné par la vivacité de sa réaction.

— Eh quoi ? Serais-tu jaloux ?

— Cherche-toi quelqu'un d'autre, il y a assez de filles en ville. Elle mérite mieux que toi.

— Ah oui, vraiment ? Quelqu'un comme... *toi*, par exemple ?

— En tout cas, pas toi.

— Lui en aurais-tu parlé ? Est-ce que par hasard vous vous voyez en cachette ?

— Non, mentit Tibor.

— Dans ce cas, tu devrais peut-être y songer. Je sais que Kempelen l'a défendu. Mais je t'assure que sa présence est très, très revigorante. (Une expression de pur délice se peignit sur les traits de Jakob.) Plus revigorante sans nul doute que lorsque tu te contentes de la lorgner par ta lucarne pendant qu'elle suspend le linge. Peut-être découvrirais-tu ainsi qu'elle ne correspond pas exactement à l'image que tu sembles t'en faire. De plus, elle sent divinement bon.

Sans répliquer, Tibor attrapa le bouton de la porte.

— Viendras-tu, si elle nous accompagne ? demanda Jakob une dernière fois. Juste nous trois. Nous l'embrasserons sur les deux joues, avec la ville à nos pieds, un joli trèfle à trois feuilles : le nabot, la belle et le Juif.

Jakob eut à peine le temps de retirer sa main du chambranle avant que Tibor ne claque la porte violemment derrière lui. Le Juif garda longtemps son sourire sur le visage. Lorsqu'il se rendit compte qu'il ricanait tout seul et, surtout, qu'il n'avait aucun motif de se réjouir, ses traits s'assombrirent. La compagnie du Turc ne lui suffisait pas. Attrapant sa redingote, il quitta l'atelier et la maison.

Ses jambes le portèrent plus vite que de raison dans la rue Saint-Michel, si bien que, malgré la fraîcheur, la chaleur lui monta au visage depuis le col de son manteau tandis qu'il se tenait devant le palais de la Chambre Royale. Il vit les trois étages qui s'élevaient jusqu'au fronton, orné des armes hongroises et surmonté des deux statues blanches de la Justice et de la Loi. Il entra dans le bâtiment et se présenta au portier comme un collaborateur du conseiller von Kempelen. Un commis en perruque courte fut alors dépêché auprès de celui-ci. Il revint peu après, et pria Jakob de le suivre. Gravissant les marches de marbre blanc recouvertes d'un tapis rouge, ils montèrent jusqu'au troisième étage. Les hommes qu'ils croisaient les saluaient courtoisement ; ils étaient si élégamment vêtus que Jakob avait honte de sa modeste redingote et de sa culotte de toile. Après avoir longé un couloir, ils arrivèrent au bureau de Kempelen. Le commis frappa, et Kempelen les invita à entrer.

— Jakob, dit-il en se levant, l'air réjoui. Quelle bonne surprise ! (Il serra la main à son assistant, comme s'il ne l'avait pas vu depuis des semaines.) Jan, apporte-nous de la limonade. Mon visiteur a l'air assoiffé.

Le commis s'inclina, quitta le bureau à reculons et referma les portes derrière lui. À cet instant seulement, le sourire quitta le visage de Kempelen.

— Que se passe-t-il ? C'est Tibor ?

Jakob secoua la tête.

— Il faut que je vous parle.

— Ici ? Maintenant ?

— Vous me connaissez. Je suis quelqu'un d'impétueux. Je ne supporte plus cette situation.

Kempelen invita Jakob à s'asseoir en face de lui, devant sa table de travail. Le bureau était richement meublé dans le style français. À travers les hautes fenêtres, on apercevait la tour de l'hôtel de ville. Les murs qui n'étaient pas recouverts d'étagères étaient ornés de cartes du banat et de la Hongrie.

— Alors ?

— En un sens, c'est peut-être quand même Tibor, admit Jakob. Il ne veut plus jouer. Il est épuisé et blessé. Nous devrions le laisser partir avant qu'il n'agonise.

— Ta compassion t'honore, mais Tibor n'a pas besoin de truchement, me semble-t-il. Nous avons décidé de poursuivre d'un commun accord.

Le commis apporta un plateau chargé d'un pichet de limonade et de deux verres.

— En fait, c'est du champagne que je devrais te servir, reprit Kempelen. Voici presque un an jour pour jour que tu es arrivé dans mon atelier. Comme le temps passe !

Le chevalier se chargea de verser la limonade, et le commis les laissa seuls. Kempelen tendit un verre à Jakob.

— À l'année dernière, et à la prochaine !

— Passerons-nous encore une année ensemble ?

— Évidemment ! Quelle question ?

— C'est que je commence à m'ennuyer. J'exerce bien des métiers – sculpteur, facteur d'automates, horloger –, mais je ne suis pas forain. Or, ces derniers mois, j'ai passé mon temps à traîner le Turc de-ci, de-là, à remonter le faux mécanisme et à transporter avec des mines de conspirateur une cassette qui ne contient que des outils. En réparant la machine, j'ai senti à quel point mon vrai travail me manque.

— Tu veux une augmentation ?

— Personne ne refuse cela. Mais ce n'est pas l'essentiel. Je voudrais surtout m'occuper à autre chose. Faites-moi construire un nouvel androïde. Échangeons le Turc contre un autre personnage. Ou laissez-moi fabriquer un corps qui servira d'enveloppe à votre machine parlante.

— Non. Elle n'aura pas besoin d'un pantin ridicule. Elle ne brillera pas par sa forme, mais par ses capacités.

— Dans ce cas, si vous n'avez pas de travail pour moi... il faudra que je m'en cherche. Ne serait-ce que pour échapper à l'ambiance sépulcrale qui règne actuellement dans votre demeure.

— Où veux-tu aller ?

Jakob haussa les épaules.

— À Ofen... Je pourrais aussi retourner à Prague... J'ai pensé à Cracovie, ou bien Munich...

— Tu oublies Vienne.

— Bien : ou encore Vienne.

Un pigeon gris se posa sur la corniche, devant une des fenêtres. Il se mit à roucouler puis tourna la tête et regarda par la vitre. Il se tut. Avec des mouvements saccadés de la tête, il observa les deux hommes avant de s'envoler soudain comme si quelque chose l'avait effrayé.

— Les horlogers de Vienne, en général, déclara Kempelen, et Friedrich Knaus en particulier, si c'est à lui que tu songes, ne t'engageront pas parce que tu es un artisan doué, mais parce que tu as travaillé avec moi. Ils n'auront de cesse de te tirer les vers du nez pour connaître le fonctionnement du Turc.

— Je me tairai. Je suis loyal.

— Ils t'offriront de l'argent.

— Je ne suis pas vénal.

— Ne crois pas cela, et n'essaie pas de me le faire accroire. Tout le monde l'est. Tout dépend de l'importance de la somme.

— Je vous serai loyal. Tibor est mon ami. Je ne le livrerai pas au bourreau. J'emporterai mon secret dans la tombe. Mais je ne peux vous faire d'autre serment que celui-ci.

Kempelen soupira. Il posa un bras sur la table, paume vers le haut.

— Jakob, j'ai besoin de toi.

— Pas comme déménageur. Je n'y prends plus aucun plaisir.

— Ce... plaisir dont tu parles s'est évanoui le jour même où, au mépris de ton devoir, tu as laissé la baronne Jesenák s'approcher de l'automate.

Jakob leva les yeux au ciel.

— Vous m'en ferez donc éternellement reproche !

— Parce que cette mort me poursuivra éternellement. Tu en es complice. Il faut que tu nous aides à payer les pots que tu as cassés.

— Volontiers. Très volontiers ! Mais pas en promenant cet automate de pacotille à travers l'Europe ! s'écria Jakob en se redressant dans son fauteuil.

Kempelen posa son index sur ses lèvres puis désigna la porte pour lui intimer plus de discrétion.

— Arrêtons et savourons notre gloire ! poursuivit Jakob plus bas. Tibor finira par être démasqué. Ce n'est qu'une question de temps. Quelqu'un finira bien par nous surprendre au moment du démontage. On soudoiera votre personnel. Ce cinglé de Hongrois tirera un nouveau coup de feu, et Tibor se prendra une balle dans la tête. Quelqu'un criera *Feurio !* et tout le monde, Tibor compris, s'enfuira de la salle en courant... Il y a tant de périls, tant de failles possibles. Cette escroquerie ne peut durer longtemps.

— Je ne suis pas de ton avis.

Jakob regarda la tour de l'hôtel de ville. La cloche sonna cinq coups, et il attendit qu'elle ait fini.

— Dans ce cas, je quitterai Presbourg, malgré tous mes regrets.

— C'est du chantage ?

Jakob secoua la tête. Puis il se leva.

— La machine est entièrement restaurée. La date prévue pour la présentation au Théâtre italien vous laisse le temps de me trouver un successeur si vous en avez besoin. Si vous le souhaitez, je me ferai un plaisir de l'initier. Je souhaite que le reliquat de mon salaire me soit versé avant la fin de la semaine. L'année que j'ai passée à votre service m'a apporté beaucoup de joies, monsieur von Kempelen. Et merci pour la limonade.

Kempelen se leva, lui aussi, les sourcils froncés.

— Ainsi, tu es prêt à abandonner Tibor ? Tibor blessé, qui n'a que toi au monde ? Qui a toujours pu compter sur ton amitié et ta sollicitude ? Tu n'as donc pas de conscience ?

— C'est un tourment que je saurai supporter. Et, s'il s'agit de votre ultime argument pour me retenir, il ne fait que me confirmer dans l'idée que j'ai bien fait de décider de partir.

Jakob esquissa une révérence et quitta le bureau.

Il s'éloigna à pas rapides de la Chambre royale et partit vers la porte Saint-Michel, c'est-à-dire dans la mauvaise direction. Il n'avait qu'une idée en tête : être le plus rapidement possible hors de vue du palais, au cas où Kempelen le suivrait des yeux par la fenêtre. Il s'engagea dans la Schneeweissgasse et ralentit enfin l'allure au milieu des bourgeois qui rentraient de leur travail ou se pressaient à la porte des auberges. S'arrêtant devant le débit de tabac de Habermeyer, il contempla l'étalage. Les pipes exposées ne l'intéressaient pas, mais il voulait réfléchir à ce qu'il venait de faire, et à ce qu'il convenait de faire. Il n'avait pas envie d'être seul, mais il était trop tôt pour se réfugier dans une taverne.

Il retourna donc rue du Danube, espérant qu'Élise ne serait pas encore partie. Cette démission héroïque avait bien mérité une récompense, et, si vraiment il n'avait plus que quelques jours à passer à Presbourg, il était plus que temps de partager à nouveau son lit. Il n'oublierait jamais la première fois. La jeune fille s'était montrée beaucoup plus timide que Constanze, mais cela n'avait fait qu'ajouter à son charme. Cela, et l'idée qu'elle n'avait peut-être pas connu d'homme avant lui.

Élise n'était plus chez les Kempelen. La maison était grise et vide dans la dernière lueur du crépuscule. Avec ses fenêtres grillagées et murées et ses volets fermés, on aurait dit un bastion abandonné. Tibor et le Turc en étaient pour le moment les seuls occupants, et ils étaient aussi silencieux l'un que l'autre. Mais Jakob ne voulait pas renoncer à Élise – pendant tout le chemin, il avait rêvé de la dévêtir et de la serrer dans ses bras. Il porta donc ses pas vers la rue de l'Hôpital, où elle habitait.

Les huit chambres de la maison étaient exclusivement louées à des domestiques placées dans la petite noblesse et dans la bourgeoisie. Jakob était déjà venu une fois et y avait pris grand plaisir, car la plupart de ces servantes étaient encore plus jeunes qu'Élise. Il les avait saluées aimablement et les avaient entendues glousser dans son dos. La maison était administrée par la veuve Gschweng, un vrai dragon, qui tirait vanité de l'ordre et de la moralité qu'elle faisait régner parmi ses pensionnaires et aurait sanctionné sévèrement la présence de tout visiteur masculin. Mais Jakob se faisait fort de passer devant elle sans qu'elle le vît, et ce jour-là, comme la première fois, il y parvint sans difficulté. Il frappa à la porte d'Élise, au premier étage, et elle lui ouvrit. En le voyant, elle fut encore plus surprise que ne l'avait été Kempelen, effarée, même. Jakob sourit.

– Que fais-tu ici ? chuchota-t-elle. File vite, avant que la vieille ne te voie !

– Je peux entrer ?

– Il n'en est pas question !

– Très bien. Dans ce cas, je poserai mon postérieur sur cette marche, dit Jakob en s'exécutant, et j'attendrai que tu me laisses entrer en espérant que tu changeras d'avis avant que la méchante veuve ne passe par là.

Il se mit à chanter à plein gosier, et sa voix résonnait dans l'étroite cage d'escalier.

La meilleure bière du village, c'est celle de la belle Margot,
Quand tu t'humectes le gosier, elle te susurre de doux mots.
À l'ombre fraîche du tilleul, je goûte l'écume de Margot...

Élise soupira et ouvrit toute grande sa porte. Jakob bondit sur ses pieds, entra dans la chambre et, avant même que la jeune femme n'ait eu le temps de refermer la porte et de tourner la clé, il retira sa redingote.

— Que fais-tu ? demanda-t-elle. Que veux-tu ?

— Toi, dit-il, uniquement et seulement toi, Élise.

— Tu as perdu l'esprit ?

— Oui. Dès que je t'ai vue.

Jakob posa la main sur la nuque de la jeune femme et en caressa le léger duvet. Elle se déroba.

— Je t'en prie, arrête, dit-elle d'une voix plus douce.

— Pourquoi ? Ça ne te plaît pas ?

— J'ai à faire.

— Certainement pas. Et moi non plus. Passons une agréable soirée ensemble, veux-tu ?

— Tu m'effraies.

Jakob fit un pas vers elle et l'embrassa. À travers l'étoffe de sa robe, elle sentit son membre durci. Comme elle ne lui rendait pas son baiser, Jakob s'écarta de lui-même.

— Embrasse-moi donc, dit-il.

— Non. Je t'en prie, pars, maintenant, Jakob.

Il se laissa tomber sur le lit.

— Tu avais dit que tu m'embrasserais si je te confiais le secret de la machine à jouer aux échecs. Je vais te le dire. Et, alors, tu m'embrasseras. C'est ce qui avait été convenu.

— Tu m'as menti deux fois. Ça ne m'intéresse plus.

— Cette fois-ci, je te dirai la vérité. Regarde-moi.

Elle ne le regarda pas.

— Ça m'est égal, Jakob.

— Regarde-moi ! (Elle ne se tourna pas.) Sais-tu ce qu'il y a dans l'automate ? Un nain ! Un nain tout petit, mais très intelligent, qui actionne la machine de l'intérieur. C'est la vérité, que Dieu m'en soit témoin. Ton Dieu et mon Dieu. Je te montrerai ce nain, si tu veux.

Élise garda le silence.

— Embrasse-moi, dit Jakob.

Il souriait toujours, mais il n'y avait plus l'ombre d'un sourire dans sa voix.

— Et tu partiras ?

— Oui.

Elle s'approcha du lit. Il leva la tête. Elle l'embrassa, cette fois comme Jakob le voulait. Puis il la retint par le bras.

— Tu as des vues sur Kempelen, c'est ça ? demanda-t-il.

Élise plissa les yeux, comme si elle n'avait pas compris la question.

— Tu avais promis de t'en aller.

— Une dernière question, c'est tout : as-tu des vues sur Kempelen ?

— Non.

— Je ne suis pas un imbécile, Élise. Je vois clair dans votre jeu. Le sien. Le tien. Tu cherches à le faire brûler d'amour pour toi. Et, bien sûr, je dérange tes plans.

— Lâche-moi.

— Tu ne serais pas la première. Combien de messieurs de la haute noblesse couchent avec leurs accortes servantes parce que leurs épouses légitimes se sont transformées en affreuses mégères ?

— Tu dis des bêtises.

— Ah oui ? Alors pourquoi a-t-il expédié Anna Maria à Gomba et ne lui a-t-il pas rendu visite depuis des mois ? Et pourquoi, le jour où elle est partie, t'ai-je trouvée à la cuisine en train de verser des larmes de crocodile ?

Jakob l'attira brutalement vers lui, sur le lit, et posa la main sur son ventre avant qu'elle ait pu réagir ; sur son ventre qui s'arrondissait sous la robe ample. Elle sentit la chaleur de ses doigts et perçut le mouvement de l'enfant à naître, qui s'écartait sous la pression.

— Et de qui es-tu grosse, si ce n'est de lui ?

Élise blêmit et ne résista plus.

– Qu'imagines-tu ? Crois-tu sérieusement qu'il va abandonner sa femme pour faire de toi la nouvelle Mme von Kempelen ? Ou comptes-tu passer le restant de tes jours en maîtresse soumise à son bon vouloir, en concubine permanente, en mère de son bâtard ? Espères-tu que dans quelques années il te trouvera encore désirable et paiera toujours ton loyer ? J'ajouterai – mais ne crois pas que je veuille te faire peur ni qu'il y ait le moindre lien avec ton affaire – que sa dernière maîtresse en date engraisse aujourd'hui les vers du cimetière Saint-Jean. (Jakob se leva. Elle ne disait toujours rien.) Mais tu n'y as sans doute même pas songé. Tu t'es dit : plutôt un chevalier conseiller à la cour qu'un sculpteur sur bois circoncis sans arbre généalogique. Tu es très jolie, Élise, mais tu es très sotte.

– Sors.

Jakob prit sa redingote au crochet.

– Que crois-tu ? Je ne resterais même pas si tu me le demandais.

Dehors, il rentra la tête dans les épaules pour éviter la pluie, avant de remarquer qu'il ne pleuvait pas, bien que le ciel eût été couvert toute la journée. En l'espace de quelques heures, il avait fait table rase de Tibor, de Kempelen et d'Élise. Il se sentait tout à la fois soulagé et abominablement malheureux. Il ne lui restait qu'à descendre la rue de l'Hôpital, qui le conduirait au quartier des pêcheurs. Il était plus que temps d'aller se saouler à La Rose d'or en attendant que Constanze le mette dehors. Si elle voulait bien et s'il était suffisamment dégrisé à ce moment-là, il l'emmènerait alors et ferait avec elle ce qu'il aurait préféré faire avec Élise. Il reprit sa chanson.

> *J'avais tellement de peine, ne trouvais le repos,*
> *Au tilleul suis allé, mon mal s'évanouit aussitôt,*
> *La lune claire s'est levée, debout Margot !*
> *Elle est venue, Margot, Margot, la belle Margot.*

Le lendemain, un jeudi, Jakob ne vint pas procéder aux derniers essais de la machine, comme convenu. Kempelen donna congé à Tibor et lui annonça qu'ils rattraperaient cette séance. Sans doute Jakob avait-il descendu la veille trop de godets de Sankt Georg. Kempelen lui-même avait l'air exténué. Il n'était rentré de sa loge que tard dans la nuit.

Le vendredi, ils attendirent Jakob en vain. À midi, Tibor frappa à la porte du cabinet de travail de Kempelen pour lui demander s'il savait quelque chose. Le chevalier était en bottes de cheval. Il était encore plus pâle que la veille. Sur la table, un pistolet dans son étui était posé à côté de balles et d'une corne à poudre. Tibor pria Kempelen d'envoyer un messager jusqu'au logis de Jakob, dans la rue des Juifs, ou de s'y rendre lui-même. Peut-être était-il malade ou avait-il besoin d'aide. Kempelen soupira et invita Tibor à s'asseoir.

— Je crains bien qu'il n'y soit plus.

— Que voulez-vous dire ?

— Savais-tu qu'il envisageait de quitter la ville ?

— Oui, mais pas avec une pareille hâte.

— Comment être sûr, avec un homme tel que Jakob ? Je suis surpris, moi aussi, car je ne lui ai même pas encore versé son salaire. D'un autre côté, on dit que les Juifs aiment voyager sans s'embarrasser de bagages.

— Je ne crois pas qu'il soit parti.

— Tibor, je le regrette autant que toi. Mais il va falloir que nous nous y résignions. Il avait envie de découvrir de nouveaux horizons. S'il n'est pas revenu la semaine prochaine, j'essaierai de lui trouver un remplaçant.

Tibor ne répondit pas. Il contempla d'un air chagrin une carte des environs de Presbourg, souhaitant qu'une épingle lui désignât le lieu où se trouvait Jakob.

— Je vais faire un tour à cheval, annonça Kempelen.

— Où allez-vous ?

— Nulle part. J'ai besoin d'air frais, c'est tout, et de voir quelques arbres et des champs autour de moi. (Il ajouta, en guise d'explication :) L'automne approche.

Kempelen se leva et mit le pistolet à sa ceinture. Devant le regard interrogateur de Tibor posé sur l'arme, il sourit.

— Si jamais je rencontre le baron Andrássy, je tirerai vengeance de ce qu'il t'a fait subir.

De sa chambre, Tibor vit Kempelen seller son cheval moreau. Il s'approcha ensuite des fenêtres de l'atelier et suivit du regard le chevalier, qui filait déjà au grand galop dans le bas de la rue, vers la sortie de la ville. Tibor attendit un quart d'heure avant de chercher ses clés et de descendre au rez-de-chaussée. Il trouva Élise à la buanderie. Son cœur se serra douloureusement quand il la vit, et les doigts qui tenaient le trousseau devinrent moites.

— Tibor !

Elle sourit de soulagement et laissa retomber dans la corbeille la pièce de linge qu'elle tenait. Elle resta immobile un instant, puis s'agenouilla et l'enlaça. Il ferma les yeux, inhala profondément son parfum, espérant qu'elle ne l'entendrait pas renifler. Il ne demandait qu'à lui rendre son étreinte mais laissa pendre ses bras, comme s'il était paralysé.

— Je suis désolée, dit-elle, quand elle se fut écartée de lui. Je n'ai pas pu m'en empêcher.

Tibor hocha la tête. Elle se releva, obligeant le nain à lever les yeux vers elle.

— Je me fais du souci pour Jakob, dit-il. As-tu de ses nouvelles ?

Elle fit signe que non.

— La dernière fois que je l'ai vu, c'était mercredi, quand il est parti de l'atelier. Il a peut-être quitté Presbourg.

— Je vais me mettre à sa recherche.

— Bien. Et comment va ta blessure ?

— Elle guérira. Tu as fait du très bon travail. J'ai dit au docteur que c'était moi qui avais recousu la plaie, et il a été très admiratif.

— Tibor… cet homme… ce n'était pas un médecin.

— Comment ?

— C'était l'apothicaire de L'Écrevisse, Gottfried von Rotenstein. Et le même homme… s'était fait passer pour un moine, l'autre fois, après la mort de la baronne. Seul le froc était authentique.

— Comment sais-tu cela ?

— Je l'ai vu. Kempelen t'a menti.

— Oui, fit Tibor tout bas. Qui sait combien de fois ? Aussi souvent, peut-être, que je lui ai menti.

Ils se turent tous les deux, jusqu'à ce que Tibor s'ébroue.

— Il faut que j'y aille.

— Sois prudent.

Il prit dans son armoire ses chaussures à plate-forme et sa redingote pour se grandir et ne pas attirer l'attention des passants.

Il frappa, mais personne ne répondit. Avec la clé dissimulée comme toujours sous le bardeau, Tibor s'introduisit dans l'appartement de Jakob. Il avait espéré le trouver endormi ou découvrir une chambre débarrassée de toutes ses affaires, hormis les meubles. Mais ses deux espoirs furent déçus : le lit était vide et défait ; sur la table, les chaises et le sol régnait le désordre familier d'esquisses, de sculptures inachevées, d'outils et d'aliments entamés – du pain, de la saucisse, des pommes et une bouteille de vin. Jakob n'était pas là, mais il n'était pas non plus parti en voyage. Tibor sortit et remit la clé en place. Lorsqu'il descendit l'escalier étroit, les épaisses semelles de bois lui meurtrirent à nouveau les pieds.

Le vieux brocanteur juif ne lui fut d'aucun secours. Cela faisait plusieurs jours qu'il n'avait pas vu Jakob, mais il promit d'ouvrir l'œil. Tibor déclina avec force remerciements la proposition de Krakauer de partager un genièvre, une partie d'échecs, ou les deux, dans la chaleur de sa boutique.

Tibor se rappela que Jakob avait parlé d'aller à La Rose d'or. Il se dirigea donc vers la Fischplatz. La taverne était encore fermée, mais le tenancier chauve le laissa entrer. Les deux servantes nettoyaient les tables. Constanze, la rousse, reconnut Tibor. Elle demanda au tavernier l'autorisation de faire une pause et prit place avec lui à la table d'angle qu'il avait occupée l'autre fois avec Jakob.

Celui-ci était bien venu à La Rose d'or. Il s'était consciencieusement enivré pendant plusieurs heures et était reparti bien après minuit, « seul, avec un turban et une bonne cuite ».

– Avec un turban ?

Constanze sourit.

– Quel joyeux compère ! Oh, si seulement vous aviez été là pour voir ça !

Arrivé à La Rose d'or de fort méchante humeur, Jakob avait bu seul ses deux premières chopes de Sankt Georg. L'auberge était pourtant pleine de pêcheurs, de soldats et d'artisans, dont il connaissait certains. Un compagnon chapelier l'avait repéré et invité à sa table, où étaient assis de nombreux autres compagnons et apprentis du sud de la ville. Ils voulaient que Jakob leur parle du « Turc miraculeux » et il avait fini par accepter, à condition qu'ils lui paient dorénavant toutes ses consommations. Il s'était lancé dans un interminable récit – évoquant la gloire du Turc, les parties disputées contre le bourgmestre Windisch et l'impératrice –, et chaque phrase, chaque gorgée de vin améliorait son humeur. Un apprenti boulanger, dont le maître avait assisté à une représentation chez Kempelen, avait fait une remarque sur l'étonnante vérité des yeux de verre du Turc. Jakob avait protesté : ils n'étaient pas en verre, c'étaient de vrais yeux, car la machine la plus sophistiquée elle-même serait incapable de voir avec des yeux de verre. L'année précédente, il était passé avec son maître Kempelen dans un hameau des Petites Carpates, à côté de Sankt Peter. Les habitants en furie étaient en train de pendre au chêne d'un carrefour deux brigands, accusés de surcroît de se livrer à l'inceste. Avec le chevalier, il avait retiré les yeux des suppliciés de leurs orbites avant qu'ils ne servent de pâture aux corbeaux affamés. Il avait ensuite verni ces yeux avec du sucre pour qu'ils ne perdent pas leur forme ni leur couleur et les avait enfoncés dans le crâne du Turc. Cette description avait effrayé et écœuré la moitié des auditeurs, amusé l'autre, et Jakob avait renchéri en racontant que, la nuit, Kempelen et lui, munis de lanternes et de pelles, avaient écumé les cimetières pour trouver une main gauche susceptible de convenir au Turc. Ils étaient rentrés bredouilles, exception faite de quelques ossements, dans lesquels ils avaient sculpté les pièces du jeu. Quant aux figures rouges, ils les avaient colorées de leur propre sang. Finalement, Kempelen avait acheté la main manquante à un bourreau qui l'avait tranchée la veille à un voleur récidiviste. On avait ensuite utilisé le magnétisme animal pour prêter vie aux yeux et à la main. Les autres parties du corps, avait conclu Jakob, étaient sculptées dans du bois ordinaire.

Lorsqu'on avait abordé le sujet de la mort mystérieuse de la baronne Jesenák, Jakob avait proposé de reconstituer l'accident. Promptement, il avait enfilé un manteau en guise de caftan. Un torchon à vaisselle enroulé sur la tête avait fait un turban passable et, avec un morceau de charbon retiré de l'âtre, on lui avait dessiné des moustaches. Jakob avait retiré ses lunettes. Les compagnons avaient débarrassé la table des brocs et des gobelets qui s'y trouvaient pour faire place à un échiquier ; ils avaient aussi apporté un coussin et lui avaient mis une pipe en main. Et Jakob avait entrepris d'imiter le Turc. Tous les clients de La Rose n'avaient d'yeux que pour lui. Les deux servantes et l'aubergiste lui-même avaient interrompu leur travail pour assister au spectacle. Il avait joué quelques coups, en caricaturant les gestes de l'androïde : la posture rigide, les mouvements saccadés, mécaniques, le roulement des yeux. Avec un fort accent oriental et une grammaire rudimentaire, il avait insulté les clients de l'auberge et les avait menacés de dévorer leurs enfants, d'enlever leurs femmes pour les honorer dans son sérail, d'où leurs cris de ravissement retentiraient jusqu'en Autriche. La taverne croulait sous les rires.

Puis le faux Turc avait commandé une eau-de-vie de dattes et des figues pour remplir son estomac automatique, et le tenancier lui avait apporté du tokay aux frais de la maison. Jakob avait avalé une gorgée qu'il avait recrachée aussitôt au visage d'un apprenti, qui plus est, déclarant qu'il n'était pas étonnant que les infidèles fussent incapables de se battre s'ils buvaient de l'eau parfumée comme des femmes. Les protestations avaient été bruyantes. Un hussard s'était exclamé que l'on avait récemment chassé les Turcs de Hongrie et que, bientôt, on les aurait expulsés de tout le continent avec un coup de pied dans le derrière. Le public avait applaudi, mais Jakob avait pris une pièce du jeu d'échecs et l'avait jetée à la tête du soldat ; sur ce, avec force hourras, il avait soumis tous les consommateurs à un bombardement en règle qui n'avait pris fin que lorsqu'il eut utilisé l'intégralité de ses trente-deux projectiles. Il avait ensuite réclamé une victime. La seconde serveuse s'était cachée à temps, s'abritant derrière le dos de l'aubergiste, si bien que le doigt raide du Turc avait désigné Constance. Elle avait cherché à s'enfuir mais plusieurs compagnons l'avaient rattrapée et portée, malgré ses cris et ses trépignements, sur l'autel sacrificiel du Turc. Jakob avait commencé à la palper, à lui tâter la tête et à lui toucher les seins et les cuisses, toujours avec des mouvements mécaniques et la mimique rigide qui tirait des larmes de joie aux spectateurs. Constance avait tantôt gloussé, tantôt piaillé. Puis Jakob l'avait embrassée, lui offrant ainsi un instant de répit. Tout le monde s'était un peu calmé, certains avaient dit « oh », un peu émus, et un buveur avait même lancé « il est amoureux ».

« Baronne délicieuse, avait déclaré le Turc-Jakob, mais, maintenant, moi dois détruire. » Il avait serré le cou de Constance de ses deux mains, et elle avait joué le jeu, râlant effroyablement et cessant de glousser. Et quand Jakob avait hurlé : « Échec à la dame ! » elle était retombée sur la table, les membres flasques, la langue pointant à la commissure des lèvres, les yeux révulsés. Jakob lui avait fermé les paupières en disant : « Baronne mat. » Des applaudissements assourdissants avaient salué cette représentation ; Jakob et Constance avaient été les héros de la soirée. On lui servit ensuite bien plus de verres qu'il n'en pouvait boire – plus, en toute certitude, qu'il n'en supportait.

– Il avait gardé son turban et avait encore sa moustache de charbon quand il est parti, raconta Constanze. C'est un

Turc franchement gris qui nous a quittés à une heure avancée de la nuit.

Tibor la remercia pour son récit, bien qu'il ne lui fût pas d'une grande utilité. Constance promit de prévenir Jakob que « M. Neumann » le cherchait s'il revenait dans les prochains jours.

Tibor réfléchit un instant devant la Pestsäule. En admettant que Jakob se fût effondré, ivre mort, dans une venelle ou derrière une haie, il aurait dû avoir cuvé depuis longtemps. Kempelen reviendrait de sa promenade avant la nuit, et il fallait que Tibor eût regagné la rue du Danube avant lui. Krakauer et Constance avaient promis d'avertir Jakob. Mais cette assurance ne lui suffisait pas. Tibor décida donc de retourner dans la rue des Juifs et de laisser un message à son ami.

Il avait vaguement espéré qu'il serait rentré chez lui entre-temps, mais cet espoir fut vain. En cherchant une feuille vierge pour lui écrire un mot, il trouva par terre un dessin au fusain, un portrait de femme. Il reconnut immédiatement Élise. Tibor s'assit un instant pour contempler cette esquisse. Jakob n'était pas un artiste grandiose, c'est le modèle qui l'était. Il demanderait à Jakob de pouvoir conserver ce croquis. Puis son regard tomba sur une ébauche de buste en bois d'if clair posée près de la fenêtre. Là encore, Tibor reconnut Élise. Jakob l'avait reproduite si fidèlement qu'il n'avait même pas corrigé ses petites imperfections, la commissure droite, légèrement plus haute que la gauche, la cicatrice au front. Élise aurait-elle posé pour lui ? Ici même ? Dévêtue ?

Le travail du visage semblait terminé, en revanche, les cheveux étaient inachevés et grossièrement traités. Un ciseau avait été enfoncé dans l'arrière du crâne de bois. Tibor le retira. Il laissa un vilain trou en forme de demi-lune. Le nain espéra que la blessure disparaîtrait quand Jakob sculpterait les cheveux.

Sur son socle, le buste était juste au niveau du visage de Tibor. Celui-ci effleura le bois du bout des doigts, redessinant les traits – la bouche, le nez, les yeux et les sourcils.

Puis il caressa les lèvres et sentit le bois se réchauffer peu à peu au contact de sa peau. Il prit le visage entre ses deux mains, ferma les yeux et posa un baiser sur la bouche de bois, assez fermement pour sentir sa chaleur mais pas trop, pour ne pas sentir sa dureté.

La porte de la cage d'escalier claqua. Pris de panique, Tibor laissa tomber le buste. Il entendit des pas dans le couloir, et la porte du logement s'ouvrit. Tibor se demanda si Jakob portait toujours son turban et songea, au même instant, que cette idée était stupide. Jakob n'avait effectivement plus de turban quand il entra dans la chambre. Du reste, ce n'était pas lui. C'était Kempelen.

Les deux hommes se dévisagèrent. Kempelen cligna des yeux, car à la surprise de découvrir Tibor s'ajoutait celle de le voir au moins d'une tête plus grand que d'ordinaire. Il tenait en main plusieurs passe-partout, dont il n'avait pas eu besoin puisque Tibor n'avait pas fermé à clé derrière lui. Ses cheveux étaient ébouriffés par le vent, et la chevauchée lui avait mis un peu de couleur au visage.

Tibor redressa le buste et le reposa de manière que Kempelen ne pût voir qui il représentait.

– Ha ! ha ! s'exclama Kempelen.

– Je me faisais du souci pour Jakob, expliqua Tibor. Je suis venu le chercher.

Le chevalier entra dans la chambre et referma la porte derrière lui.

– L'as-tu trouvé ?

Tibor secoua la tête.

– Tu as grandi, observa Kempelen en désignant les jambes du nain.

– C'est pour ne pas me faire remarquer dans la rue.

– Je vois. Ingénieux.

– Je vais simplement laisser un mot à Jakob, et je m'en vais.

– Non. Pars tout de suite. Je vais écrire ce mot. À moins que... tu n'aies autre chose à lui dire que moi.

Tibor regarda Kempelen fixement puis secoua la tête très lentement.

— Bien. Marche vite, ne traverse pas la ville et passe par la porte de derrière. Tu te mets toi-même en danger, mais, si tu t'y prends bien, personne ne verra rien.

Kempelen suivit des yeux Tibor, qui descendait l'escalier d'un pas assuré.

— Impressionnant. C'est ta première sortie ?

— Oui.

— Nous en reparlerons à la maison.

Tibor partit. Kempelen attendit une minute. Puis il poussa le dossier d'une chaise sous la clenche de la porte pour la bloquer. Il retira sa redingote, la posa avec les rossignols sur la chaise et entreprit de fouiller la chambre de fond en comble. Il examina chaque lettre, chaque esquisse, chaque journal, tous les outils, même les vêtements de Jakob, et la menora toute collée de cire. Il déposait les objets sur le lit au fur et à mesure, si bien que, de minute en minute, la chambre parut mieux rangée. Il laissa les vêtements dans l'armoire mais passa au peigne fin toutes les étagères. Il s'accroupit même pour regarder dessous.

Dans la poche intérieure du justaucorps jaune pâle que Jakob n'avait plus porté depuis Schönbrunn, Kempelen trouva un billet. Il le déplia et lut à haute voix les trois lignes qui y figuraient : *Jakob Wachsberger, écrit à Vienne, le 14 août MDCCLXX.*

Kempelen fronça les sourcils. *Le 14 août MDCCLXX.* C'était le jour où ils avaient joué contre l'impératrice. Il relut ces quelques mots. La distance entre les lettres était identique, et les caractères étrangement semblables. Chacun des cinq *e,* par exemple, ressemblait à ses frères jusque dans le moindre détail.

« Ce n'est pas l'écriture de Jakob, songea-t-il. Des dimensions aussi précises... une allure aussi mécanique. » Il regarda au loin puis conclut d'une voix inexpressive : *La Machine à tout écrire.*

Il replia le papier et l'enfonça dans la poche de sa redingote. Son regard tomba alors sur le buste. Il le tourna vers lui et regarda dans les yeux morts d'if blanc.

Moins d'un quart d'heure plus tard, il attachait son cheval dans la rue de l'Hôpital, devant le foyer de servantes de la veuve Gschweng, où se trouvait la chambre d'Élise. La veuve l'arrêta dans l'escalier et lui fit savoir que la jeune fille était absente, et que les visiteurs en général et les messieurs en particulier n'étaient pas autorisés à pénétrer dans sa maison. Kempelen expliqua alors qu'il était le patron d'Élise et qu'il venait prendre quelque chose dans sa chambre à la demande d'Élise. Sceptique, la veuve le conduisit jusqu'à la porte et l'ouvrit. Elle fit mine d'entrer avec lui, mais le chevalier la repoussa fermement dans le couloir. Elle protesta jusqu'au moment où il la menaça d'un ton sévère de parler d'elle au bourgmestre si elle continuait à protester, et il lui claqua la porte au nez.

Kempelen fouilla la chambre d'Élise avec autant de soin que celle de Jakob, prenant cependant la peine de tout remettre en place afin de dissimuler sa visite. Il trouva finalement ce qu'il cherchait derrière le miroir : elle avait glissé sous le cadre trois lettres sans enveloppe. L'écriture ressemblait vaguement à celle de *La Merveilleuse Machine à tout écrire*, mais c'était indéniablement celle d'un être humain. Il n'y avait pas plus de date que d'adresse ni d'expéditeur.

Chérie

J'ai eu des nouvelles de P. Pas de toi cependant, mais de la marche triomphale de la machine. Près de trois mois se sont écoulés. S'il s'agit véritablement d'une machine, rentre sans crainte, et dis-le-moi. (Mais pourquoi t'interdirait-il l'accès de son atelier ?) S'il t'est impossible d'arriver à tes fins en tirant avantage des appétits des hommes, essaie de t'introduire de force. Quand bien même il te surprendrait : le plus grave châtiment qu'il puisse t'infliger serait ton renvoi.

Mais si tu tardes parce qu'il te plaît de servir deux maîtres à la fois et de te remplir ainsi les poches, je te préviens : je conserverai mes fl. et il suffira d'un mot de moi pour que tu sois perdue à la cour.

Le frémissement du papier fit prendre conscience à Kempelen qu'il tremblait, mais il lut la deuxième lettre.

Ma chère

Merci pour ta note. Je suis heureux de voir que tu t'es bien adaptée. Tiens-t'en au garçon. À Schönbrunn, déjà, il ne faisait que guigner les demoiselles et s'il est tel que j'étais à son âge (et tel que je suis encore), il voudra t'avaler toute crue. Ensuite, reviens-moi vite et je donnerai à K. une revanche dont il se souviendra toute sa vie.

Tu me manques, chérie, et je regrette nos débauches. Toutes les autres femmes me semblent fades en comparaison de toi. Je baise ta croupe rebondie, mon cœur, je lèche et grignote tes douces pommes de paradis.

Friedrich

Post-scriptum. *Il serait préférable que tu détruises cette lettre comme toutes les suivantes. Ne fût-ce qu'en raison de mes propos un peu lestes.*

Kempelen laissa tomber les deux lettres sur la petite table et déplia la troisième.

G.,
Tu auras certainement eu des nouvelles de Vienne. Je n'ai pu m'empêcher de sourire tout le jour. Quel enchantement. Mais puisque, jusqu'à présent, tu n'as pas réussi, j'estime que ton séjour à P. ne m'est plus utile. Peut-être avais-je placé en toi de trop grandes espérances. Le salaire du mois en cours sera le dernier que je te verserai. Si tu devais tout de même percer à jour le secret du T., je te verserais en sus la 1/2 de la prime promise.
Baisers, et cetera.

Kempelen garda la première des trois lettres, replia les deux autres et les remit en place derrière le cadre. La veuve frappa à la porte et lui demanda ce qu'il faisait.

— Disparaissez ! Je n'en ai plus pour longtemps, cria-t-il, et elle obtempéra.

Il fut long à raccrocher le miroir, tant ses mains tremblaient. Pendant tout ce temps, son propre visage, réfléchi par le verre, n'avait cessé de danser devant ses yeux : blême, luisant de sueur, les cheveux fous, le col grossièrement ouvert à cause de la chaleur. Il lui semblait que le clou se dérobait sans cesse ; doutant qu'il y en eût encore un, il recula puis fit une nouvelle tentative ; enfin, il put lâcher le cadre. Un médaillon suspendu à une chaînette à l'angle supérieur du miroir cliqueta contre le verre. Kempelen l'examina, tandis que l'original et son reflet oscillaient doublement sous ses yeux, et il reconnut le portrait tout éraflé de la Vierge, l'amulette de Tibor, celle qu'il avait toujours vue à son cou. Il est vrai qu'il ne l'avait plus portée ces derniers temps. Parce qu'il ne la possédait plus. Parce qu'elle était ici. Chez Élise.

En sortant, Kempelen déclara à la veuve que, si jamais sa servante apprenait qu'il était entré dans sa chambre, elle entendrait parler de lui, et qu'elle entendrait également parler de lui si elle racontait à qui que ce fût qu'il l'avait menacée d'entendre parler de lui. Alors qu'elle était à deux doigts de perdre la raison, il lui agita sous le nez un florin en guise de sels, et elle reprit ses sens.

— Sainte Marie, Mère de Dieu, entends notre prière. Étends ta grâce et ta protection sur Jakob, où qu'il soit, accompagne-le dans son voyage et conduis-le en sécurité vers son but. Et aide-nous aussi à franchir les obstacles qui nous attendent, ô Vierge glorieuse et pleine de grâce. Conduis-nous jusqu'à ton Fils, recommande-nous à ton Fils, prie pour nous, afin que nous soyons dignes de la promesse du Christ. Amen.

— Amen, répéta Élise.

— Peut-être célèbre-t-il le sabbat quelque part, dit Tibor après qu'ils se furent relevés et eurent frotté leurs genoux pour en faire tomber la poussière.

Ils s'étaient retrouvés à l'atelier. Kempelen était parti à cheval de bonne heure. Il était convoqué au château par le duc Albert et la séance ne s'achèverait pas avant le soir.

— Mais peut-être aussi qu'il est parti, remarqua Élise. Je trouve… que tu devrais le suivre.

— Où ça ?

— Peu importe. Tu ferais mieux de quitter Presbourg.

— C'est dangereux.

— Ça ne fait rien. Si tu le veux, je t'accompagne. Je te protégerai et je te cacherai. J'ai de la famille qui nous aidera. Je ne peux pas te promettre que nous réussirons, mais je ne te le proposerais pas si je n'y croyais pas.

Tibor inclina la tête sur le côté, comme un chien.

— Pourquoi veux-tu m'aider ?

— Parce que… tu as besoin d'aide.

— Ce n'est pas une bonne raison. Par pitié ? Et, sinon, que caches-tu ? Pourquoi tant de bonté ?

Alors qu'Élise cherchait ses mots, les deux battants de la porte de l'atelier s'ouvrirent si violemment qu'elles claquèrent contre les murs. Wolfgang von Kempelen se tenait dans le couloir.

— En effet, Élise, demanda-t-il d'une voix tonitruante. Pourquoi tant de bonté ? Par amour du prochain ? Ou faudra-t-il qu'il te rétribue ? (À grandes enjambées, il entra dans l'atelier. Tibor avait les yeux rivés sur lui.) Je suis navré de troubler votre petit tête-à-tête avant que votre rapprochement ait été plus complet. Et je peux te garantir, Tibor, que ce n'était qu'une question de temps. Je puis également t'expliquer pourquoi elle agit de la sorte. (Il sortit une lettre de son pourpoint et l'agita sous le nez de Tibor.) Parce qu'elle n'est pas une petite servante naïve d'Ödenburg, mais une fouineuse madrée de Vienne que nous envoie ce cher Friedrich Knaus, mécanicien de Sa Majesté et ennemi juré du *Joueur d'échecs* ! Il t'avait pourtant donné l'ordre de détruire ses lettres !

Tibor n'avait pas eu le temps de lire un seul mot avant que Kempelen ne retirât le feuillet pour le poser du plat de la main sur la table du Turc. Ses membres étaient devenus étonnamment pesants, comme si, d'un coup, un sirop épais coulait dans ses veines. Blême, Élise jetait des regards furtifs vers la porte.

— Knaus, qui encourage sa jolie espionne à employer tous les moyens qu'elle jugera bons, charnels de préférence. (Kempelen marcha sur Élise, qui recula d'un pas.) Tu avais en vérité fort à faire, avec trois hommes sur les bras. Moi, elle m'a offert ses lèvres et ses seins. Et toi, Tibor, quelles aventures t'a-t-il été donné de vivre entre ses bras ? S'est-elle dévêtue devant toi ? A-t-elle vérifié si certaines parties de ton corps grandissent, pour peu qu'on les manipule adroitement ? As-tu pu achever avec elle ce que tu avais commencé avec Ibolya ? Est-ce pour cela que tu lui as offert ta petite Vierge ? (Kempelen tendit la main vers la chaîne qu'Élise avait au cou, mais elle se déroba. Tibor était sans voix.) Je préfère ne même pas penser à ce que tu as fait avec notre Jakob, qui était déjà un sacré libertin avant ton arrivée. Tu l'as évidemment embrassé et tu t'es donnée à lui. Un petit acompte en échange de sa trahison ; le reste, il est en train de le toucher chez Knaus, en espèces sonnantes et trébuchantes, cette fois.

— Je ne sais pas où est Jakob, protesta Élise.

— Parce que tu me crois prêt à ajouter foi à un seul de tes propos ?

— Je n'ai reçu aucune nouvelle de Vienne. Par tout ce qui m'est sacré, je ne suis pour rien dans la disparition de Jakob.

— Par tout ce qui t'est sacré ? C'est-à-dire ? L'argent ? Cesse de jouer les bonnes chrétiennes, veux-tu ? Ce vernis dissimule mal la catin perfide que tu es. Je te ferai payer ta traîtrise !

Cette fois, Kempelen empoigna Élise par l'avant-bras, et elle poussa un cri, d'effroi plus que de douleur. Immédiatement, Tibor lança le bras gauche en avant, agrippant le chevalier comme celui-ci avait agrippé Élise.

— Lâche-la, cria-t-il.

— Tu as perdu l'esprit ? Qu'est-ce là ?

— Lâche-la, te dis-je !

Loin de desserrer son étreinte, Kempelen la renforça, meurtrissant pour de bon le bras d'Élise. De sa main libre, elle chercha vainement à détacher les doigts qui la blessaient. Tibor serra plus fort, lui aussi. Kempelen se débattit.

— Continueras-tu à la défendre, à présent ? s'exclama-t-il. Ne comprends-tu pas qu'elle ne veut que notre perte, la tienne comme la mienne ?

Tibor ne répondit rien. Ses lèvres étaient aussi serrées que sa main. Ils restèrent figés tous les trois ; seules les planches du parquet grinçaient sous leurs pieds. Enfin, Kempelen repoussa Élise et se dégagea de l'étreinte de Tibor. Kempelen et Élise se frottèrent le bras. Le chevalier dévisagea Tibor, les yeux écarquillés.

— Au nom du Christ, que t'a-t-elle fait que tu ne saches plus distinguer ami et ennemi ?

— Nous quittons Presbourg.

— Comment ?

— Nous quittons la ville.

— Nous ? Serais-tu ensorcelé ?

— Tu devras te chercher un autre joueur.

— As-tu donc perdu l'esprit ? Il n'y en a pas ! Nous en avons déjà parlé !

— Dans ce cas, transforme ton automate pour qu'un homme de taille normale puisse s'y tenir.

— Impossible.

— Eh bien, arrête. Ce serait encore mieux.

— Je ne peux pas ! Que diront les gens ?

— Explique-leur que tu veux te consacrer à d'autres projets. Que tu en as assez.

Kempelen rajusta son pourpoint, que le pugilat avait mis en désordre.

— Très bien, Tibor, file ! Nous verrons bien jusqu'où tu iras avant qu'on ne te rattrape et qu'on ne t'enferme.

Tibor désigna l'automate.

— Ma cellule sera toujours plus grande que celle-ci.

— Une cellule ? (Kempelen éclata de rire.) Ne nourris pas de faux espoirs : on te pendra haut et court, comme un criminel de droit commun.

— Avant cela, je passerai aux aveux.

— Personne ne te croira.

— Et après ? demanda Tibor en relevant la tête. Pourras-tu vivre avec un tel risque ? Qu'on me croie, que tu sois démasqué comme un escroc qui a eu le front d'abuser la famille impériale et tout son empire ? Ta célébrité se transformera en ignominie et en disgrâce, on te chassera, tu pourras rejoindre la lie des sujets indésirables que tu as déportés dans le banat. Et, là, tu n'auras qu'à refaire ta vie dans une ferme ou au fond d'une mine !

Kempelen secoua lentement la tête et murmura :

— C'est donc ce que tu souhaites ? C'est là toute ta gratitude ? Je t'ai sorti du cachot et de la misère, je t'ai payé, vêtu, soigné… Je t'ai offert un nouveau foyer, mon amitié, même… tout cela pour en arriver là ? Et c'est toi qui te prétends chrétien, toi qui veux me ruiner, avec toute ma famille ? La petite Teréz ?

— Si vous m'envoyez à l'échafaud, vous l'aurez mérité. Autrement, nous garderons le silence tous les deux et personne n'aura à en pâtir. Vous avez ma parole.

— La tienne, peut-être… mais la sienne ?

Kempelen fit un signe en direction d'Élise, qui avait suivi, muette, leur dialogue.

Le regard d'Élise alla de Kempelen à Tibor avant de revenir au premier. Elle déglutit.

— Je me tairai.

Kempelen tapota du doigt la lettre posée sur la table à jouer.

— Tu as œuvré presque six mois pour nous livrer au bourreau. J'imagine que Knaus te paie une fortune. Pourquoi te tairais-tu ? Pourquoi croirais-je que tu le feras ? Et même s'il devait en être ainsi : il suffira que vous arriviez tous deux à Vienne et que je renonce à présenter le Turc pour que Knaus voie clair. Je suis perdu, dans un cas comme dans l'autre.

— N'êtes-vous pas le créateur de l'automate ? L'homme qui a promis à l'impératrice de l'étonner ? lui rappela Tibor.

Kempelen ne répondit pas.

— Je vous demande de me verser ce que vous me devez avant demain, poursuivit Tibor. Je prendrai ce qui m'appartient et je quitterai la ville de nuit. Je vous promets de ne pas me rendre à Vienne.

Kempelen avait les yeux rivés sur le nain, mais son regard était vide. De toute évidence, il avait l'esprit ailleurs.

Sans un mot, il se retira. Son accablement transparaissait jusque dans le bruit de ses pas dans la cage d'escalier.

— Tibor, c'était… très bon de ta part, murmura Élise. Je ne sais pas ce qu'il m'aurait fait. J'ai eu peur.

Il ne lui rendit pas son sourire. Il prit la lettre de Knaus que Kempelen avait laissée sur la table et l'emporta dans sa chambre.

Lorsqu'elle entra, il était assis sur son lit et lisait le message pour la troisième fois. Sa tête accompagnait le mouvement de ses yeux sur les lignes. Elle referma la porte et s'adossa contre le montant de bois, les bras croisés.

— Les choses auraient-elles été différentes si je t'avais dit que je travaillais pour lui ? Et pas pour l'Église ?

Il leva les yeux vers elle.

— Je préférerais que tu me racontes tout maintenant.

— Peut-être vaut-il mieux que tu ne saches pas tout.

— Tu n'as jamais mis les pieds au couvent.

Élise confirma d'un geste.

— Qui es-tu donc, Élise ? En admettant que ce soit ton vrai nom.

— J'ai été baptisée sous le nom d'Élise. Mais depuis quelques années je me fais appeler Galatée à la cour.

— … à la cour ? Tu es une princesse ?

— Non. Je suis une femme entretenue. Une courtisane.

Tibor tressaillit si violemment que la lettre qu'il tenait encore entre ses mains se déchira. Il s'en fallut de peu qu'il s'excuse de sa maladresse.

— Tu es la maîtresse de Knaus ? demanda-t-il, les yeux écarquillés.

— De Knaus… et de bien d'autres. Tous des messieurs distingués. Knaus m'a envoyée à Presbourg. Cependant, je ne l'ai pas fait pour l'argent.

— Pour quoi, alors ?

— Il m'a menacée.

— De quoi ?

— C'est que je suis enceinte.

Tibor se passa les mains dans les cheveux puis se serra le crâne, comme pour l'empêcher d'éclater en morceaux.

— S'il l'avait répété, j'étais perdue de réputation à la cour. Je n'aurais pas pu y retourner. Et j'aurai besoin d'argent pour mon enfant.

— Alors Knaus t'a dit de nous...

Élise hocha la tête.

— Tu as... avec Jakob ?

Non sans quelque hésitation, elle opina à nouveau du chef.

— Et avec Kempelen ?

— Non. Nous nous sommes... embrassés... une fois. Veux-tu un peu d'eau ?

— De qui est l'enfant ? De Knaus ?

— Je ne sais pas.

— Tu ne... Comment peux-tu... Oh, mon Dieu !

— Il est peut-être de Knaus, mais... il pourrait être de l'empereur lui-même. Tu imagines cela ! L'enfant de l'empereur !

Radieuse, Élise posa la main sur son ventre. Tibor ne pouvait en détacher le regard. Il n'aurait pas refusé une gorgée d'eau, effectivement. S'écartant alors de la porte, elle s'avança vers lui.

— Ne parlons plus de tout cela, Tibor. (Il secoua la tête, et elle prit à tort ce geste pour un assentiment.) Tu as pris ma défense. Pareil exploit mérite récompense.

Elle défit son bonnet, le retira de sa tête et le laissa tomber par terre. Puis elle secoua sa chevelure, devenant d'un coup encore bien plus jolie. Sans le quitter des yeux, elle dénoua les rubans de son corset, les retira habilement et sans hâte. Elle avait les seins lourds. Le corset rejoignit le bonnet. Son buste n'était plus couvert que d'une chemise blanche. Elle dégagea une épaule. Tibor retint son souffle. Il contemplait la chair nue, la voussure du bras, l'éclat de la peau blanche et immaculée, l'ombre légère sous la clavicule ; le paysage parfait de son corps avec ses vallons et ses collines, ses versants et ses plaines. Elle était encore plus belle qu'il ne se l'était représentée en rêve. Et elle allait être à lui. Un frisson lui parcourut l'échine.

Elle retira alors son second bras de la chemise, et des deux mains fit descendre le vêtement jusqu'à ses hanches ; elle découvrit ses seins, la flexion de sa taille et le renflement de son ventre qui laissait apparaître sa grossesse mais ne l'en rendait que plus désirable encore. Elle inspira profondément et s'agenouilla devant Tibor. Il n'avait pas bougé. Elle tendit son bras nu vers lui, lui prit la main gauche, la caressa du bout des doigts et la porta à sa bouche. Les yeux clos, elle embrassa le dos de sa main, puis les doigts. Il sentait son souffle, et la chaleur de sa peau. Elle lui tourna la main et déposa de petits baisers à la jonction entre les doigts et la paume. Elle passa la langue sur ses veines. Ce fut lui qui ferma les yeux. Tout son bras tremblait. Lorsqu'il rouvrit les paupières, elle lui jeta un regard empli de promesses. Lentement, lentement, elle posa la main de Tibor sur son sein, lui faisant sentir ses tétons érigés au creux de sa paume. Son tremblement s'apaisa quand ses doigts se refermèrent sur son sein. L'air extasié, elle ferma les yeux, renversa la tête en arrière et gémit.

Tibor se réveilla d'un coup. Ce gémissement sonnait aussi faux que tout le reste, que sa proposition et que sa pose. Ce n'était pas du désir, ce n'était que le spectacle du désir, parfaitement joué par une putain qui avait déjà, de la même manière, fait croire à d'innombrables amants que leurs attouchements lui donnaient du plaisir, et que chacun d'entre eux était unique. Ce n'était pas Élise qui venait d'embrasser Tibor, c'était Galatée, une femme qu'il ne connaissait pas et qu'il ne souhaitait pas connaître. Un sentiment de dégoût le terrassa. Sa peau tiède était écœurante, écœurantes sa nudité et sa langue humide ; il retira sa main comme s'il l'avait plongée dans une flamme. Son excitation reflua immédiatement. Il éprouvait un besoin urgent de se laver la main encore collante de sa salive répugnante.

— Que t'arrive-t-il ? demanda-t-elle.

— Je ne suis pas l'empereur.

Il désigna, couché au-dessus de ses seins, le médaillon qu'il avait vu la veille dans sa chambre.

— S'il te plaît, rends-moi ma Sainte Vierge.

Elle lui jeta un regard incrédule. Puis elle leva les bras pour détacher le fermoir de la chaînette. Prenant alors conscience de sa nudité, soudain honteuse, elle remonta sa chemise sur sa poitrine et ses épaules avant de retirer le bijou et de le lui tendre. Elle restait à genoux.

— Il vaut mieux ne plus nous revoir, dit alors Tibor. Adieu, Élise. Je te souhaite beaucoup de bonheur, à toi et à ton enfant. Je t'en prie : ne trahis pas la parole que tu as donnée à Kempelen. Il a fait fausse route, je te l'accorde, et il s'est montré grossier avec nous, mais, dans le fond, c'est un homme bon, qui n'a pas mérité le sort qui le menace. (Tibor se releva, ramassa le corselet et le bonnet d'Élise et les lui tendit.) Je suis prêt à acheter ton silence. Je ne sais pas ce que Knaus te paie — beaucoup plus, sans doute –, mais je peux t'offrir quarante, peut-être même quarante-cinq souverains. J'aurai besoin du reste pour moi-même.

— Non. (Élise avait la voix cassée.) Je n'ai pas besoin d'argent.

— Parce qu'il te lierait davantage que ta parole ?

Tibor attendit une réponse, mais la jeune femme resta silencieuse. Il ouvrit la porte. Elle comprit le geste, se releva, baissa les yeux vers lui une dernière fois. En quittant la chambre, elle trébucha sur le seuil. Il referma la porte derrière elle.

Elle était partie, mais son odeur demeurait. Tibor ouvrit la fenêtre pour laisser pénétrer l'air humide et froid de l'automne. Puis il étala ses affaires sur le lit et se mit à empaqueter l'essentiel : ses vêtements, son échiquier de voyage, la pièce d'échecs sculptée par Jakob et l'outillage qu'on lui avait laissé.

Sommerein

Sur la berge du Danube, dans le coin de Sommerein, un homme est allongé ; un bras, une épaule et la tête dans la vase de la rive, le reste du corps dans l'eau. Les vaguelettes le bercent inlassablement. Il a la bouche et les yeux ouverts. Sa peau est verdâtre, boursouflée et recouverte d'une fine pellicule, au point qu'on pourrait le prendre pour une figure de cire. La peau de la main recouverte d'eau se détache déjà de la chair – comme la mue d'un serpent, comme un gant transparent. Ses vêtements trempés paraissent sans pesanteur dans l'onde. Le corps de l'homme est peuplé : des mouches pondent leurs œufs dans les écorchures de sa peau, et, déjà, on voit ramper les premiers vers. Ils servent eux-mêmes de nourriture à des prédateurs plus grands, aux fourmis et aux scarabées qui, grimpant ou volant, sont venus de la terre ferme coloniser cette péninsule humaine, aux grenouilles qui ont nagé à travers les roseaux. Ceux qui redoutent les carnivores se réfugient dans les plis des vêtements, dans les cavités sombres et humides de peau et de toile. Sous la surface du fleuve, les punaises d'eau fébriles et les vers sinueux font bombance. De petits poissons évoluent autour du corps pour se régaler de fragments de peau ou des charognards eux-mêmes, tandis que les carnassiers rôdent autour d'eux à plus grande profondeur. Le point de rassemblement de toutes les créatures au-dessus comme en dessous de l'eau est une estafilade dans la poitrine de l'homme, large comme la longueur d'un doigt. Ici, une lame a été enfoncée dans le corps, à l'horizontale, pour éviter l'obstacle des côtes. La chemise est entaillée au-dessus de la chair. Mais l'eau du fleuve a depuis longtemps lavé le sang qui souillait le tissu. Au niveau de la plaie, la chair tendre et rouge est sans protection, prête à être dévorée, et c'est là que les rats, les martres et les renards enfonceront bientôt leurs dents pour la première fois, dès qu'ils auront flairé l'odeur.

Un corbeau, qui a longuement tournoyé au-dessus de cette île humaine, se pose sur le front boueux, sur la peau boueuse. Il y enfonce ses serres. Les scarabées rampent jusqu'à terre ou s'envolent, les grenouilles se réfugient d'un bond au milieu des joncs, les poissons filent se cacher sous une pierre ou dans l'eau profonde. Mais ce sont d'autres ripailles qui ont attiré l'oiseau. De son bec, il soulève la monture métallique des lunettes posées sur le nez de l'homme et la laisse tomber négligemment dans l'eau, où elle s'enfonce. Puis il se met à picorer les globes oculaires froids et à essayer de les extraire de leurs orbites. Après chaque becquée, il regarde autour de lui avec méfiance, mais il achèvera son repas sans avoir été importuné. Sur la lèvre supérieure du mort, on distingue encore des traits de charbon imprécis. Ils dessinent des moustaches à la mode turque.

Le lundi, on remit un billet à Kempelen : le bourgmestre Windisch le priait de se rendre à l'hôtel de ville pour affaire urgente. Kempelen se rasa et s'habilla. Une heure plus tard, il était introduit dans le bureau du bourgmestre. Windisch se leva et renvoya son secrétaire. Son sourire était sans joie.

— Wolfgang, mon cher ami ! Tu es bien pâle. (Ils échangèrent une poignée de main et s'assirent.) J'ai fait repousser toutes les audiences. Je voulais te prévenir moi-même. Je serais bien venu rue du Danube si je l'avais pu.

— Que se passe-t-il ?

Windisch prit des lunettes posées sur son bureau et les tendit à Kempelen.

— On a retrouvé ton assistant hier. Près de Sommerein.

— Aurait-il commis quelque délit ? Où se trouve-t-il à présent ?

— Je regrette. Je me suis mal exprimé : il est mort. On a retiré son cadavre du Danube. Il est exposé à la morgue de l'Hôtel-Dieu. J'ai fait prévenir le rabbin Barba.

Kempelen retourna les lunettes entre ses doigts. Elles étaient plus brillantes qu'il ne les avait jamais vues sur le nez de Jakob.

— Ils veulent l'enterrer dès demain. La communauté juive s'en chargera. Leur foi commande qu'il ne s'écoule pas plus de trois jours entre la mort et l'inhumation, mais, évidemment, ce n'est plus possible.

— Il s'est... il s'est noyé ?

— Non. Il était déjà mort quand il a été jeté à l'eau. Et, s'il ne l'était pas, il a dû mourir rapidement de sa blessure.

Windisch fit glisser le rapport de gendarmerie à travers la table. Une lame avait transpercé le torse de Jakob, du dos vers la poitrine, manquant de peu le cœur mais perforant le poumon. Le coup avait été si puissant que la lame avait même déchiré le devant de sa chemise. De surcroît, la lèvre du mort était lacérée, la peau éclatée sous une oreille et il avait un œil au beurre noir – conséquence de horions d'une grande violence. Détail atroce, il n'avait plus d'yeux – sans doute avaient-ils été arrachés par quelque rapace.

— Toutes mes condoléances. Je sais que tu l'aimais bien, même s'il t'arrivait de le trouver exaspérant.

— Qui... qui a fait ça ?

— Nous n'en savons rien. Et je serais surpris que nous le découvrions. Il a été volé, il n'avait plus la bourse qu'il portait encore sur lui peu de temps auparavant, à La Rose d'or. Mais elle a aussi bien pu tomber de sa poche quand il a été jeté au fleuve. Un crime crapuleux ? Si l'on veut dérober son argent à un homme, il suffit de l'assommer ou, si l'on veut faire les choses à fond, de lui enfoncer un couteau dans le dos. On n'est tout de même pas obligé de le percer de part en part. L'affaire ne doit pas s'ébruiter, autrement, je serai à nouveau abreuvé d'histoires à dormir debout, de légendes de fantômes et de golems ! On ne peut pas exclure que, dans son ivresse, Jakob ait cherché noise à des individus peu recommandables. Ses autres blessures plaident en ce sens. Aussi regrettable que cela puisse être, il ne serait pas non plus le premier Juif à devoir la mort à de méprisables ressentiments.

Kempelen écarta le rapport, que Windisch rangea dans un dossier.

— Je ne te demande pas de prendre ta décision aujourd'hui, mais je suppose que tu vas annuler la prochaine représentation du Turc. Wolfgang ?

Kempelen leva les yeux. Il n'avait pas écouté.

— Excuse-moi, que disais-tu ?

— La représentation ? Au Théâtre italien ?

— Non, non. Elle reste au programme.

— Mais… ton assistant ?

— Je trouverai un remplaçant.

Windisch inclina la tête de côté et dévisagea Kempelen. Puis il se gratta la nuque.

— Wolfgang, faut-il que je m'inquiète ?

— Pourquoi ?

— Tu sembles ne pas avoir fermé l'œil depuis des jours… Tu n'as plus de domestiques, Anna Maria est à la campagne depuis des semaines… et ce fou d'Andrássy vient d'écrire au vénérable pour qu'il te mette en demeure de relever son défi. J'ai averti Andrássy que je n'accepterai aucun duel dans ma ville et qu'il s'expose à de lourdes sanctions. Mais il ne veut rien entendre.

— Il finira bien par se calmer.

— Je n'y compte pas trop. Ces Magyars ! Ils ont beau jouer les gentilshommes, un Attila sanguinaire vit encore en chacun d'eux. Et que fabriques-tu, ces derniers temps, avec Stegmüller ? Pourquoi devrions-nous admettre pareil bouffon dans notre loge ?

— Karl, voyons. C'est un pitre inoffensif.

— Un pitre, effectivement, et, pour cette simple raison, tu ferais bien d'éviter de le fréquenter avant qu'il ne déteigne sur toi.

Kempelen hocha la tête et changea de sujet.

— Écriras-tu ton livre sur le Turc joueur d'échecs ?

— Dès que j'aurai un moment.

Les deux hommes s'étreignirent et prirent congé. Kempelen conserva les lunettes de Jakob. Arrivé sur la place de l'Hôtel-de-Ville, il les fourra dans sa poche. Au lieu de regagner la rue du Danube, il se rendit rue du Chapitre, à l'ombre de la cathédrale, où vivait son frère. Nepomuk s'apprêtait à monter à cheval pour aller travailler au château. Mais, lorsque Kempelen lui fit part des incidents des derniers jours, il demanda à son garçon d'écurie de desseller son cheval. Il irait à pied au Schlossberg, et son frère l'accompagnerait.

Lorsqu'ils eurent quitté la ville et commencé à gravir l'étroit escalier menant au château, Nepomuk dit d'un ton grave :

— Tu es dans les ennuis jusqu'au cou.

— Tu ne crois donc pas qu'ils se tairont, Tibor et elle ?

— *Parbleu !* Bien sûr que non ! Pourquoi le feraient-ils ? Je l'ai toujours trouvé sournois, je ne te l'ai pas caché. Quant à elle, elle est à vendre. Ils parleront, l'un comme l'autre, dès que la somme leur agréera.

— Que dois-je faire ?

— C'est maintenant que tu me le demandes ? Pourquoi ? Cela fait des dizaines d'années que tu ne m'as pas demandé conseil, pourquoi maintenant ? Pourquoi ne l'as-tu pas fait avant de promettre à l'impératrice davantage que tu ne pouvais tenir ? Je t'en aurais dissuadé, et nous ne serions pas là, aujourd'hui, à discuter de cela.

— Tiens-tu donc à m'humilier ? Tu devrais te réjouir, non ? Tu as toujours été jaloux de mon succès.

— Oh ! non, je ne me réjouis pas !

— As-tu un conseil à me donner, ou ne feras-tu que me sermonner ?

— Fort bien. Je ne m'inquiète pas de la fille. Si elle est vénale, il suffira que tu lui offres davantage que le Souabe. Il ne te restera qu'à espérer qu'une fille comme elle est capable de respecter un code d'honneur, quel qu'il soit. Ce ne sera certainement pas bon marché, car il faudra que la somme soit suffisante pour qu'elle n'envisage même pas de te trahir une seconde fois. Le nain me soucie bien davantage.

— Pourquoi ?

— Parce que son horloge ne marche pas à la même allure que la nôtre et que je ne le crois pas pétri de moralité.

— Il est chrétien. Et d'une foi de charbonnier.

— C'est ce qu'il te fait croire, du moins.

— Si je ne peux pas le réduire au silence par de l'argent...

— Bien, qui d'autre connaît la vérité à propos du Turc ? demanda Nepomuk, en commençant à compter sur ses doigts : Toi, moi, Anna Maria, cet imbécile d'apothicaire : nous nous tairons, de toute manière. Ta fausse servante sera achetée. Ton Juif et Ibolya sont morts, emportant leur secret dans la tombe. Quant au nain...

Un geste léger interrompit l'énumération, et Nepomuk se tut.

Kempelen s'arrêta de marcher.

— Je dois le tuer ?

— Je n'ai rien dit.

— Je ne ferai pas cela.

— Il s'est montré déloyal. Il l'aurait mérité, après les bontés que tu as eues pour lui.

— Non. Je ne peux pas faire cela.

— Dans ce cas, tu dois t'attendre à tout.

— Je ne peux pas tuer un homme.

— Nous ne parlons que d'un nain, Wolf. Un avorton, une lubie de la nature. Qui sait, tu lui rendrais peut-être même service, si le monde le désespère autant que tu le dis. Peut-être ne s'est-il abstenu de s'en charger lui-même que parce qu'il redoute les flammes de l'enfer promises aux suicidés.

— Je ne le ferai pas, répéta Kempelen en secouant la tête.

Les deux frères poursuivirent leur chemin en silence. La silhouette massive du château s'élevait devant eux. Sur la gauche, Kempelen aperçut la pente raide qui descendait vers le quartier de Zuckermandel : les filets et les bateaux des pêcheurs à terre, quille en l'air, la cour avec les bustes étranges du sculpteur Messerschmidt, les peaux étendues à sécher sur des cadres et les cuves ouvertes des tanneurs. Il était trop loin pour entendre les cris des hommes et le bruit de leurs outils, mais la puanteur des acides tanniques montait jusqu'à eux.

— M'aideras-tu ? demanda Kempelen.

Nepomuk lança un rire bref et sec.

— Non. Je suis directeur de la chancellerie du duc. Non. Tu devras te passer de mon concours. Car, si tu échoues, j'aurai déjà bien du mal, étant ton frère, à en sortir la tête haute. Je ferai tout mon possible pour ne pas me laisser entraîner dans ta chute.

Les frères Kempelen se séparèrent à la Siegmundstor. Nepomuk entra dans le château, Wolfgang regagna la rue du Danube, après un détour par sa banque de dépôt et par L'Écrevisse.

Une carte géographique reproduisant l'Europe centrale était accrochée dans le bureau de Kempelen. De la côte atlantique française à la mer Noire, du royaume du Danemark jusqu'à Rome, les États étaient entourés de traits noirs précis, et colorés d'encres de Chine de différentes teintes. Tibor se demanda qui avait choisi ces couleurs. Pourquoi la Prusse était-elle toujours représentée en bleu sur toutes les cartes qu'il avait vues jusqu'à présent ? Pourquoi la France était-elle en violet et l'Angleterre en jaune ? Pourquoi l'empire des Habsbourg était-il rose et pas rouge foncé ? La république de Venise était-elle verte à cause de ses prairies ou de la mer Adriatique ? L'Empire ottoman brun parce que les Turcs avaient la peau mate ou à cause du café et du tabac qu'ils consommaient ? La carte avait été pliée deux fois, et Vienne se trouvait exactement sur le pli, avec Presbourg à droite. Où qu'il se rende, si Tibor voulait quitter l'Autriche, la frontière la plus proche se trouvait à cinq jours de cheval au moins, et deux fois autant à pied. La moins éloignée était encore celle de la Silésie ; or il n'avait pas la moindre intention de retourner en Prusse.

Il avait vu la Saxe et ne s'y était pas plu. La Pologne était coincée entre la Prusse, la Russie et l'Autriche, ce qui suffisait à la rendre inhospitalière. Devait-il aller en Bavière ? Rejoindre dans la République vénitienne, en espérant que ce troisième séjour serait plus heureux que les précédents ? Ou fuir l'hiver qui approchait en partant pour le Sud, la Toscane, la Sicile, les États pontificaux ? Il avait été heureux à Obra ; peut-être devrait-il chercher asile dans un couvent. Quelle autre solution pouvait-il envisager ? Sur la carte, l'Allemagne et les Pays-Bas, morcelés, dessinaient une image bariolée comme un tapis ravaudé, assemblage grossier de duchés, de principautés et d'électorats, de comtés et de land-graviats, d'évêchés, d'archevêchés et de villes libres, dont certains si petits qu'on n'avait même pas eu la place d'écrire leur nom. Pourquoi ne pas leur donner à chacun une forme carrée et ne pas faire de ces régions un échiquier multicolore ? Tibor n'irait pas en Allemagne. Il n'avait pas envie de passer le restant de ses jours à jouer les bouffons, avec des grelots à ses chaînes, aux pieds de quelque landgrave falot. La France, en revanche, présentait une surface uniforme et continue avec en son centre Paris, comme une grosse araignée noire dans sa toile. La France s'appelait Paris. Son chemin le conduirait inéluctablement à Paris, il le savait, même s'il détestait les grandes villes. Il glisserait vers la capitale comme dans un entonnoir dès qu'il mettrait les pieds en France, et il y finirait dans le ruisseau. À moins qu'il ne devienne sonneur. La carte s'achevait à la frontière russo-polonaise, mais si, comme on le disait, la tsarine dévorait des enfants, il pourrait bien finir un jour sur sa table, lui aussi, une pomme entre les dents. En Espagne, ils avaient brûlé tous les Juifs ; des hommes capables de pareilles atrocités n'accueillaient certainement pas les nains à bras ouverts. Il ne parlait pas anglais, et la simple idée de devoir traverser la Manche le dissuadait de se rendre en Angleterre. La même terreur de la mer lui fermait la porte des colonies britanniques, en proie, de surcroît, à des guerres incessantes et où des Nègres déportés d'Afrique travaillaient comme esclaves. Il existait en Afrique, disait-on, des tribus de Nègres qui ne mesuraient pas plus de cinq pieds de haut. Encore trop grands pour lui. Jakob lui avait parlé des mémoires d'un prêtre irlandais, qui avait jadis fait naufrage sur une île nommée Lilliput, dont les habitants n'étaient pas plus grands qu'un empan. Peut-être devrait-il surmonter sa peur de l'eau, prendre le large et rechercher cette île – borgne au royaume des aveugles, il régnerait sur ce petit peuple.

Quittant la carte, son regard avait glissé sur le mur ; jusqu'à la porte, où se seraient trouvés l'océan Pacifique et ses îles si la carte avait montré la planète entière. La porte s'ouvrit, et Kempelen entra.

Ils s'assirent. Le chevalier avait l'air sinon heureux, du moins de bonne humeur, et ne manifesta aucune hostilité à Tibor. Il avait sur lui une bourse de cuir dont il vida le contenu sur le secrétaire : deux cent soixante florins, le salaire de Tibor, déduction faite de menues dépenses, réparti en quarante souverains d'or et vingt florins. Kempelen sortit du tiroir une feuille de papier sur laquelle il avait consigné toutes les sommes afin que Tibor pût se convaincre que les comptes étaient justes. Lorsque celui-ci remit tout cet argent dans la bourse et en éprouva le poids, il se fit l'effet d'un voleur. Mais cet argent lui revenait.

Tibor demanda ce qu'il allait advenir d'Élise. Kempelen lui avait également versé son salaire – avec un supplément pour prix de son silence.

— Elle se taira, dit Tibor, sans y croire tout à fait.

— Espérons-le. Sinon, je la retrouverai et je lui en ferai rendre compte, je l'ai prévenue. Elle a demandé de tes nouvelles.

— Que lui avez-vous dit ?

— Je lui ai dit qu'elle t'avait trahi, toi aussi, et que je ne pensais pas que tu souhaites la revoir. Est-ce vrai ?

— Oui, dit Tibor. Je la déteste.

— Cela se comprend. Où vas-tu aller ?

— Vers le nord, mentit Tibor.

Kempelen hocha la tête et pianota sur la table.

—J'ai quelque chose à te dire avant que tu prennes congé. Je ne suis pas très habile dans ce genre de mission… je serai donc bref, en espérant que l'émotion ne sera pas trop violente. Jakob est mort.

Jakob est mort. Naturellement, Jakob était mort.

Pendant que Kempelen lui racontait où et dans quel état on avait retrouvé le cadavre de Jakob, Tibor comprit combien son espoir de le revoir vivant avait été illusoire.

Le Juif ne lui avait pas dit au revoir, il n'avait pas réclamé son salaire, il n'avait pas pris ses affaires, pas même sa ceinture à outils. Jakob était mort, et toutes les prières de Tibor étaient demeurées impuissantes. Derrière lui, l'épée de Kempelen était appuyée au mur, comme toujours. Tibor aurait voulu la sortir de son fourreau pour vérifier si du sang séché adhérait encore à la lame. Dans ce cas, il n'aurait pas hésité à trancher la tête de Kempelen. Il fit un signe d'acquiescement quand celui-ci lui demanda s'il avait l'intention de partir le jour même.

— Je comprends, approuva Kempelen. Je regrette que tu ne puisses pas venir à l'enterrement de Jakob, cela lui aurait certainement fait plaisir. J'y serai, bien sûr. Je suppose que je serai le seul goï. On l'enterre au cimetière à côté de la rue des Juifs.

Tibor réfléchit.

— Tu peux très bien passer une dernière nuit ici, proposa Kempelen. Ou aller à l'auberge si tu ne supportes plus la compagnie du Turc ni la mienne. Mais je ne t'arrêterai pas. C'est fini. Tu es libre.

Libre, oui, mais seul. La solitude avait accompagné Tibor toute sa vie et ne l'avait jamais particulièrement troublé. Mais maintenant qu'il avait goûté aux charmes de la compagnie, maintenant que sa faim avait été éveillée et qu'il avait joui de l'amitié de trois êtres humains – le premier l'avait tyrannisé, la deuxième avait abusé de lui et le troisième avait été assassiné –, il en souffrait. Sans ses souliers à plate-forme, il sortit dans la rue, sur ses « petits pieds catholiques », aurait dit Jakob. Ses enjambées étaient plus courtes, mais il marchait tout de même plus vite. Le regard des gens lui était indifférent. Il fallait de toute urgence qu'il aille à l'église prier pour l'âme mortelle de Jakob. La dernière fois qu'il l'avait vu, il avait insulté son ami et sa religion et lui avait claqué la porte au visage. Pourtant, Jakob ne lui avait dit que la vérité. Et, quelques heures plus tard, il s'était vidé de son sang au milieu du cercle de ses assassins qui l'avaient jeté dans le Danube froid et sale comme un détritus. Peut-être une malédiction pesait-elle sur Tibor – comme celle du Turc, dont parlait tout Presbourg –, condamnant quiconque l'approchait. Sa seule présence était-elle donc mortifère ? Élise aurait-elle, elle aussi, à en subir les conséquences ?

D'un pas décidé, il gravit les marches de l'église Saint-Sauveur et se dirigea vers le bénitier. En plongeant les doigts dans l'eau fraîche, il eut l'impression que quelque chose avait changé depuis sa dernière visite. L'aménagement intérieur et les murs blancs aux ornements dorés étaient pourtant identiques. Quelques fidèles étaient assis sur les bancs ou attendaient devant le confessionnal. Tibor comprit alors que ce n'était pas l'église qui avait changé, mais lui-même. Il tourna les yeux vers la Vierge à l'Enfant ; elle ne l'invitait plus à s'approcher comme autrefois. Ce n'était qu'une statue. Une dame. Un mannequin inanimé, comme le Turc. Et le chapelet qu'il avait récité, jour après jour, devant son échiquier lui parut bien misérable. Toutes ses prières ne l'avaient pas empêché de tomber amoureux d'une catin enceinte qui l'avait abusé. Marie n'avait pas protégé Jakob. À quoi bon prier ici pour l'âme de son ami ?

Lorsqu'il sortit de l'église, il entendit crier :

– Demi-portion !

Tibor s'arrêta. Walther était assis sur les marches, à l'ombre du porche, sa sébile devant lui, comme le jour où il était venu se confesser pour Pâques. Tibor ne l'avait même pas remarqué en arrivant.

– Hé ! Demi-portion ! répéta Walther.

Tibor aurait pu l'ignorer et poursuivre son chemin, ou retourner dans l'église ; mais son camarade l'avait reconnu. Il s'approcha donc de lui.

– Salut, Walther, dit-il.

– Morbleu, c'est bien toi ? Je croyais qu'ils t'avaient coupé en morceaux à Torgau !

Walther attrapa Tibor par le bras et le serra pour bien s'assurer que ce n'était pas un fantôme.

– C'est ce que je pensais de toi, moi aussi.

Walther rit et tapa sur son moignon.

– Ils ont bien essayé, ces gros Prussiens. Mais ils ont dû se contenter de ma patte. Elle engraisse aujourd'hui les champs saxons. Et que dis-tu de ma gueule ? Je fais peur aux enfants... quand ils ne se moquent pas de moi. (Walther tourna vers lui son visage couturé de cicatrices, fit la grimace et rit.) Et alors, qu'est-ce qui t'amène dans cette bonne ville de Presbougre ? Sacrebleu, mais regarde-toi !, dit-il en tirant sur la redingote verte de Tibor. Quelle élégance ! La redingote, le chapeau – je donnerais beaucoup pour me promener dans les rues vêtu *à la mode* comme toi !

Tibor raconta ce qui lui était arrivé après la bataille de Torgau et inventa un prétexte à sa présence à Presbourg.

– Mais je repars bientôt.

– Bien, bien. Tu n'aurais pas un ou deux groschen pour un vieil ami, pour un fidèle camarade ? demanda Walther en frappant sa sébile pour y faire cliqueter la poignée de kreutzers qui s'y trouvaient. Les affaires ne sont pas fameuses aujourd'hui, et l'hiver approche.

Tibor hocha la tête et attrapa sa bourse. Plus vite il se débarrasserait de Walther, mieux cela vaudrait. Mais, lorsqu'il dénoua le ruban de cuir, une idée lui vint.

– Dis-moi, Walther, aurais-tu envie de gagner quelques florins ?

L'autre se redressa.

– Pourquoi pas ?

– J'ai besoin d'un cheval. Je crois me souvenir que tu t'y entends. Sais-tu où l'on peut en acheter un ?

— Bien sûr ! *Les dragons ne sont ni hommes ni bétail, ils sont infanterie à cheval !*

— Dans ce cas, achète-moi une monture, une selle et des sacoches. Et puis des provisions pour une semaine. Il me faudrait tout cela demain soir.

— Un bidet et tout son équipage ? Ça ne va pas être bon marché, Demi-portion.

— Peu importe. Connais-tu la petite église Saint-Nicolas, entre le Schlossberg et le quartier juif ? Nous nous y retrouverons au cimetière, deux heures après le coucher du soleil. Je te donne deux souverains pour prix de ton aide. Tu en auras davantage encore si tu fais un bon achat. Qu'en dis-tu ?

— Je dis que tu as dû dévaliser quelqu'un – mais ce n'est pas mon affaire. Je suis ton homme, sacrebleu ! Demain, je serai au cimetière Saint-Nicolas, tenant les rênes de la rosse la plus rapide qu'on ait vue depuis Bucéphale !

Tibor sortit de nombreuses pièces de sa bourse.

— Je peux te faire confiance, Walther ?

— Tu devrais avoir honte de poser une question pareille ! Tu as ma parole de soldat et de camarade. (Walther cligna de l'œil du côté droit, où la chair brûlée était si déformée qu'il pouvait à peine fermer la paupière.) Si l'honneur des dragons ne te suffit pas, regarde : je n'ai plus qu'une jambe, ou plutôt trois, dit-il en caressant les béquilles couchées près de lui sur les marches, tu m'aurais facilement rattrapé avant que le coq chante trois fois.

Tibor donna les pièces à Walther, qui les fit prestement disparaître dans son manteau.

— Que Dieu te bénisse, petit, dit-il. C'est bien d'aider un pauvre type à terre à se remettre sur ses pieds. Enfin, sur un, sacrebleu !

Les deux camarades échangèrent une poignée de main. Tibor eut bien du mal à ne pas se retourner avant de s'éloigner vers la Grand-Place.

Il constata, surpris, qu'avec sa nef centrale et ses deux nefs latérales la synagogue ressemblait beaucoup à une église. Des colonnes et des arcades soutenaient une galerie meublée de rangées de bancs sombres, comme la nef principale. Il n'y avait pas de chaire, mais le centre du bâtiment était occupé par une plate-forme sur laquelle se dressait un lutrin vide. Une balustrade à ras du sol l'entourait, et des marches s'élevaient de part et d'autre. Elle était surmontée d'un lustre massif. Les bancs étaient ainsi disposés que la plate-forme était visible des quatre côtés. Dans l'abside, sur le mur est de la synagogue, il n'y avait ni autel ni crucifix, mais un coffret, dont un rideau de velours rouge dissimulait le contenu. Au sommet, deux lions d'or tenaient une sorte de blason entre leurs pattes. Le reliquaire était, lui aussi, entouré de balustres ainsi que d'une couronne de candélabres. À sa gauche, Tibor aperçut un chandelier à sept branches semblable à ceux qu'il avait vus dans l'appartement de Jakob et chez Krakauer, mais en plus imposant. Les fenêtres de la synagogue n'étaient pas colorées comme des vitraux d'église ; les murs étaient peints en bleu et or, rehaussés de dessins et de frises sur lesquels se répétait l'étoile de David. En revanche, il n'y avait ni tableaux ni statues. À l'exception des deux lions, Tibor ne vit aucune reproduction d'êtres vivants. Les Juifs n'avaient-ils pas de saints ? Où étaient Abraham, Isaac, Moïse et tous les autres ?

Tibor retira son chapeau et s'aplatit les cheveux. Près de lui, à l'entrée, il vit un bénitier. Il s'apprêtait à y plonger les doigts mais se retint. Avait-il vraiment l'intention de s'humecter le front avec de l'eau bénite juive ? Peut-être n'était-ce même pas de l'eau bénite. Si seulement Jakob avait été avec lui pour lui expliquer !

Il traversa la nef principale, attentif à l'écho de ses pas, passa devant la tribune et s'approcha du coffret voilé. Il reconnut alors sur le rideau la reproduction des deux tables de pierre portant les dix commandements. L'inscription était en hébreu. Tibor posa les mains sur la balustrade et s'agenouilla. Il pria. Sa prière ne s'adressait à personne en particulier, ni au Dieu des chrétiens ni à celui des Juifs ; il renonça aux formules qu'il avait récitées sa vie durant. Ce serait une prière pour Jakob, tout simplement. Par bonheur, l'orgue était silencieux et la synagogue déserte ; rien ne dérangeait sa prière. Bientôt, les premières larmes ruisselèrent sur ses mains jointes et sur le sol de pierre, et il se rendit compte qu'il ne priait plus seulement par compassion pour Jakob, mais pour lui-même, qui avait perdu son ami et bien plus que cela encore.

Il faisait nuit quand Tibor arriva dans le quartier de Zuckermandel. Il avait touché son argent, Walther allait lui apporter un cheval et des vivres. Il ne lui manquait plus qu'une arme. Andrássy n'avait pas hésité à faire feu. Kempelen s'était procuré un pistolet. Si Jakob avait été armé, peut-être serait-il encore en vie. Tibor était décidé à vendre chèrement sa peau face à un éventuel poursuivant.

Il y avait de la lumière chez le sculpteur. Tibor frappa à la porte de la maison, tout en songeant que cette manière d'entrer était peut-être trop ordinaire pour l'esprit du magnétisme.

— Messerschmidt n'est pas chez lui, entendit-il gronder de l'intérieur.

Mais c'était bien sa voix, à ne s'y pas tromper.

Tibor renonça à frapper. Il mit les mains en porte-voix devant sa bouche et cria d'une voix solennelle :

— Ha ! ha ! Je suis l'esprit du magnétisme !

Le silence se fit aussitôt et, quelques instants plus tard, des loquets furent tirés. Messerschmidt ouvrit la porte et baissa les yeux vers Tibor, qui prit une expression aussi sévère que possible.

— Pardonne-moi, esprit, dit le sculpteur. Je ne t'attendais pas.

Il invita le visiteur à entrer. Tibor avait soigneusement préparé son argumentation et Messerschmidt l'écouta respectueusement. Au cours des semaines passées, lui, Tibor, esprit du magnétisme, s'était opposé à plusieurs reprises en combat singulier à l'esprit des proportions, mais, chaque fois, celui-ci avait pris la fuite. Il lui fallait un pistolet pour abattre le mauvais esprit d'un coup de feu, avec de la poudre et du plomb. Messerschmidt hochait la tête en silence, et, quand Tibor eut fini, le sculpteur fou alla immédiatement chercher dans la pièce voisine un pistolet, des balles et une corne à poudre. Pendant ce temps, le nain regarda autour de lui. L'atelier n'avait pas beaucoup changé. L'artiste travaillait manifestement à un crucifix. La silhouette de Jésus parut quelque peu étrange à Tibor, et, s'approchant, il remarqua que le Sauveur était coiffé d'un chapeau de feutre et vêtu d'un costume hongrois. À son retour, Messerschmidt lui expliqua qu'un paysan lui avait commandé un « christ hongrois » et qu'il lui apporterait effectivement un christ hongrois au grand complet.

Tibor s'apprêtait à payer le pistolet en espèces sonnantes et trébuchantes, mais Messerschmidt écarquilla si bien les yeux quand le prétendu esprit sortit sa bourse qu'il y renonça. Le sculpteur lui dit adieu et lui souhaita bonne chasse.

Dans les entrailles du Turc

Lorsque Tibor rentra, de nuit, toutes les lumières étaient éteintes dans la maison de la rue du Danube. Kempelen lui avait laissé à souper sur un plateau, devant sa porte : du pain, de la saucisse, des oignons et une chope de malvoisie rouge. Tout en mangeant, Tibor se familiarisa avec le fonctionnement du pistolet de Messerschmidt et, lorsqu'il eut terminé son dîner, il le chargea. Il prit la corne et fit couler un peu de poudre noire dans le bassinet et dans la bouche du pistolet, la tassa avec le bourroir, y introduisit la balle et l'enfonça fermement, elle aussi. Sans armer le chien, il posa le pistolet à côté de son lit. Il avait l'intention de vérifier ses bagages une dernière fois – il voulait partir de bonne heure le lendemain et ne pas retourner chez Kempelen après l'enterrement –, mais il se sentit soudain recru de fatigue. Il s'effondra sur son lit, sans se déshabiller ni éteindre la bougie, et sombra dans un sommeil sans rêve.

Lorsqu'il s'éveilla, il faisait encore nuit. Sa tête bourdonnait, ses membres étaient lourds, et il avait le plus grand mal à ouvrir les paupières. Il entendit un grattement ; était-ce une bête ou rêvait-il ? Tibor gémit. Un peu plus tard, la porte qu'il avait fermée à clé s'ouvrit cependant, et deux silhouettes pénétrèrent dans sa chambre à la lueur de la bougie. « *Padre ?* » demanda Tibor, bien qu'il sût fort bien que l'homme qui se tenait devant lui n'était ni prêtre ni médecin, mais apothicaire. L'autre était Kempelen. Tibor voulut se lever pour prendre la fuite, mais il tomba en sortant du lit. Ses membres étaient de plomb. Ensemble, les deux hommes le retournèrent sur le ventre pour lui lier les bras dans le dos. Ils parlaient entre eux, mais il ne comprenait pas ce qu'ils disaient. Leurs manipulations finirent par le sortir de sa torpeur. Dégageant brutalement ses mains, il frappa l'apothicaire au visage ; il lança un coup de pied en direction de Kempelen et para une seconde attaque. Il se cramponna au lit pour se redresser et se remit debout en vacillant, s'adossant au mur. Le crucifix se détacha de son clou et tomba au sol avec fracas. Tibor jeta une cruche contre ses agresseurs ; elle s'écrasa contre le mur. Il voulut attraper le pistolet posé près de son lit, mais ses doigts se refermèrent sur ses draps. L'apothicaire recula de deux pas et fouilla dans une sacoche, pendant que Kempelen s'approchait de Tibor, la main tendue, en prononçant quelques mots. Mais, comme un chien, le nain n'entendait et ne comprenait plus que son nom, répété encore et encore. L'apothicaire se retourna. Il tenait un linge dans la main, un autre devant sa bouche. Kempelen fit un bond pour s'emparer du nain. Ils roulèrent ensemble sur le plancher. Alors que Tibor repoussait Kempelen, celui-ci lui asséna un violent coup de poing en pleine poitrine, à l'endroit de sa blessure. Il se tordit de douleur. Quelques secondes plus tard, l'apothicaire lui pressait le chiffon humide sur le visage. Tibor ferma instinctivement la bouche et inspira par le nez. Cela empestait l'urine. Se débattant toujours, il vit le chevalier détourner le visage et enfouir le nez dans le pli de son coude. Tibor prit une nouvelle inspiration, et la douleur s'évanouit. Ses membres se détendirent, il éprouva une agréable sensation de chaleur et se rendormit.

Stegmüller jeta le chiffon dans la cuvette de Tibor et versa de l'eau par-dessus. Il se rinça les mains. Kempelen ouvrit la fenêtre.

— Combien de temps va-t-il dormir ? demanda-t-il.

— Pas très longtemps. Il est de petite taille, certes, mais fort coriace. (Il leva le verre de vin vide.) Regarde : il en a bu tout un verre et s'est tout de même réveillé. Pourtant, j'en avais mis une fameuse dose.

— Allons respirer ailleurs, veux-tu ?

Ils portèrent le nain inconscient dans l'atelier. Là, Kempelen prit des cordes, lui ligota les pieds et les mains dans le dos et le bâillonna. Il regarda la pendule murale. Il était un peu plus de quatre heures.

— Et maintenant ? demanda Stegmüller en contemplant le corps immobile et garrotté.

— Maintenant..., dit Kempelen, en laissant planer le mot « maintenant », nous allons mettre fin à ses jours.

Stegmüller sursauta et secoua la tête, incrédule.

— Non.

— Qu'imaginais-tu ?

— Je pensais... que tu voulais, je ne sais trop... le punir... ou lui faire quitter le pays...

— Tu as apporté l'arsenic ?

— Oui.

— Alors quoi ? À quoi peut servir de l'arsenic, sinon à faire passer quelqu'un de vie à trépas ?

— Je ne sais pas...

— Plus vite nous nous mettrons à l'ouvrage, plus la tâche sera aisée.

Kempelen tendit la main.

Stegmüller sortit lentement le petit flacon brun de la poche intérieure de sa redingote et le posa dans sa paume ouverte.

— Comment l'administre-t-on ?

— Par voie orale... mais, dans ce cas, il faut que la dose soit très forte, et le poison met plusieurs heures à agir... L'autre solution est de l'introduire directement dans le sang, en pratiquant une incision dans la peau ou en ouvrant une veine.

— Et, dans ce cas, la mort est rapide ?

— Comme l'éclair.

— Fort bien. Procédons ainsi. As-tu un scalpel sur toi ?

Stegmüller secoua la tête. Kempelen se dirigea vers son établi et attrapa un petit burin. Il le tendit à l'apothicaire.

– Que veux-tu que j'en fasse ? demanda Stegmüller.

– Ce que tu viens de m'expliquer.

– Moi ?

– Tu t'y connais mieux que moi.

– Non.

– Tu l'as soigné !

– C'est tout différent de le... Non. Je regrette, je ne peux pas faire cela.

– Personne n'en saura rien.

– Là n'est pas la question... Je...

Stegmüller chercha ses mots sans quitter le burin des yeux.

– Georg, je t'en prie, fais un effort.

– Gottfried.

– Georg, Gottfried, peu importe. Fais-le, que diable !

Stegmüller regarda Kempelen bien en face.

– Non. Au nom de Dieu, non, non et encore non ; je ne le ferai pas. Tu peux garder le poison et mon savoir, et agir toi-même si ce geste ne te rebute pas. Jamais je ne tuerai un être humain.

– La loge...

Stegmüller leva les mains.

– Aucune loge, et rien au monde n'est assez précieux pour cela. Quand bien même on me nommerait duc. Le salut de mon âme m'est plus cher. (Stegmüller reposa le burin.) Je m'en vais.

– Reste, te dis-je !

Stegmüller reculait déjà.

– Non. Je refuse d'être témoin de ce crime !

– Reste ici, lâche !

– Traite-moi de lâche autant que tu voudras. Je ne t'en tiendrai pas rigueur. Je préfère être un lâche qu'un assassin.

Stegmüller fit demi-tour et disparut dans la cage d'escalier. Kempelen l'entendit dévaler les marches en trébuchant. Puis le silence retomba sur la maison.

Il ouvrit le poing, et le petit flacon apparut. Reprenant le burin, il s'agenouilla à côté de Tibor, muni du poison et du couteau. Les mains du nain étaient croisées dans son dos. Kempelen remonta légèrement la corde pour dégager le poignet. Trois veines bleues couraient sous la peau. Il brisa le sceau qui maintenait le bouchon sur le goulot et ouvrit le flacon. Il le reposa. Puis il prit le burin et posa la lame d'abord sur une veine, puis sur les trois. Il le retira, appuya de deux doigts sur le poignet et, bien qu'il tremblât, il sentit battre le pouls de Tibor. Il remarqua également que son dos s'élevait et s'abaissait au rythme de sa respiration. De nouveau, il approcha la lame. Il l'appuya, puis la retira. Pas une goutte de sang. Le ciseau n'avait même pas entamé la peau. On ne distinguait sur le poignet qu'une fine ligne blanche due à la pression. Ou bien Kempelen n'avait pas exercé une pression suffisante, ou la lame était émoussée. Ses yeux se reposèrent sur la main. La main qui avait actionné le bras du Turc. La ligne blanche avait déjà disparu. Kempelen enfouit son visage dans ses mains et poussa un profond soupir.

Il ouvrit le débarras dans lequel l'automate était rangé, puis l'automate lui-même et, tirant et poussant, introduisit Tibor garrotté à l'intérieur, là où il avait passé tant d'heures au cours des six derniers mois. Puis il referma toutes les portes du buffet, poussa la façade de l'automate contre le mur et bloqua les roues. Quand il sortit du débarras, le Turc fut plongé dans les ténèbres. Kempelen verrouilla la porte et posa une poutre en travers. Il rangea le burin, serra l'arsenic intact dans son secrétaire, éteignit la bougie et referma la fenêtre de la chambre de Tibor. Puis il descendit à la cuisine se préparer du café, emportant la cuvette contenant le linge imbibé de narcotique. Dehors, il s'était mis à pleuvoir.

La nuit régnait, la nuit et le silence, la nuit et un silence absolu, au moment où Tibor reprit conscience. Il craignit que le poison qu'il avait inhalé ne lui eût troublé la vision et l'ouïe, avant de comprendre qu'il n'y avait ni lumière ni bruit autour de lui. Il avait encore un linge humide devant la bouche, mais ce n'était qu'un bâillon, qui répandait pour toute odeur celle de sa salive. Il avait la bouche sèche. Sa soif était si taraudante que déglutir était douloureux. Il sentit de l'étoffe sous ses jambes et contre son occiput, et, à la manière dont les cloisons toutes proches renvoyaient ses gémissements, il comprit qu'il était enfermé dans une caisse. Un cercueil. On l'avait enterré vivant. Un instant, son esprit céda à une angoisse insondable, mais, bientôt, il perçut un parfum familier de métal et d'huile. Il n'était pas dans un cercueil mais dans les entrailles feutrées du *Joueur d'échecs*.

Ses mains étaient liées et engourdies, ses pieds également. Il pouvait à peine bouger. La dernière fois qu'il avait été pleinement conscient, il avait mangé. Tout ce qui lui était arrivé ensuite était comme un rêve. Il ne se souvenait que d'une chose avec certitude : Kempelen l'avait agressé avec l'aide de l'apothicaire et l'avait assommé. Combien de temps s'était-il écoulé depuis ? Une heure, un jour entier ? Il se mit à crier, autant que le bâillon le lui permettait, et à frapper de ses pieds ligotés contre la cloison, mais cela ne fit que rendre l'air plus rare et plus brûlant, et sa soif plus insupportable encore. Si le Turc était dans le débarras, ce qui était probable, personne ne l'entendrait, de toute façon.

La première chose à faire était de se débarrasser de ses entraves. Tournant les mains, il chercha à les dégager des cordes, en vain : les liens étaient trop serrés et les nœuds inaccessibles. Il lui aurait fallu un couteau. Il remua ses doigts froids et ankylosés tout en réfléchissant. Qu'avait-il sur lui qui pût lui être utile ? Rien. Ses poches étaient vides. Qu'y avait-il à l'intérieur de l'automate ? Une bougie, mais rien pour l'allumer. Un échiquier et un mécanisme. Le mécanisme… Des roues dentées… Il se rappela sa dernière représentation à Schönbrunn, son bras égratigné par la dent acérée d'une roue. Peut-être pourrait-il trancher ses liens en les frottant sur un rouage. Il tourna la tête à droite, vers l'engrenage invisible dans le noir. Il connaissait la disposition des roues et se demanda laquelle était la plus basse. Tournant le dos à la machinerie, il tâtonna à sa recherche et en approcha ses mains. Il glissa ses poignets dessus d'avant en arrière à plusieurs reprises. La corde ne semblait même pas entamée. En revanche, il dérapa plusieurs fois, et ses bras se prirent dans l'engrenage. Les dents l'écorchèrent jusqu'au sang. Lorsqu'il se fut habitué à l'inconfort de sa position et eut un peu amélioré sa technique, il enregistra pourtant quelques progrès. Comme une scie, le métal s'enfonçait dans le chanvre. Un premier fil céda, puis un second. Une fois le troisième brin coupé, les autres se défirent tout seuls. Il frotta ses poignets endoloris, retira son bâillon et se délia les pieds.

Bien sûr, toutes les portes étaient fermées, et Tibor n'avait pas de clé. Comme il n'y voyait rien, il frappa contre les quatre parois et déduisit, d'après le son qu'elles renvoyaient, que Kempelen avait poussé le buffet dans un angle. Il était donc impossible de faire coulisser le plateau de la table. La seule issue possible était la porte arrière, juste à côté de lui. Tibor appuya son épaule contre le bois. Il grinça, mais la porte et la serrure tinrent bon. Tibor connaissait l'épaisseur des parois du buffet et savait qu'il n'arriverait pas à les briser. Peut-être l'échiquier céderait-il plus facilement. Il rampa jusqu'au milieu du buffet, se coucha sur le dos et posa ses pieds sur l'envers de l'échiquier. Les têtes des clous portant les plaquettes de fer blessèrent ses pieds nus. Il lui fallut d'abord tordre les clous à la main, un par un. Puis il s'arc-bouta, les pieds contre l'échiquier. La sueur ruisselait sur son front. Mais le marbre résista. La machine à jouer aux échecs était de facture robuste, elle mettait ses entrailles à l'abri de tout regard inquisiteur. Il ne se libérerait pas par la seule force.

Il lui fallait une clé, et, puisqu'il n'en avait pas, la seule solution était d'en fabriquer une. Il regagna sa place en rampant et enfonça la main dans les rouages pour attraper une des tiges métalliques qui surmontaient les cylindres. Il la détacha et la tira vers lui. Puis il entreprit de tordre le métal en lui donnant la forme de la serrure, telle qu'il s'en souvenait. En l'absence de pince, il devait se contenter de ses doigts et travailler au toucher. Il prit une pièce d'échecs et enroula le fil métallique autour de la tête de celle-ci. Il introduisit ce passe de fortune dans la serrure. Le vrai travail commença alors : il lui fallut retirer la clé à plusieurs reprises pour plier le fil de laiton différemment, rectifiant parfois la forme d'une épaisseur de cheveu seulement. Une bonne heure plus tard, il réussit à attraper le pêne, qui recula dans la serrure avec un petit cliquetis. La porte était ouverte.

Tibor constata avec étonnement qu'il faisait presque aussi étouffant et sombre dans le débarras qu'à l'intérieur du Turc. Seul un mince rai de lumière passait sous la porte. De la lumière : il devait donc faire jour. Cette porte-ci était fermée à clé, elle aussi, évidemment. Il aurait pu fabriquer un autre passe mais savait qu'il y avait également un loquet extérieur qu'il ne pourrait pas actionner.

Il tâtonna derrière lui pour retrouver l'automate et trouva le bras droit de l'androïde. Il sentait sous ses doigts le bois et la fourrure du caftan. Tibor glissa la main le long du bras droit du Turc jusqu'à l'épaule, le cou, puis le visage. Il caressa le menton, la bouche et le nez jusqu'aux yeux. Il frôla le globe de verre du bout du pouce. Le verre était plus froid au toucher que le reste de l'automate. Il faisait trop sombre pour distinguer son visage. Tibor appuya plus fort. Un grincement sortit de la tête de bois. La monture céda enfin, et l'œil s'enfonça dans le crâne vide. Comme une bille, il tomba à l'intérieur du corps creux, heurta les côtes de bois et les câbles avant de rester suspendu à son nerf optique.

Le Turc ne jouerait plus jamais aux échecs. Cette énucléation était l'hallali, le mouchoir tombé d'un tournoi, le premier coup de feu d'une bataille. Si Tibor devait mourir, ce maudit automate l'accompagnerait. Le nain tordit le bras droit de l'androïde dans son dos. Les os de bois se brisèrent et volèrent en éclats, la soie du caftan se déchira sur toute sa longueur. Il lui désarticula l'épaule et lui cassa le bras sur son genou comme du petit bois. Il jeta les débris dans un coin. Puis il disloqua le bras gauche, qui se rompit beaucoup plus facilement, à cause du pantographe délicat qui le constituait, presque aussi facilement que les os creux d'un oiseau. Tibor déboîta la main qui avait dirigé les pièces d'échecs, dont la mécanique était d'une extrême sensibilité et dont la réalisation avait pris tant de temps, et il la jeta sur le plancher, où il l'écrasa sous ses talons. Il dépouilla le malheureux androïde de son caftan et de sa chemise, le laissant nu dans l'obscurité. Des deux mains, Tibor saisit les côtes de bois, les brisa sans prendre garde aux échardes qui s'enfonçaient sous sa peau. Il arracha les câbles, et, une dernière fois, le Turc hocha la tête comme un insensé, mais il n'y avait plus personne à qui il pût dire *mat*. C'était sa dernière partie, et il la jouait seul. Le nain l'empoigna par les tempes, lui dévissa la nuque jusqu'à la faire craquer. Il retira le turban et le fez de la tête de bois chauve, et enfonça le deuxième œil qui tomba à travers le crâne par le cou ouvert et roula sur le sol. Tibor agrippa la face aveugle et l'écrasa contre le mur, encore et encore, jusqu'à ce que le plâtre du mur s'effrite et que le visage du Turc fût réduit à une bouillie grotesque de papier mâché, d'esquilles de bois et de faux poils de moustache. Tibor regrettait que l'obscurité ne lui permît pas de jouir du spectacle.

Négligemment, il laissa tomber le crâne et s'attaqua au buffet. Le bois lui résisterait, mais pas le faux mécanisme, ce mécanisme trompeur. Il brisa la poutrelle qui avait servi de colonne vertébrale à l'androïde, l'arracha du tabouret, et l'enfonça dans les roues dentées et les cylindres. Une mélodie discordante s'éleva, semblable à celle d'un clavecin que l'on bourrerait de coups de pied. Tibor fourgonna dans la blessure jusqu'à ce que les dents se détachent de leurs montures ; il fit sauter le peigne sur le cylindre. Il aurait donné cher pour avoir de l'huile et du feu afin de réduire en cendres les restes fracassés de cet automate funeste et transformer le mécanisme en lourdes gouttes immondes de métal fondu.

La nuit s'était écoulée, le matin était venu. Kempelen était resté assis plusieurs heures, presque immobile, à sa table, se demandant comment tuer Tibor, ligoté et enfermé dans la machine, de l'autre côté du mur. Il n'avait pas trouvé de solution. Puis Tibor s'était réveillé et avait donné des coups de pied contre le bois, et, bien que ce tambourinement assourdi fût presque inaudible, Kempelen ne l'avait pas supporté. Il l'empêchait de se concentrer. Il s'était donc habillé et était parti à cheval, dans la bruine, jusqu'à la Chambre pour continuer à méditer sans être dérangé.

Il était si tôt encore qu'il fut le premier à qui le portier ouvrit les portes. Il fit savoir à son commis qu'il ne voulait pas de visite. Puis il s'installa devant son secrétaire – exactement comme, un peu plus tôt, dans son cabinet de travail –, regarda dans le vide et chercha à mettre un peu d'ordre dans ses pensées. Il n'y parvint pas davantage. Lorsque les cloches de l'hôtel de ville sonnèrent neuf heures, il se rappela qu'on l'attendait à l'enterrement de Jakob.

Une heure plus tard, au cimetière juif, Wolfgang von Kempelen jeta trois pelletées de terre sur le cercueil de son ancien assistant et posa ses lunettes par-dessus.

– Car tu es poussière et tu redeviendras poussière, dit-il, comme l'avaient fait les six Juifs qui l'avaient précédé : la logeuse de Jakob, le brocanteur Krakauer, deux membres de la communauté juive, un lévite de la synagogue et le fossoyeur.

Kempelen n'avait pas suivi un mot de la cérémonie. L'enterrement s'était déroulé comme un rêve. La tombe de Jakob était étroite et située au bord du cimetière, sous un tilleul, juste à côté du mur, à l'ombre d'une maison. La pierre tombale était simple. Kempelen se rappelait que, peu de temps auparavant, Jakob avait juré d'emporter le secret du *Joueur d'échecs* dans la tombe. Il avait tenu parole ; ils étaient couchés là, ensemble.

À la porte du cimetière, il fut surpris de découvrir que quelqu'un l'attendait : le baron János Andrássy. Il n'était pas en uniforme mais portait, comme toujours, sabre et pistolet. Il souriait d'un air las.

– J'espérais bien vous trouver ici, dit-il. Qu'il est triste de nous rencontrer aussi souvent dans des cimetières, n'est-ce pas ?

Kempelen resta figé. L'apparition d'Andrássy l'avait tiré de sa léthargie.

– Un cimetière est et reste un lieu fort inapproprié pour un duel, cher baron. J'ose espérer que tel n'est pas l'objet de votre présence ici aujourd'hui, car cette perspective ne m'intéresse pas davantage qu'auparavant.

– Je ne veux pas me battre contre vous, répliqua Andrássy. Ni aujourd'hui, ni demain, ni jamais. Je retire mon défi.

Kempelen cligna des yeux.

– Pourquoi ce retournement ?

– J'ai obtenu depuis une forme de satisfaction. Elle ne correspondait cependant pas du tout à mes vœux. J'ai tué votre Juif.

Kempelen en demeura coi.

– Faisons quelques pas, proposa Andrássy avec un geste en direction de l'extrémité de la rue des Juifs. Je vous raconterai volontiers tout ce que vous souhaiterez entendre – mais pas ici, pas dans le quartier juif.

Alors qu'ils longeaient ensemble la berge du Danube en remontant le fleuve, Andrássy raconta que, la nuit de la mort de Jakob, il s'était trouvé à sa caserne, aux portes de la ville. Il s'apprêtait à aller se coucher lorsqu'un soldat de son régiment qui était allé faire une promenade à cheval hors de la ville demanda à être reçu. Le hussard lui avait confié qu'à la taverne de La Rose d'or, sur la Fischplatz, l'assistant de M. von Kempelen, déguisé en Turc, avait mimé l'assassinat de la regrettée baronne Jesenák sous les applaudissements délirants des spectateurs et que lui, le hussard, avait estimé de son devoir d'en informer le lieutenant ; Andrássy avait immédiatement sellé son cheval et fait chercher son caporal. Il était alors parti avec Dessewffy vers le quartier des pêcheurs. Ils avaient fait le guet pendant presque une heure à l'ombre de la maison, avant de suivre l'assistant de Kempelen en direction de la rue des Juifs. Toujours déguisé en Turc, complètement saoul, il fredonnait une chansonnette en yiddish dont on ne comprenait pas un mot, excepté le nom d'« Ibolya » qui revenait fréquemment. Andrássy et Dessewffy l'avaient rejoint devant Saint-Martin. Andrássy n'avait pas eu le dessein de tuer le Juif, mais le refrain et le costume impertinent l'avaient plongé dans une telle rage que lorsque Jakob l'avait salué d'un : « Seriez-vous sur le point d'aller occire quelques meubles ? », il l'avait étendu à terre d'un coup de poing au front. Puis, ayant remis à son compagnon son dolman, son colback, son sabre et son étui de pistolet, il avait provoqué le Juif en combat singulier, homme contre homme – sans égard pour leur condition ni leur religion. L'assistant s'était relevé, avait retiré ses lunettes et avait pris position. Andrássy lui avait demandé s'il était prêt. À peine Jakob eut-il acquiescé qu'un second coup de poing s'abattait sur lui. Le combat n'avait pas été loyal : le premier horion et, surtout, son état d'ébriété avaient mis Jakob dans la quasi-incapacité de se battre. Andrássy n'avait eu aucun mal à esquiver ses ripostes un peu molles. Un crochet avait fait perdre l'équilibre au Juif, qui avait trébuché. Mais son sens de l'honneur lui interdisait de renoncer et il insista pour se battre jusqu'au bout. Un coup particulièrement violent à l'oreille avait fini par l'allonger sur le pavé. Le turban avait glissé de sa tête.

Andrássy s'était penché sur lui et lui avait posé la question qui le tourmentait depuis si longtemps :

– Qui a tué ma sœur ? Réponds, Juif, est-ce le Turc ?

Jakob avait pris son temps pour répondre, commençant par lécher le sang qui lui barbouillait les lèvres. Puis il avait prononcé quelques mots d'une voix sourde. Andrássy s'était approché du visage meurtri pour mieux entendre. Au lieu de répéter ses paroles, Jakob avait brutalement relevé le genou et frappé Andrássy entre les deux jambes avec une telle force que la vue du hussard s'était brouillée ; près de s'évanouir et recroquevillé de douleur, il était tombé à terre à côté de l'assistant. Conformément aux ordres que le lieutenant lui avait donnés avant le combat, Dessewffy n'était pas intervenu. Jakob s'était relevé, avait ajusté ses lunettes sur son nez avec le plus grand calme, craché sur le corps du baron et lancé :

– Mais bien sûr, le Turc a ta sœur sur la conscience. Faut-il que vous soyez niais, vous autres Hongrois, pour croire sérieusement à de telles fadaises.

356

Sur ces mots, Jakob était reparti d'un pas chancelant en direction du quartier juif. Andrássy s'était péniblement remis sur pied. Fou de rage, il avait tiré son sabre du fourreau que tenait Dessewffy et s'était précipité sur le Juif. Sa course avait été si rapide que la lame s'était enfoncée à travers le corps de l'assistant de Kempelen comme à travers un fruit mûr. Et ils étaient restés là, immobiles : Andrássy, hébété par ce qu'il venait de faire, Jakob tâtant, incrédule encore, le fer ensanglanté qui sortait de sa poitrine. Mais il était mort avant d'avoir poussé un cri, et c'était un cadavre qui avait glissé de la lame.

— Nous avons jeté son corps dans le Danube. Personne ne nous a vus, conclut Andrássy. J'ai honte de mon geste. C'était un gredin, certes, mais il ne méritait pas cette mort. Et je n'ai pas agi en gentilhomme. (Il s'arrêta et tendit la main à Kempelen.) Vous comprenez à présent pourquoi je retire mon défi. Je renonce à ce duel. Cette affaire a déjà fait couler suffisamment de sang.

Kempelen serra la main tendue et dit :

— En effet.

— Priez pour votre Juif, car je ne le ferai certes pas. (Il porta la main à son colback.) Adieu, chevalier.

Le baron avait déjà franchi quelques pas en direction de la ville, quand Kempelen le rappela.

— Qu'avons-nous encore à nous dire ? demanda Andrássy sans bouger.

Kempelen le rejoignit.

— J'ai une proposition à vous soumettre, dit-il d'une voix douce. Si je vous confie le nom de l'assassin de votre sœur comme vous le désirez depuis si longtemps… me donnerez-vous votre parole de gentilhomme que vous garderez le secret jusqu'à votre dernier jour ?

Les yeux d'Andrássy s'étrécirent, mais le reste de son visage demeura de marbre.

— J'accepte de garder le secret, oui… le secret ; mais par Dieu et tous ses saints ne me demandez pas d'épargner celui qu'il dissimule !

— Telle n'est pas mon intention, répliqua Kempelen.

Quand, avec la dernière des clés que Kempelen lui avait remises, Andrássy ouvrit la porte du débarras, un pistolet chargé dans sa main gauche, un spectacle insolite s'offrit à sa vue. La table à jouer fracassée s'ouvrait sur le mécanisme d'où s'échappait une poutrelle. Il ne restait du Turc que ses jambes, solidement fixées au tabouret. Le reste de son corps gisait, éparpillé à travers la pièce. Le mur avait été enfoncé en plusieurs endroits, et les trous du crépi laissaient apparaître la maçonnerie. Un œil avait roulé par terre. On aurait dit qu'une bombe avait éclaté, pulvérisant le *Joueur d'échecs* en mille morceaux.

Au milieu de ce désordre, un petit homme était assis, adossé au mur. Il cligna des paupières quand la lumière de l'atelier tomba sur lui et leva la main pour se protéger les yeux. Des échardes, des fragments de peinture et de la poussière étaient collés à son front par la sueur. Lorsque le nain se fut habitué au jour, il sembla reconnaître Andrássy et lui sourit. Le baron braqua son arme sur lui et lui fit signe de se lever.

— Est-ce toi qui as tué ma sœur ?

Tibor acquiesça.

— Je ne l'ai pas fait exprès, dit-il, mais sa gorge sèche rendait sa voix presque inintelligible.

— L'as-tu importunée au préalable ? Lui as-tu imposé des attouchements impudiques ? L'as-tu embrassée ?

— Touchée seulement.

— Tu expieras ce crime. Je vais te tuer. À l'instant même.

Tibor acquiesça encore. Il était trop faible pour se défendre ou pour s'enfuir. Et puis il n'en avait plus envie. S'il devait choisir un bourreau, sa préférence allait à Andrássy. Il conduirait à son terme ce qu'il avait commencé sur la route de Vienne.

— As-tu un dernier souhait, avant de mourir ?

Muet, Tibor désigna une cruche d'eau qui se trouvait sur un des établis. Andrássy hocha la tête. Tibor prit la cruche. La première gorgée fut douloureuse. Puis il vida le récipient à grandes goulées et le reposa.

— Merci.

— À genoux, ordonna Andrássy et, lorsque Tibor s'agenouilla, le visage vers lui : Dans l'autre sens.

Tibor tourna le dos au baron. Andrássy posa son pistolet sur la table.

— Est-ce vous qui avez tué mon ami ?

— Telle n'était pas non plus mon intention, répondit Andrássy. Dis-le-lui, si tu le rencontres.

Tibor entendit le baron tirer son sabre et l'équilibrer dans sa main, se préparant à lui porter un coup mortel. Il inclina la tête sur sa poitrine, joignit les mains et pria.

— « Je vous salue Marie, pleine de grâce, le Seigneur est avec vous, vous êtes bénie entre toutes les femmes et Jésus, le fruit de vos entrailles est béni. Sainte Marie, Mère de Dieu, priez pour nous, pauvres pécheurs, à l'heure de notre mort. Amen. »

— Amen, répéta Andrássy.

Puis il leva son sabre à deux mains. Tibor ferma les yeux.

Il entendit soudain des pas qui n'étaient pas ceux d'Andrássy. Quelqu'un ramassa le pistolet. Le baron fit volte-face. Tibor entendit qu'on armait le chien. Il ouvrit alors les paupières et se retourna. Élise se tenait près de la porte, en tenue de voyage, la main serrée autour de l'arme qu'elle pointait sur le Hongrois. Comme elle ne prenait plus la peine de dissimuler sa grossesse, on remarquait son ventre arrondi. Andrássy abaissa son sabre. Pas un mot ne fut échangé.

Finalement, le baron fit un pas en avant et tendit la main.

— Donnez-moi ce pistolet.

Au lieu de reculer, Élise s'avança, elle aussi, levant légèrement son arme. Les yeux d'Andrássy étaient rivés sur le canon.

— Je vais te tuer, cria-t-elle. (Sa voix se brisa.) Par Dieu, je vais te tuer ! Pose ce sabre !

Andrássy tourna les yeux vers Tibor, puis vers Élise, et déposa finalement son sabre sur le plancher.

— À genoux, maintenant !

Andrássy n'obéit pas.

— Vous ne me tuerez pas.

— Je le ferai si tu ne te mets pas à genoux tout de suite ! cria Élise en faisant un nouveau pas vers lui.

Andrássy s'agenouilla.

Tibor ramassa le sabre.

— Et maintenant ? demanda Élise.

Des larmes ruisselaient sur ses joues.

— Je ne sais pas, dit Tibor.

Pendant un moment, ils restèrent tous trois à se dévisager tour à tour, incapables de prendre une décision.

Tibor attendit qu'Andrássy lève les yeux vers Élise, et il abattit le pommeau du sabre sur la nuque du baron. Celui-ci tomba en avant mais poussa un gémissement ; Tibor frappa encore. Puis il enfonça la lame dans une fente entre deux planches et plia la poignée jusqu'à la rompre. Il jeta le morceau qu'il tenait en main. Élise pointait toujours le pistolet sur l'homme inconscient.

— Nous ne le tuerons pas, dit Tibor.

Les doigts tremblants, Élise désarma le chien avant de se mettre à sangloter bruyamment. Le pistolet lui tomba des mains. Elle s'effondra et le nain retint sa chute. Elle pleurait sans retenue à présent, se cramponnant à la chemise de Tibor. Il posa une main sur son dos, l'autre sur l'arrière de sa tête. Il prit une profonde inspiration. Son parfum était resté le même.

— *Piano*, chuchota-t-il, *tranquilla*, parce que, soudain, il ne trouvait pas les mots en allemand.

Elle s'écarta de lui et le regarda, les yeux rougis.

— Tu n'as pas le droit de me mépriser ! Tu devrais le savoir mieux que quiconque ! Être obligé de se vendre, tu connais cela, toi aussi ! J'ai vendu mon corps, toi ton esprit : quelle différence y a-t-il ? Qu'est-ce qui te rend meilleur que moi ? Le fait que j'aie menti ? Tu n'as rien fait d'autre, toi non plus. Tu as menti et trompé les gens avec ta machine, et ce n'est pas parce que tu pries que tu es meilleur ! Tu n'as pas le droit de me mépriser, et elle ajouta, d'une voix un peu plus faible : Je ne veux pas que tu me méprises.

Tibor ne répondit pas. Puis il prit la tête d'Élise entre ses mains et déposa un baiser sur son front.

— Partons.

Ils se levèrent. Tibor prit le pistolet d'Andrássy. Élise sécha ses larmes.

— Où est Kempelen ? demanda-t-il.

— Je ne sais pas. Pas ici en tout cas. Toutes les portes étaient ouvertes, mais je ne l'ai pas vu.

— J'aurai un cheval ce soir.

— Attendras-tu jusque-là ?

— Oui. Je ne vais pas assez vite à pied.

— Où attendras-tu ? Et si Andrássy se libère et envoie ses hommes à tes trousses ?

Tibor réfléchit.

— Le plus sûr serait d'aller chez Jakob. On doit m'amener le cheval tout près de là. Je vais chercher mes bagages.

Pendant qu'Élise traînait Andrássy dans le débarras et l'y enfermait à la place de Tibor, celui-ci fourra à la hâte ses affaires dans un havresac : l'échiquier de voyage, son argent, les pistolets de Messerschmidt et du Hongrois, sans oublier la pièce d'échecs que Jakob avait sculptée pour lui. Puis il enfila sa redingote, mit son chapeau et quitta définitivement sa chambre et la demeure de Kempelen. Ils ne virent pas trace du chevalier, ni dans la maison ni dans la rue du Danube, mais ils firent tout de même un détour pour atteindre la rue des Juifs, passant par le Grünermarkt et le Kohlenmarkt, vérifiant à maintes reprises qu'ils n'étaient pas suivis.

La clé était toujours sous le bardeau, et la chambre de Jakob n'avait pas encore été vidée. Ses vêtements et ses papiers étaient soigneusement rangés sur le lit, là où Kempelen les avait mis. Élise regarda le buste d'if qui la représentait, et Tibor regarda les deux Élise.

Quelques instants plus tard, ils entendirent grincer les marches de l'escalier. On frappa à la porte. Tibor prit un des pistolets et demanda qui c'était.

— Monsieur Neumann ? fit une voix de l'autre côté de la porte. Est-ce vous, monsieur Neumann ? C'est Krakauer Aaron.

Tibor glissa les deux pistolets sous le drap du lit et ouvrit la porte au brocanteur.

— *Schalom*, monsieur Neumann, dit Krakauer. Il me semblait bien vous avoir vu – avec la ravissante demoiselle.

— Nous ne resterons pas longtemps, expliqua Tibor. Nous partons en voyage.

Krakauer hocha la tête.

— Jakob a été enterré tout à l'heure. J'ai regretté votre absence.

— J'avais l'intention de venir, mais j'ai été retenu.

— Dommage. Dites-moi, ce n'était pas la malédiction du Turc, tout de même ?

— Comment ?

— Le boucher dit que la malédiction a tué Jakob – comme la baronne et le maître d'école de Marienthal –, parce qu'il a eu l'audace d'imiter le *Joueur d'échecs* dans une taverne.

— Non, non, ce n'était pas le Turc. (Tibor pensa à l'état dans lequel il avait laissé l'automate.) Et quand bien même ce serait le Turc, il a expié.

Krakauer croisa les mains.

— Puis-je faire quelque chose pour vous, monsieur Neumann ? Ou pour la demoiselle ? Une Borovicka ?

— Non, merci. Mais ne dites à personne que nous sommes ici. Après tout, nous ne sommes pas chez nous.

— Vous pouvez compter sur moi. Eh bien, adieu, et bon voyage. Que le Tout-Puissant vous accompagne.

— Merci beaucoup, monsieur Krakauer.

Tibor referma la porte derrière le vieux Juif. C'était le début de l'après-midi.

Au cours des heures qui les séparaient de la nuit, ils parlèrent très peu. Allongée sur le lit, le visage contre le mur, Élise dormait. Même quand elle était éveillée, elle faisait semblant de dormir. Elle avait honte de s'être effondrée dans l'atelier et redoutait l'avenir. Si seulement Tibor venait poser la main sur son épaule ! Mais il restait à distance. Il essuya la sueur qui lui couvrait le corps, changea de vêtements, mangea un peu. Puis il fouilla dans les affaires de Jakob. Il rassembla ses outils, les emballa dans une peau et les fourra dans son sac : Jakob aurait été heureux qu'il les prenne. Lorsque la nuit fut tombée, Tibor tira les rideaux et alluma le chandelier à sept branches.

— Il est temps, constata-t-il enfin en enfilant les manches de sa redingote verte et posant son tricorne sur sa tête.

Élise s'assit et glissa ses pieds dans ses souliers.

— Où allons-nous ?

— Sortons d'abord de la ville, ensuite…

Tibor n'acheva pas sa phrase. Une marche avait grincé de l'autre côté de la porte ; ils l'avaient entendue tous les deux. Une autre. Tibor prit un pistolet dans chaque main, mais, comme il ne pouvait armer les deux chiens, il en lança un à Élise. L'arme chargée, il visa la porte. Élise se redressa sur le lit soudain transformé en radeau sur une mer démontée. On n'entendait plus que les planches qui craquaient.

La porte s'ouvrit soudain, avec une telle violence que la vieille serrure arracha une partie du chambranle et que la porte resta suspendue de travers à ses gonds. Andrássy surgit, et, avant même d'avoir repéré Tibor, il avait déjà pointé sur sa tête la bouche de son pistolet. Derrière le baron se tenait Kempelen, armé lui aussi. Tibor eut l'impression de ne pas l'avoir vu depuis une éternité. Méprisant l'arme du nain, Andrássy s'avança dans la chambre, et Kempelen le suivit, le pistolet braqué, lui aussi, sur Tibor. Lorsque Élise, toujours assise sur le lit, arma le chien de son arme, Kempelen la visa brièvement, avant de revenir à Tibor, ne sachant lequel était le plus menaçant des deux – ou la mort duquel il désirait le plus. Tibor s'écarta d'un pas pour pouvoir tirer plus facilement sur Kempelen, incitant ce dernier à le mettre en joue pour de bon. Élise visa alors le chevalier. Seul le pistolet d'Andrássy resta constamment pointé sur Tibor. Cet étrange ballet se joua en quelques secondes, sans un bruit, presque courtoisement, comme s'il avait été convenu à l'avance qu'aucun ne tirerait avant que tout le monde ait pris la place qui lui était assignée.

Malgré la gravité de l'heure, Andrássy ne put renoncer à son petit sourire aristocratique.

– Quel funeste équilibre !

Tibor n'entendit pas ce que disait le baron. Il ne quittait pas Kempelen des yeux. Le canon noir de son pistolet faisait un troisième œil au-dessous des deux autres. Quoi qu'il advînt au cours des minutes à venir, ce serait la dernière fois que les deux hommes se feraient face. Le chevalier semblait vouloir éviter son regard, sans y parvenir, hypnotisé par Tibor comme un lapin par un serpent. À chaque instant, les doigts de Kempelen resserraient leur prise, comme si son arme risquait de lui échapper. Il rappelait à Tibor un des patients du magnétiseur de Vienne qui avait cherché à s'extraire de son corps avec force contorsions. Le regard de Tibor se perdit, il restait posé sur Kempelen, mais ses yeux semblaient fixer un point plus éloigné, comme s'ils arrivaient transpercer le crâne du chevalier.

Tout semblait se diriger vers une partie nulle : s'il tirait sur Kempelen, celui-ci tirerait sur lui, et ils auraient perdu tous les deux. Si aucun des deux ne touchait sa cible ou si leur amorce ne s'enflammait pas, les deux autres feraient feu. Andrássy contre lui, la dame contre Kempelen. La dame occupait la position stratégique la plus favorable, car le cavalier lui avait tourné le dos. Elle n'était pas menacée et, de sa case, elle pouvait l'abattre, lui, aussi bien que le roi ennemi. Tibor ne pouvait pas avancer, car ses adversaires obstruaient le passage. Il avait une table à sa droite, à gauche un mur. Derrière lui, un rideau, une fenêtre et une porte donnant sur le toit de la maison voisine ; mais celle-ci était fermée, et, le temps que Tibor l'ouvre, ses deux adversaires l'auraient inévitablement maîtrisé. Si seulement il disposait d'une autre pièce de sa couleur, ne fût-ce qu'un pion, un Krakauer, la partie se présenterait sous un autre jour. Mais, en l'état actuel des choses, la seule solution était de se sacrifier, afin de mettre sa dame en sûreté.

– Fuis, Tibor, dit Élise.

La dame pouvait aussi se sacrifier pour lui. Les deux hommes ignorèrent l'injonction d'Élise, mais Tibor la vit lever le bras et actionner la détente. Au bruit du chien retombant sur la platine, Kempelen et Andrássy se retournèrent ; lorsque la poudre s'enflamma, propulsant la balle dans le plafond, Tibor avait déjà empoigné la menora et l'avait jetée sur Andrássy. Les bougies s'éteignirent immédiatement. Touché, le baron poussa un cri. On n'y voyait plus rien, mais Tibor avait appris à se déplacer dans l'obscurité. Il renversa la table, barrant le passage à ses poursuivants. Quelqu'un trébucha. Il entendit Élise gémir. Un objet tomba par terre. Tibor lâcha son pistolet. Il ne pouvait plus s'en servir.

Épaule en avant, il se précipita contre la petite porte masquée par le rideau. Elle s'arracha à ses gonds vermoulus, dégringola sur le toit voisin, glissa sur les tuiles dans un fracas de tonnerre avant de rester accrochée à une gouttière. Tibor tomba derrière elle, atterrit bruyamment sur les tuiles, dont certaines cédèrent sous son poids, et s'agrippa immédiatement au faîtage. Un coup de feu fut tiré dans la chambre de Jakob et la balle passa en sifflant au-dessus de la tête de Tibor. Kempelen cria :

– Rattrapez-le !

Un cri d'Élise, suivi d'un claquement. Comme le rideau était retombé derrière lui, il ne voyait pas ce qui se passait à l'intérieur. À califourchon sur le faîte, il rampa sur les tuiles encore humides et froides de la dernière pluie jusqu'au toit suivant, suffisamment plat pour qu'il pût se déplacer debout. À la lueur de la lune, Tibor chercha comment regagner le sol, mais il n'y avait aucune issue : d'un côté, c'était le pavé de la rue des Juifs, de l'autre, le cimetière. Il fallait aller plus loin, en espérant qu'il réussirait à s'introduire dans une cage d'escalier ou par la fenêtre d'un logis étranger. Se retournant, il vit Andrássy dans l'embrasure de la porte. Le baron leva son pistolet et visa Tibor, mais la distance était trop grande. Sans rengainer son arme, le hussard sauta sur le toit et, agile comme un funambule, s'avança sur le faîte, où Tibor n'avait pu se déplacer qu'à califourchon. Le nain s'éloigna et bondit sur la maison suivante, sans plus songer à sa sécurité : qu'il mourût d'une balle ou d'une chute sur le pavé, le résultat serait le même.

Cette fuite sur les toits ressemblait à une traque dans un sous-bois ; les cheminées lui faisaient obstacle, les gouttières lui offraient une prise parfois trompeuse, les tuiles et les poutres gémissaient et se brisaient sous ses pas, mortier et tessons, mousse et feuilles humides tombaient en pluie dans les ténèbres. Andrássy n'emprunta pas le même chemin que Tibor – le réseau de toits était suffisamment ramifié pour cela –, cherchant manifestement à lui barrer la route. Une cour intérieure s'ouvrit sous les pas du nain, un trou carré et noir, dont le fond était aussi invisible que celui d'un puits. Des lampes à huile avaient beau être allumées çà et là, à des hauteurs différentes, tels des feux follets, elles ne brillaient que pour elles-mêmes, sans éclairer alentour. Tibor n'aperçut aucune échelle, aucun escalier. Il faillit appeler à l'aide, mais à quoi bon ? Il n'y avait pas d'être humain en vue, que ce fût dans les maisons ou dans la rue.

Au moment où Tibor escaladait un autre pignon, Andrássy déchargea son arme contre lui. La balle brisa un bardeau et des débris rouges volèrent en tous sens. Poursuivant son ascension, Tibor s'accrocha à une cheminée pour regarder autour de lui. Andrássy n'était qu'à une maison de lui et rechargeait déjà son arme dans le noir. Le plateau que formaient les toits était tout près de s'achever, coupé par la ravine d'une rue d'où montait la brume vespérale. Tibor était acculé.

— Cette fois-ci, joueur d'échecs, cela ne se terminera pas par une partie nulle, lui cria Andrássy.

Tibor s'abrita derrière une cheminée avant de répondre :

— En effet.

— Veux-tu te battre ?

— Non. Je ne veux plus.

— C'est grand dommage. (La baguette à bourrer entre les dents, Andrássy zézayait.) Tu possèdes en effet quelques traits de gentilhomme que je prise fort. Il ne te manque que l'éducation : *par exemple*, tu as commis une faute majeure en brisant mon sabre. C'est une atteinte à mon honneur.

— S'il est question de votre honneur, baron, répliqua Tibor, ne touchez pas à la femme. Elle cherchait à m'aider, c'est tout. Et puis elle est grosse. Laissez-les vivre, elle et son enfant.

— Ne te mets pas en peine pour elle. Jamais je ne toucherai à un cheveu d'une femme. (Andrássy enfonça la poudre et les balles et remit le chien en place.) Tu ne peux évidemment en dire autant, te ferai-je remarquer.

Tibor ne tenait pas à en savoir davantage. Sur sa gauche, le toit s'achevait au-dessus du cimetière juif, et la ramure d'un tilleul arrivait au niveau du faîte. S'il arrivait à sauter suffisamment loin, peut-être arriverait-il à se rattraper aux branches – sinon, il mourrait, non sans quelque ironie, juste à côté de son ami. À cette pensée, ses mains devinrent moites. Il essuya ses paumes sur son pantalon et courut jusqu'au bout du toit. Andrássy ne tira pas, peut-être parce que Tibor offrait une cible trop mobile, peut-être parce que cette action téméraire le prit de court.

Prenant appui d'un pied sur la gouttière, Tibor sauta, bras en avant. Le cimetière s'étendait au-dessous de lui, entièrement masqué, à présent, par le brouillard dont les traînées s'élevaient, semblables aux fumées des enfers. Des rameaux et des feuilles humides le fouettèrent au visage ; il s'obligea pourtant à garder les yeux ouverts. Il réussit à agripper une branche, mais elle était trop fragile. Elle ploya sous son poids et se rompit. Tibor avait eu le temps d'en attraper une autre, plus solide, qui résista. Il leva immédiatement les yeux vers le toit mais n'aperçut plus Andrássy à travers le feuillage, ce qui voulait dire que le baron ne le voyait pas non plus. Il était provisoirement en sécurité. Prestement, il commença à descendre, tâtonnant dans l'obscurité. Des gouttes de pluie l'arrosaient au passage, les feuilles qu'il frôlait se détachaient des branches et tombaient, prises d'une lassitude automnale. Apercevant enfin le sol, il se laissa choir, après avoir repéré dans la brume une brèche entre les pierres tombales serrées les unes contre les autres.

Il retomba sur ses pieds, souple comme un chat. Sa blessure s'était réveillée. Tout ce qui lui restait étaient son argent, les vêtements qu'il portait sur lui et son tricorne. Il devait à présent se hâter de rejoindre Walther, avant qu'Andrássy ne fouille les ruelles à sa recherche. Il courut jusqu'au portail à travers le labyrinthe des tombes. Des petits cailloux roulaient du bord des pierres tombales sur lesquelles ils étaient posés.

Lorsque, après avoir escaladé la clôture du cimetière, Tibor se retrouva sur le pavé de la rue, il se mit à courir, d'abord vers le nord pour sortir de la rue des Juifs, puis en direction de l'église, par la rue Saint-Nicolas. Le côté gauche de la rue était bordé par des maisons, le droit par un mur derrière lequel se trouvaient l'église Saint-Nicolas et son cimetière. L'église se dressait sur le versant du Schlossberg, à quelques pas au-dessus du niveau de la rue ; le mur s'ouvrait sur de larges marches. Walther était tapi sur la plus basse. En apercevant Tibor, il se releva à l'aide de ses béquilles. Tibor poussa un soupir de soulagement. Son vieux camarade était au rendez-vous.

— Pas tous les diables, où étais-tu ? siffla Walther entre ses dents. Je me suis fait un sang d'encre ; tu es en retard !

— Je sais, haleta Tibor.

— On dirait qu'un arbre t'a lâché la moitié de ses feuilles sur le crâne. (Walther retira quelques feuilles de tilleul du chapeau de Tibor.) C'est un coup de feu que j'ai entendu, tout à l'heure ?

— Tu as le cheval ? Je n'ai pas beaucoup de temps.

— Bien sûr, bien sûr. Je l'ai attaché au pied de l'église ; le diable seul pourrait le voler. Une belle bête, Demi-portion, tu vas voir.

— Mille mercis, Walther.

— C'est bon, c'est bon, un merci suffira, tu peux garder le reste. Ce n'est pas ça qui me remplira la panse. Je préfère tes mille kreutzers. Suis-moi !

Balançant habilement ses béquilles, Walther commença à monter vers Saint-Nicolas, et Tibor lui emboîta le pas.

À cet instant, Andrássy surgit à l'autre extrémité de la rue Saint-Nicolas. Il avait brisé une lucarne et rejoint la rue en passant par un logement vide, puis quitté le quartier juif dans la direction opposée, et il s'approchait à présent en venant du Danube.

Dans la mêlée qui avait suivi le coup de feu d'Élise et l'extinction des bougies, la jeune femme s'était cramponnée à Andrássy de toutes ses forces pour l'empêcher de donner la chasse à Tibor. N'arrivant pas à échapper à son étreinte, le baron l'avait repoussée si violemment qu'elle avait perdu connaissance. Kempelen n'avait pas compris grand-chose à ce qui se passait. Il avait écarté le rideau et vu Andrássy poursuivre le nain sur les toits ; après avoir rallumé les bougies avec une pierre à feu, de l'acier et de l'amadou, il avait aperçu Élise à terre, inconsciente. Il lui avait pris le pouls et l'avait allongée sur le lit. Ne sachant que faire, il avait commencé par remettre la table sur ses pieds. Dessous, il trouva le pistolet chargé de Tibor.

Le souffle court, Kempelen avait fait les cent pas dans le petit logement, en se rongeant les ongles et en frappant plusieurs fois d'un poing sans énergie contre la maçonnerie, avant de se décider enfin à ramasser l'arme. Il s'assit sur le lit, à côté d'Élise – précautionneusement, pour ne pas la réveiller, et faisant son possible pour ne pas la frôler. Il ne voyait que l'arrière de sa tête. Du dos de la main, il essuya les larmes qui coulaient de ses yeux puis prit un oreiller et en entoura le pistolet pour amortir le bruit. Lorsque le canon toucha la tête d'Élise, il gémit. Son doigt se recourba sur la détente. Il détourna les yeux, et son regard croisa celui d'Andrássy, qui se tenait sur le seuil et qu'il n'avait pas entendu approcher. Le baron tenait son pistolet braqué sur lui.

— Reposez immédiatement cette arme, dit-il d'un ton sans réplique, ou vous serez le prochain mort de cette nuit.

Kempelen obtempéra sur-le-champ : il laissa tomber son arme comme un enfant lâche un jouet défendu. Andrássy fit un signe de tête et rengaina la sienne. Il tenait dans sa main gauche la bourse de Tibor et son chapeau. Il lança l'une et l'autre au chevalier et se laissa tomber sur l'unique chaise, l'air épuisé, défait. Il rejeta la tête en arrière, ferma les yeux et soupira. Il avait la peau luisante de sueur.

Kempelen examina les maigres biens du nain. La bourse était un peu plus légère que deux jours auparavant, mais pas beaucoup. Le chapeau de Tibor lui fit l'effet d'un étrange trophée ; lorsqu'il le prit par le bord, le bout de ses doigts se couvrit de sang et de fragments blanchâtres. Sur la partie postérieure du tricorne, il y avait un trou, à peine plus grand qu'une tête d'épingle, et le feutre qui l'entourait était noirci de sang. Il approcha l'objet de la bougie dont la lumière fut réfléchie par le sang qui en maculait l'intérieur. Des cheveux noirs y adhéraient, mêlés d'esquilles d'os et d'une substance blanche et gélatineuse qui ne pouvait être que de la cervelle. Écœuré, Kempelen laissa tomber le chapeau.

— Ne faites pas l'hypocrite, au nom de Dieu, lança Andrássy. Vous vouliez sa mort, et la mort est sale. Croyez-vous que ma sœur offrait un aspect fort plaisant quand je l'ai ramassée sur la terrasse du palais ?

— Il est donc mort ?

— Oui.

— Où est son cadavre ?

— Sur la route de Theben.

— Comment ?

Andrássy avait sillonné les rues désertes à la recherche du nain, furieux contre lui-même, furieux d'avoir laissé échapper pour la seconde fois l'assassin de sa sœur. Il avait contourné le quartier juif et, arrivé dans la rue Saint-Nicolas, il avait entendu les sabots d'un cheval. Tibor se dirigeait vers lui au grand galop à travers le brouillard, son corps rabougri recroquevillé sur la selle dans sa petite redingote. Andrássy avait visé la tête et appuyé sur la détente. Le choc avait été si violent que le cavalier avait été désarçonné ; comme un sac de terre, il s'était couché sur le côté et avait glissé de la selle ; mais un pied était resté accroché à l'étrier. Andrássy avait fait un écart pour l'éviter. Le cheval ne s'était pas arrêté ; au contraire, aiguillonné par le coup de feu, il avait poursuivi sa route en traînant le corps derrière lui sur le pavé. Le chapeau était tombé puis, quelques mètres plus loin, la bourse. Monture et cadavre avaient ensuite disparu dans la nuit et Andrássy avait ramassé les deux reliques.

— Vous avez été bien avisé d'éviter de vous battre en duel contre moi, conclut le baron, car ma balle vous aurait traversé la cervelle avec une égale précision.

La cloche de l'hôtel de ville sonna trois coups, et Kempelen frissonna.

Andrássy se passa la main dans les cheveux.

— Pauvre diable. Le cheval semblait vouloir poursuivre sa course jusqu'à la fin des temps. Quelque part, sur la route de Theben, son pied finira bien par se détacher de l'étrier ou la bride cédera, et il restera dans la poussière de la route, un trou dans la tête.

Kempelen garda le silence, les yeux rivés sur le tricorne de Tibor. Andrássy se leva, s'appuyant des deux mains sur le dossier de sa chaise, comme un vieillard.

— Il vaudrait mieux partir. Peut-être un Juif aura-t-il compris que ce sont des coups de feu qu'il a entendus, et non le tonnerre, et aura-t-il prévenu la gendarmerie.

Kempelen se tourna vers Élise.

— Elle... elle déposera contre vous.

— Et après... N'y songez plus, chevalier. Cette femme restera en vie. Elle porte un enfant.

— Quoi ?

— Vous m'avez entendu. Elle est grosse. Et elle est sous ma protection personnelle. J'ai donné ma parole, et, jusqu'à cette heure, je n'y ai jamais manqué.

Kempelen hocha la tête. Il reprit la bourse de Tibor, la soupesa un instant et la posa sur le lit, près de la tête d'Élise. Il fit mine d'emporter le chapeau percé, mais Andrássy l'en dissuada.

— C'est un spectacle peu plaisant, j'en conviens, mais, au moins, elle saura qu'il est inutile de le chercher et qu'elle peut prier pour lui.

Kempelen se contenta donc de rassembler les pistolets. Puis il éteignit les trois dernières bougies de la menora qui brûlaient encore et suivit Andrássy hors de l'appartement.

Lorsque les deux hommes passèrent devant l'échoppe de Krakauer, le marchand sortit toucher sa récompense. Il avait tenu parole et, comme convenu, informé Kempelen que le nain et sa compagne se cachaient chez Jakob. Hors de portée du brocanteur, Andrássy siffla « Juif » entre ses dents et cracha de dégoût sur le pavé.

À l'entrée du quartier juif, le baron János Andrássy et le chevalier Wolfgang von Kempelen se dirent adieu une dernière fois.

— Promettez-moi que le Turc ne jouera plus, aussi longtemps que je vivrai, réclama encore Andrássy.

— Vous avez vu ma machine : le nain l'a détruite. Elle est en pièces. Vous avez ma promesse.

Andrássy regagna sa caserne. La nuit même, Kempelen sella son cheval et, malgré l'obscurité, rejoignit sa femme et son enfant à Gomba.

Lorsque Élise ouvrit les yeux, un soleil radieux se levait sur les toits de la ville. Dès qu'elle vit devant elle la bourse de cuir contenant le salaire de Tibor, elle sut qu'elle ne le reverrait plus vivant. Le chapeau transpercé posé sur la table vide ne fit que renforcer sa certitude. Elle se laissa retomber sur le lit, accablée de chagrin, sanglota et regretta que Kempelen n'eût pas achevé sa tâche. Elle ne se serait pas réveillée – pas ici-bas, en tout cas.

Neuchâtel. Matin

— Comment se peut-il que tu sois encore en vie ? demanda Kempelen. Qui es-tu ? Un spectre, un sosie ? Ou bien un automate, contre qui toute balle est impuissante ? Était-ce donc de l'huile qui mouillait ton chapeau ?

Tibor avait suivi Walther sur le chemin de l'église. Un robuste cheval l'y attendait, attaché à un arbre voisin. Il avait tourné la tête vers les deux hommes en entendant le cliquetis des béquilles de l'infirme. Son souffle dessinait de petits nuages devant ses naseaux.

— *C'est ça*, dit fièrement Walther.

Tibor prit son chapeau en main et s'approcha de la bête. Il n'éprouvait plus aucune hâte. Il flatta les flancs chauds de la bête.

— Magnifique.

— J'ai mis les provisions dans les sacoches. Regarde.

— Je suis sûr que tout y est.

— Vérifie, je t'en prie.

Tibor sourit et détacha la courroie de la sacoche. Il se hissa sur la pointe des pieds pour regarder à l'intérieur. Elle contenait une miche de pain, du fromage et quelques pommes.

Une des béquilles de Walther tomba bruyamment à terre. Du coin de l'œil, Tibor perçut un mouvement brusque, puis quelque chose s'abattit sur sa tête avec une telle violence qu'il crut que son crâne éclatait en morceaux.

Quand il se réveilla – ou, du moins, quand il reprit connaissance, car son corps restait engourdi et inerte –, il était allongé par terre sur le ventre, et Walther, à genoux à ses côtés, le dépouillait sans ménagement de sa redingote. Le visage de Tibor était enfoncé dans les graviers glacés, et du sang coulait dans ses cheveux. Tout près de lui, il distingua les sabots du cheval.

Walther parlait tout seul.

– L'habit fait le moine, Demi-portion, et, sans lui, tu redeviendras un gnome bossu, un simple tire-bottes. Tu te croyais supérieur à moi, avec ton beau linge ? Et le pauvre Walther, qui a perdu sa jambe, qui est obligé de mendier son bouillon devant l'église, tu lui jettes deux florins pour qu'il fasse le beau comme un bon petit chien ! Mais le vent a tourné. C'est moi qui porte tes vêtements propres et ton joli chapeau. C'est Walther le riche qui a un cheval, et c'est toi l'estropié, et le benêt, par-dessus le marché.

Walther avait enfin réussi à dégager les bras de Tibor de la redingote, mais, ce faisant, il l'avait retournée. Il la remit à l'endroit et l'enfila. Quand il se redressa, les coutures se déchirèrent.

– Allons ! Un peu court de manches et étroit du cul, mais *très élégant*. Mille mercis !

Tibor referma les yeux. Mieux valait que Walther ignore qu'il était conscient. Il entendit l'autre soupeser la bourse rebondie. Puis ses pas crissèrent dans le gravier. Il détacha le cheval, fourra ses béquilles dans les sacoches et se hissa en selle en ahanant.

– On se retrouvera en enfer, Demi-portion, lança-t-il en guise d'adieu.

Moqueur, il souleva respectueusement son nouveau chapeau et cracha dans le dos de Tibor.

– Après toi !

Il claqua la langue, et le cheval s'éloigna au trot. Le nain ouvrit les yeux une dernière fois pour s'assurer que Walther était bien parti. Et, enfin, la nuit l'enveloppa. Il sombra dans le sommeil. Il était sûr qu'il se réveillerait, que ni le coup de béquille, ni la froideur de la nuit, ni Andrássy lui-même ne le tueraient. Il n'entendit pas le baron tirer sur Walther.

Une femme qui se rendait sur la tombe de ses parents le trouva au petit matin. Elle le réveilla et lui offrit son aide, qu'il refusa en remerciant : il pouvait marcher, c'était l'essentiel. Il s'occuperait plus tard du sang séché qui maculait son visage et sa chemise. Tremblant de froid, d'un pas incertain, il regagna la rue des Juifs, ignorant les regards effarouchés des passants. Lorsqu'il arriva dans la chambre dévastée de Jakob, Élise pleurait toujours. Il reconnut son chapeau sur la table, sa bourse près du lit, et comprit pourquoi. En apercevant Tibor, la jeune femme resta muette avant de fondre en larmes de plus belle, mais le sourire aux lèvres. Elle le serra dans ses bras, sanglotant toujours. Elle posa la main sur sa tête blessée et le berça comme un enfant. Tibor ferma les paupières sur ses yeux humides et fut bien près de s'évanouir à nouveau.

Tibor posa la main sur ses yeux. Il était fatigué. Il n'allait pas tarder à faire jour. Entre-temps, Johann s'était réveillé et était allé chercher une couverture avant de se rendormir devant le feu mourant.

— Tu me hais, évidemment, dit Kempelen. Tu ne m'as jamais compris. Tu peux être sûr qu'autrement tu te serais conduit différemment. Mais n'es-tu pas parfaitement heureux, aujourd'hui ? Sans moi, tu ne serais pas ici. Je ne te demande pas de me remercier mais songes-y, je t'en prie.

— Non, je ne suis pas parfaitement heureux.

— Comment cela ? Tu es un horloger prospère, un membre reconnu de cette communauté, tu as un foyer, des amis…

— Et il ne se passe pas un jour sans que je me rappelle que j'ai tué Ibolya Jesenák. Dans l'automate. Ce crime hante mes nuits. Aucune prière, aucune confession n'a jamais pu m'en délivrer. Les années qui ont passé non plus. Cela fait treize ans que cette faute me poursuit et elle me poursuivra toute ma vie.

— Je comprends.

— J'en serais surpris. (Tibor se leva.) Je vais aller me coucher. Il est grand temps. Nous nous reverrons dans quelques heures pour la fin de la partie.

Kempelen leva la main.

— Attends.

— Oui ?

Kempelen se frotta le front.

— Attends, s'il te plaît.

— Aurais-tu l'intention d'achever aujourd'hui ce qu'Andrássy n'a pas su faire ?

— Par le diable, non ! Je te demande simplement d'attendre un moment.

Tibor attendit, sans se rasseoir. Finalement, Kempelen leva les yeux. Son regard avait changé.

— J'ai un marché à te proposer.

— Du même genre que ton méchant accord avec Andrássy ?

Kempelen passa outre.

— Si cette faute, celle dont tu viens de parler... la mort d'Ibolya, si je t'en libérais... accepterais-tu de perdre contre le Turc ?

Tibor se tourna vers lui. Il avait les sourcils froncés.

— Comment pourrais-tu me délivrer de cette faute ?

— Réponds. Accepterais-tu ?

— Je ne comprends pas ton marché. Ibolya Jesenák est morte, et rien ne pourra lui rendre la vie. Nul ne saurait me délivrer de cette faute.

— Tibor, suppose simplement que je le puisse. Je t'offre le salut de ton âme. Accepterais-tu, en échange, de perdre cette partie ?

— Oui.

Kempelen inspira profondément.

— Qu'as-tu à me dire ? demanda Tibor.

— Écoute-moi bien : de même qu'Andrássy ne t'a pas tué, toi, mais ton camarade, dit-il très lentement, en détachant les mots, ce n'est pas toi qui as tué Ibolya.

Le nain se rassit.

— Te rappelles-tu que chez Grassalkovitch, après qu'Ibolya est tombée contre la table, je l'ai allongée sur le buffet de l'automate pour l'examiner ? Je lui ai pris le pouls… il battait encore. Je t'ai menti. Elle n'était pas morte. Elle n'était qu'inconsciente, c'est tout.

Tibor secoua la tête.

— Non.

— Je te le jure. Sa première chute était inoffensive. Tu as subi bien pire que cela, et tu es vivant. Tu n'as pas tué Ibolya.

— Mais alors… (Tibor regarda Kempelen, les yeux écarquillés.) *Madre di Dio*… Elle vivait encore quand tu l'as…

— Jetée du balcon ? Oui.

— C'est toi qui l'as tuée ?

— Oui.

— Mais… pourquoi ?

— Tu ne comprends donc pas ? Je pourrais te dire que je l'ai fait pour te protéger, mais, tout au long de cette nuit, nous ne nous sommes pas menti et je m'en voudrais de commencer. (Il s'éclaircit la voix.) Je l'ai fait parce que Ibolya nous aurait trahis. Tu l'as entendue. C'en aurait été fini de moi !

— Elle t'aimait !

— Elle s'ennuyait, corrigea le Hongrois en détournant le regard. Oui, oui, tu peux me mépriser. À cet égard, en tout cas, je n'ai plus rien à perdre avec toi.

— Pourquoi… pourquoi ne m'as-tu pas tout de suite dit la vérité ? (Kempelen esquissa un geste vague, mais Tibor répondit lui-même à sa question :) Pour pouvoir rejeter la culpabilité sur moi si l'on découvrait le pot aux roses…

— Tibor…

— … et exploiter ma peur du gibet… pour me lier à jamais à toi et à ton automate.

— Tu exagères.

Tibor baissa les yeux. Et soudain, comme une bête fauve, il bondit par-dessus la table et empoigna Kempelen par le col. Le chevalier tomba en arrière, entraînant sa chaise dans sa chute. Tibor resta au-dessus de lui, la main gauche à sa gorge. La droite était serrée et son bras était tendu en arrière, près de s'abattre sur le visage de Kempelen. Ce dernier vit le poing de Tibor trembler de force contenue et les jointures de ses doigts blanchir. Il ne bougea pas. Le nain avait la bouche entrouverte et son souffle était précipité.

Le bruit avait réveillé Johann. Ivre de sommeil, il se releva et s'approcha.

— Monsieur von Kempelen ?

— C'est bon, Johann, dit celui-ci, la voix déformée par l'étreinte de Tibor. Reste où tu es.

Tibor ne prêta aucune attention à l'assistant. Il ne pouvait se résoudre à frapper, mais son poing était toujours serré.

— Mon Dieu, monsieur Neumann ! Ne lui faites pas de mal, je vous en prie, geignit Johann. Ce n'est qu'un jeu ! Je veux bien perdre, si vous y attachez tant d'importance.

Tibor hocha la tête. Les traits de son visage se détendirent, son poing se desserra et ses doigts lâchèrent la gorge de Kempelen. Il recula d'un pas.

— Non, dit-il à Johann. Non, monsieur Allgaier, cela ne sera pas nécessaire. Veuillez me pardonner de vous avoir arraché aussi brutalement à votre sommeil.

Le regard de Tibor passa de Johann à Kempelen, toujours à terre, puis revint à l'assistant. Il dit, d'une voix presque enjouée :

— Bonne nuit, messieurs. Nous nous reverrons dans quelques heures en compagnie du Turc.

Gottfried Neumann joua encore onze coups, mais une maladresse tactique conduisit son roi dans un coin d'où toute fuite était impossible. Alors la machine à échecs de Kempelen le mit mat. Le public applaudit. Le président du cercle d'échecs déclara :

— Il n'aurait jamais pu gagner – comment voulez-vous ? Contre une machine ! –, mais il a fabuleusement bien joué.

Carmaux hocha la tête, désolé, répétant inlassablement :

— Quel dommage, bonté divine, quel dommage quand même ! (Puis il se leva et ouvrit sa bourse.) Il est temps de faire circuler le panier de la quête, comme nous nous y sommes engagés.

Tibor, toujours assis, jeta à Kempelen un regard perçant – qui échappa aux spectateurs. Le mécanicien hongrois prit alors la parole.

— Non, messieurs, je vous en prie : pas d'argent. Oubliez ce qui a été convenu hier soir. Vous avez déjà payé votre entrée et le spectacle de cette remarquable partie me dédommage amplement.

De nouveaux applaudissements saluèrent ce geste généreux.

— Quel homme remarquable ! observa Carmaux.

Seul l'aide de Kempelen, Anton, eut l'air consterné.

Quittant sa place, Tibor se dirigea alors vers un jeune garçon qui, ce jour-là comme la veille, avait été assis au deuxième rang.

— Viens, Jakob, nous partons, lui dit-il.

Debout, le garçon était déjà plus grand que le nain. Kempelen demeura bouche bée. Blond, le teint clair, l'enfant était d'une beauté exceptionnelle. À droite de la bouche, au-dessus de la commissure des lèvres, il avait un grain de beauté. Tibor ne se retourna pas, mais le garçon regarda par-dessus son épaule et soutint le regard de Kempelen jusqu'à ce qu'il eût disparu dans la foule des visiteurs.

— Pourquoi n'as-tu pas gagné ? demanda Jakob à son père tandis qu'ils regagnaient La Chaux-de-Fonds dans leur calèche.

— Parce que l'autre était meilleur que moi.

Jakob secoua la tête.

— Je ne comprends pas ce jeu, mais j'ai bien vu que tu n'as pas vraiment essayé de gagner. Comme si tu en avais perdu l'envie.

Tibor sourit et caressa les cheveux du garçonnet.

— Comme tu es malin ! Tu as raison, bien sûr, je n'ai pas vraiment essayé. J'ai laissé l'autre gagner. Mais j'aurais perdu de toute manière, crois-moi. J'aurais pu faire durer la partie, c'est sûr, et peut-être obtenir une partie nulle. Mais il était plus fort que moi.

— Le Turc.

— Oui. Le Turc.

— Tu as été très bien, quand même. Ils ont tous applaudi. Je vais tout de suite raconter à maman ce qui s'est passé.

Ils restèrent silencieux un moment. Il n'y avait pas de vent, la neige de la nuit avait fondu, mais il faisait encore un froid glacial. Jakob observa le paysage, puis il se tourna vers son père.

— Tu penses à la machine ? demanda-t-il.

— Non. Non, répondit Tibor. Non, je pensais à ta mère. Ta mère de sang.

— Élise ?

— Oui. Quelle pitié que tu n'aies pu profiter d'elle davantage !

— Elle aurait pu rester.

Tibor soupira.

— Elle ne supportait plus La Chaux-de-Fonds. Elle n'était pas faite pour mener une vie de mère de famille dans un petit village de Suisse. Elle voulait repartir. Je lui ai promis de veiller sur toi, alors elle s'est rendue à Paris, pour y chercher le bonheur. L'été qui a suivi ta naissance.

— Et elle l'a trouvé ? Le bonheur ?

— Non. Je ne crois pas. Elle est revenue quatre ans plus tard, alors que j'avais épousé maman depuis longtemps.

— Et elle était malade quand elle est revenue chez nous.

— Tu as raison. Elle disait qu'elle se rétablirait chez nous. Mais sans doute savait-elle qu'elle ne guérirait plus jamais. Elle voulait seulement nous revoir. Toi. Et moi. Car dès qu'elle a obtenu ce pour quoi elle était venue, tout est allé très vite. Te rappelles-tu le jour où nous l'avons menée au cimetière ?

Jakob acquiesça. Il se tut un instant, puis demanda :

— Tu l'aimais ?

— Oui, dit Tibor. (Il inspira et expira plusieurs fois avant de poursuivre :) Oui. Je l'ai beaucoup aimée.

— Autant que maman ?

— Ce n'est pas la même chose.

— Et elle, elle t'aimait aussi ?

Tibor ferma les yeux et secoua la tête.

— Non. Pas vraiment, je crois.

— Pourquoi ?

— Je ne sais pas.

— Parce que tu es petit ?

— Peut-être. Ou peut-être pas. Sais-tu, Jakob, elle m'a confié un secret avant de mourir. Elle était triste de n'avoir jamais aimé autant que moi, m'a-t-elle dit, et il lui était même arrivé de m'envier – surtout quand elle me voyait avec maman. (Tibor regarda Jakob droit dans les yeux.) Et puis elle m'a dit : « Je n'ai jamais vraiment su ce qu'est l'amour, mais ce que je sais, c'est que d'aucun des hommes que j'ai rencontrés je n'ai été aussi proche que de toi. »

Jakob ne sut que répondre. Il fut soulagé que son père lui tende les rênes, sans un mot. Il put ainsi se concentrer sur la conduite des chevaux pendant que son père regardait le paysage, comme lui-même l'avait fait auparavant.

La Pureté

Le 2 octobre 1770, Gottfried von Rotenstein fut admis comme apprenti à la loge La Pureté de Presbourg au cours d'une cérémonie solennelle. Lors des réjouissances qui suivirent, plusieurs frères se rassemblèrent autour du duc Albert. Celui-ci leur confia qu'il projetait de résoudre enfin le problème de l'alimentation en eau du château de Presbourg. L'idée de creuser un puits dans le rocher, caressée pendant des siècles, s'était révélée impraticable, et l'on ne pouvait pas continuer à faire monter l'eau à l'aide d'un moulin. Il allait faire venir une machine anglaise qui approvisionnerait le château en eau douce grâce à la force de la vapeur. Il ne lui restait qu'à trouver un maître d'œuvre.

Wolfgang von Kempelen intervint :

— Je vous en prie, *mon duc*, confiez-moi cette tâche.

Albert leva les sourcils.

— À vous, Kempelen ?

— C'est moi qui ai construit le pont sur le Danube et, dans le banat, j'ai employé une machine à vapeur pour creuser un canal.

— Je ne doute pas de vos capacités, bien au contraire, reprit Albert, mais j'avais cru comprendre que vous consacriez tout votre temps à votre légendaire *Joueur d'échecs*.

— Plus maintenant. Je l'ai entièrement démonté. Il est en pièces. Le Turc ne jouera plus. Il ne peut plus jouer.

Des chuchotements parcoururent le cercle, puis des protestations se firent entendre, et le duc ne fut pas le dernier à se récrier ; on supplia Kempelen de revenir sur sa décision, de remonter l'automate et d'en poursuivre les représentations. N'était-ce pas sans conteste l'invention la plus prodigieuse et la plus noble de ce siècle, sans comparaison aucune ? Seuls Nepomuk von Kempelen et Rotenstein ne firent pas chorus.

Kempelen leva les mains pour apaiser le tumulte.

— Messieurs, le renom de ma machine à jouer aux échecs ne me laisse de répit ni le jour ni la nuit. Je suis devenu le jouet de ma propre créature et me refuse à mener une existence de forain jusqu'à la fin de mes jours. Je veux recouvrer ma liberté. La liberté de créer autre chose, de nouvelles machines, de nouvelles inventions, dont la lumière, si mes efforts sont couronnés, brillera peut-être d'une lumière plus éclatante encore que celle de mon Turc.

Tous se rangèrent alors aux arguments de Wolfgang von Kempelen. Mais à la dérobée, on se demandait si son explication n'était pas un simple prétexte et si les deux morts mystérieuses survenues dans son entourage n'avaient pas joué un rôle déterminant dans sa décision. La même année encore, on entreprit, sous la houlette de Kempelen, les premiers travaux d'adduction d'eau au château, et le Turc joueur d'échecs, qui, l'espace d'une année, avait plongé Presbourg, Vienne, l'empire des Habsbourg et toute l'Europe dans la stupeur, tomba peu à peu dans l'oubli.

Le pont de la Vöckla

Juste avant le pont qui franchit le cours de la Vöckla
– un ruisseau tumultueux, à peu près à mi-chemin entre
Linz et Salzbourg –, un petit autel de la Vierge en bois est
accoté à un arbre, à quelques pas du bord de la route impériale. Tibor se tenait devant lui. Il retira les feuilles mortes
qui s'étaient accumulées aux pieds de la madone et arracha
une toile d'araignée accrochée au fronton du sanctuaire.

Les couleurs de la Vierge étaient passées, son vêtement
bleu se couvrait de mousse verte, une goutte de pluie obsti-
née qui tombait du toit troué lui avait tavelé le bras et un
ver à bois avait creusé des cratères dans sa chair. Mais
aucune avanie n'avait pu troubler son doux sourire. Tibor
la contemplait comme une vieille amie et se remémora les
paroles qu'il avait jadis coutume de lui adresser. Il sortit de
la poche de sa culotte le médaillon qu'on lui avait donné à
Reipzig et suspendit la chaîne à la croix. Qu'un autre voya-
geur la prenne s'il voulait. Il attendit que la médaille ait
cessé de se balancer, baisa le bout de ses doigts et en caressa
les pieds de la Vierge. Puis il regagna la route.

Sur le siège de la calèche à deux chevaux dont il avait
fait l'acquisition à Hainburg contre la majeure partie de son
salaire, Élise était assise, les yeux rivés sur les remous de la
Vöckla. Elle n'avait pas voulu déranger Tibor pendant son

dialogue avec la Vierge. Elle avait la main gauche posée sur son ventre rond qui, sous sa robe, ressemblait à la panse chaude d'un chaudron.

— Nous serons bientôt à Salzbourg, lui cria Tibor depuis le chemin, et elle se tourna vers lui.

— Et alors ? Comptes-tu m'y déposer pour poursuivre ta route seul ?

— Et ton enfant ?

— S'il le faut, il viendra au monde dans une grange, ou au bord de la route.

— Ce sont les dernières belles journées de l'année. Il ne va pas tarder à faire froid, peut-être même à neiger.

— Tu as envie de te débarrasser de moi ? Je suis un fardeau ?

Tibor avait rejoint la calèche. Il leva les yeux vers Élise, la main en visière pour se protéger du soleil, et secoua la tête.

— Alors cesse de jacasser et monte en voiture, nain stupide, ou je m'en vais sans toi.

Tibor sourit. Il se hissa sur le siège pendant qu'elle prenait les rênes et faisait partir les chevaux.

Lorsque les roues de la calèche grincèrent sur le pont de pierre, il se retourna pour attraper son sac. Il écarta ses outils et sortit l'échiquier de voyage sur lequel il avait disputé sa première partie contre Kempelen, à Venise. D'un geste indolent, il le laissa tomber par-dessus le parapet – trop vite pour qu'Élise ait le temps de l'en empêcher –, sans même le suivre du regard.

Le jeu heurta un rocher et se brisa en deux. Trente-deux cases demeurèrent sur la pierre, les trente-deux autres glissèrent dans l'eau. Les figures s'éparpillèrent sous l'effet du choc : un fou tomba au milieu des feuilles d'un pied-d'alouette, une dame se glissa entre deux pierres, une tour resta accrochée à l'échiquier ; mais le plus grand nombre se retrouvèrent dans le ruisseau, où l'eau écumante les emporta ; pions et figures en rouge et blanc entreprirent alors un voyage mouvementé à travers la campagne, tantôt entraînés vers le fond par les remous, tantôt jetés brutalement sur des blocs rocheux, bientôt séparés, les pieds de feutre détrempés, les têtes de bois flottant à la surface : une crinière de cheval, une couronne, le bonnet d'un évêque, une série de créneaux. La Vöckla impétueuse les emporta jusqu'à son confluent avec l'Ager, qui se jetait elle-même dans la Traun, laquelle les conduisit jusqu'à la grande mère, le Danube, qui les entraînerait un jour, plus calmement, mais tout aussi inéluctablement par-delà Vienne, Presbourg, Ofen et Pest, à travers le banat et la Valachie, jusqu'à la mer Noire.

Épilogue. Philadelphie

Tout au long de l'été 1783, Wolfgang von Kempelen et son *Joueur d'échecs* se produisent à Paris. À l'automne, ils franchissent la Manche et passent un an à Londres. Cette tournée, très fructueuse, les conduit ensuite à Amsterdam, et de là à Karlsruhe, Francfort, Gotha, Leipzig, Dresde et Berlin. Au château de Sans-Souci, Frédéric II et sa cour sont battus par le Turc. En janvier 1785, au terme de près de deux années d'absence, Kempelen regagne Presbourg et met fin à ces représentations. La machine regagne une fois de plus son débarras de la rue du Danube, où elle passe les vingt années suivantes.

À la suite des tournées de l'automate et de la publication des *Lettres sur le* Joueur d'échecs *de Monsieur von Kempelen,* de Karl Gottlieb Windisch, une série d'articles imprimés en Allemagne, en France et en Angleterre décrivent le fonctionnement de l'automate et essaient de le percer à jour. Johann Philipp Ostertag soupçonne l'intervention de forces surnaturelles. Carl Friedrich Hindenburg et Johann Jacob Ebert excluent tout rôle de la métaphysique, et considèrent le Turc comme un authentique automate : pour eux, l'androïde est actionné par des courants électriques ou magnétiques.

Mais les sceptiques sont majoritaires : pas plus Henri Decremps que Philip Thicknesse, Johann Lorenz Böckmann ou Friedrich Nicolai ne se laissent berner par la supercherie de Kempelen, sans parvenir pourtant à dépasser les hypothèses : aucun n'est capable de découvrir le stratagème. Le chevalier Joseph Friedrich zu Racknitz est le premier à reconstituer la machine et à prouver ainsi qu'il est possible de dissimuler quelqu'un à l'intérieur du buffet – une démonstration est faite en 1789, alors que l'original se couvre de poussière depuis de longues années au fond de son débarras.

Kempelen ne réagit pas à toutes ces observations. Il se consacre intégralement à son travail de conseiller à la cour. Il est notamment chargé de superviser le déménagement des services impériaux de Presbourg à Ofen ou Buda, l'ancienne et la nouvelle capitale de la Hongrie. Mais, comme par le passé, il lui reste suffisamment de loisir pour s'adonner à ses entreprises mécaniques. Avant même de partir pour sa tournée européenne, il avait construit un lit de santé réglable capable de supporter le poids considérable de l'impératrice et une machine à écrire pour la cantatrice aveugle Maria Theresia Paradis. Il conçoit ensuite les jeux d'eau de la fontaine de Neptune à Schönbrunn, avant de diriger la construction d'un théâtre hongrois au château d'Ofen. En 1789, il fait breveter un modèle de machine à vapeur capable de fournir de l'énergie à des moulins, des laminoirs, des marteaux de forge et des scieries. Son dernier projet ambitieux, un canal reliant Ofen à Fiume, du Danube à l'Adriatique, ne sera jamais réalisé.

Mais c'est à sa machine parlante qu'il consacre le plus de temps. Il réussit finalement à lui faire prononcer des phrases, courtes mais parfaitement intelligibles, en français, en italien ou en latin : « Ma femme est mon amie » ; « Je vous aime de tout mon cœur ». Et ce sans la moindre intervention humaine, sans la moindre supercherie, bien qu'on lui impute des talents de ventriloque. En 1791, Kempelen publie son ouvrage intitulé *Mécanisme du langage humain avec description de la Machine parlante*, qui contient de nombreuses illustrations et constitue un des fondements de la phonétique scientifique. Finalement, Kempelen s'essaie aux beaux-arts, à la poésie et au théâtre. Sa pièce, *Andromède et Persée,* n'est cependant jouée qu'une fois.

En 1798, Kempelen prend sa retraite. Peu avant sa mort, il se voit priver de sa pension par l'empereur François II en raison de la sympathie qu'il a manifestée pour les idées de la Révolution française. Le 26 mars 1804, le chevalier Johann Wolfgang von Kempelen rend l'âme à l'âge de soixante-dix ans, dans son appartement de Vienne. Il repose au cimetière Saint-André, dans sa ville natale de Presbourg. Sa pierre tombale porte une épigramme d'Horace, *Non omnis morior*, « Je ne meurs pas tout entier ».

L'été de l'année suivante, l'horloger Gottfried Neumann s'éteint à La Chaux-de-Fonds. Aucun de ses concitoyens ne sait qu'il s'appelle en réalité Tibor Scardanelli. Jusqu'à la fin de sa vie, il fait la joie de tous avec ses *tableaux animés*, sans se laisser jamais entraîner par l'ambition qui pousse tant de ses collègues à fabriquer des mécanismes de plus en plus grands, de plus en plus onéreux et de plus en plus étonnants pour impressionner le monde. Les *tableaux animés* de Neumann représentent principalement des batailles historiques ou des scènes empruntées à la mythologie et à la poésie pastorale. D'abord muets, ils intègrent ensuite des boîtes à musique qui soulignent l'action par des mélodies et des bruitages divers.

Après la Révolution française, les motifs de Neumann évoluent peu à peu ; il se met à reproduire des scènes de la vie quotidienne ainsi que des événements de l'Histoire sainte : Adam et Ève dans le jardin d'Éden, induits en tentation par le serpent et chassés par l'archange Gabriel. La naissance de Jésus dans la crèche de Bethléem, avec l'étoile filante et l'arrivée des Rois mages au son de *Es ist ein Ros entsprungen.* Sa dernière création – se serait-il douté que sa propre mort était proche ? – représente l'ascension de Jésus : le Sauveur monte aux cieux, les nuées s'ouvrent au-dessus de lui tandis que, sur un rayon de soleil, les anges du ciel descendent pour recevoir le Christ.

Gottfried Neumann est mis en terre en présence de sa femme Sophie, de ses trois enfants et de ses trois petits-enfants, entourés d'une centaine d'habitants de la ville. Son cercueil est celui d'un homme de taille normale. Quelques-uns se souviennent encore que Neumann est celui qui a bien failli battre le légendaire Turc joueur d'échecs. Personne, en revanche, pas même son épouse, ne sait qu'il fut le premier cerveau du Turc.

Bien que Neumann ait créé d'innombrables images, il ne reste aucun portrait de lui, pas même une silhouette. Mais sa mémoire vit toujours sous les traits d'un sosie : quand Pierre Jaquet-Droz et son fils Henri-Louis réalisent leur automate écrivain, ils prennent Neumann pour modèle. L'écrivain aux membres trapus n'est pas un jeune garçon, comme beaucoup le croient, c'est le portrait, trait pour trait, de Gottfried Neumann.

À la mort de Kempelen, son fils Karl vend le Turc pour dix mille francs au mécanicien de la cour impériale et royale, Johann Nepomuk Mälzel de Ratisbonne, l'inventeur du métronome. En 1809, quand Napoléon occupe Vienne, il exprime le désir de jouer contre l'automate et Mälzel organise une rencontre au château de Schönbrunn. L'empereur des Français est un excellent joueur d'échecs, mais il perd les deux premières parties contre le Turc, ou plus exactement contre Johann Allgaier. Au cours de la troisième, le Corse exécute plusieurs coups erronés, et l'androïde, furieux, finit par balayer toutes les pièces de l'échiquier de son bras – au grand amusement de Bonaparte.

En 1817, Mälzel entreprend une nouvelle tournée européenne avec le Turc. Comme Kempelen avant lui, il se rend à Paris et à Londres, ainsi que dans de nombreuses villes d'Angleterre et d'Écosse. Le Turc suscite un intérêt intact. Mais le *Joueur d'échecs* n'est pas la seule attraction de Mälzel. Sa galerie de curiosités s'est enrichie de ses propres inventions : un automate joueur de trompette, une petite funambule mécanique, une maquette de la ville de Moscou reproduisant automatiquement le grand incendie de 1812, ainsi qu'un petit orchestre mécanique qui joue une ouverture que Ludwig van Beethoven a composée tout exprès.

Lorsque la fréquentation décline en Europe, Mälzel part pour le Nouveau Monde. À partir de 1826, il présente ses créations à New York, Boston, Philadelphie, Baltimore, Cincinnati, Providence, Washington, Charleston, Pittsburgh, Louisville et La Nouvelle-Orléans. Edgar Allan Poe assiste à une représentation à Richmond et, dans un article intitulé « Maelzel's Chess-Player », il explique avec une minutie de détective pourquoi le Turc ne peut pas être un automate. Entre-temps, le *Joueur d'échecs* a également appris à jouer au whist.

Après Johann Baptist Allgaier, Mälzel engage au cours de sa tournée les champions d'échecs locaux. À Paris, ce sont trois habitués du cercle De la Régence. En Angleterre, le jeune William Lewis et Peter Unger Williams, en Écosse, le Français Jacques-François Mouret. Quelques années plus tard, Mouret sera du reste le premier joueur à dévoiler le secret de l'automate. En Amérique, pour la première fois, une femme dirige les mouvements du Turc.

Le dernier cerveau sera l'Alsacien Wilhelm Schlumberger. Lorsqu'il se rend avec Mälzel et le Turc à La Havane en 1838, la fièvre jaune l'emporte. Mälzel ne regagnera pas les États-Unis, lui non plus. Il meurt pendant la traversée de Cuba. Son corps est enseveli dans l'Atlantique.

Le Turc, orphelin, trouve un nouveau foyer au Peale's Chinese Museum de Philadelphie, un cabinet de curiosités. Mais, depuis que son mystère a été dévoilé, il n'intéresse plus personne. Ce n'est plus qu'une antiquité, le cheval de Troie du baroque, la relique d'une époque révolue.

Dans la nuit du 5 juillet 1854, un incendie se déclare au Musée chinois. L'androïde est incapable de fuir. Les flammes dévorent le buffet, les rouages, tout le corps de cet être artificiel : ses muscles de câble, ses membres de bois, ses yeux de verre. Le Turc meurt dans sa quatre-vingt-quatrième année, cinquante ans et cent jours après son créateur.

Remarques de l'auteur

Alors que nous disposons d'une documentation relativement abondante sur les représentations données par le *Joueur d'échecs* au XIXe siècle, ses débuts demeurent obscurs. On ignore où et à quelle date précise de 1770 le Turc se produisit pour la première fois, ainsi que le nombre de parties qu'il disputa avant sa première mise à la retraite. On ne sait pas davantage qui Kempelen engagea initialement pour manipuler la machine « turquée ». En allemand, les locutions *türken* (« turquer ») et *einen Türken bauen* (« construire un Turc »), signifiant l'une comme l'autre « truquer, simuler », remontent au Turc de Kempelen.

J'ai pris la liberté, en m'inspirant de l'histoire de l'automate, d'inventer ma propre aventure en cherchant à la faire coïncider avec tout ce que nous savons de la carrière de Wolfgang von Kempelen, de sa famille et de ses relations à Presbourg (l'actuelle capitale slovaque, qui porte aujourd'hui le nom de Bratislava). Je me suis servi de nombreux personnages connus ou inconnus de l'empire des Habsbourg, comme Friedrich Knaus, Franz Anton Mesmer, Gottfried von Rotenstein, Franz Xaver Messerschmidt, Johann Baptist Allgaier ou de la noblesse hongroise de Presbourg. En revanche, j'ai librement inventé les figures de Tibor, d'Élise, de Jakob ainsi que du baron Andrássy et de sa sœur.

Un mot enfin pour réhabiliter Wolfgang von Kempelen : l'assassinat d'Ibolya Jesenák est, lui aussi, une invention. Le vrai Kempelen était, certes, ambitieux, mais je ne pense pas qu'il aurait été prêt à marcher sur des cadavres pour servir sa carrière. Ses contemporains le décrivent comme un homme sympathique, modeste et doté de multiples talents – nonobstant le fait que le Turc n'ait été qu'une supercherie. Nous avons du mal, aujourd'hui, à admettre ce genre de fraude scientifique, mais, au XVIIIe siècle, la frontière entre science et divertissement était encore bien floue et, à l'instar des magnétiseurs de son temps, Kempelen était davantage un amuseur scientifique qu'un escroc froid et calculateur. Selon Karl Gottlieb Windisch, sa machine à jouer aux échecs était une mystification, sans doute, « mais une mystification qui fait honneur à l'intelligence humaine ». Et Kempelen lui-même fut, écrit-il, « le premier à reconnaître que son principal mérite n'était qu'illusion, mais une illusion de nature toute nouvelle ». Pourtant, Kempelen a fait tout son possible pour préserver le secret de cette mystification, qui n'a pu être démasquée définitivement qu'après sa mort.

Ceux à qui cet ouvrage aura inspiré un intérêt plus vif encore pour le Turc – notamment pour la suite de sa carrière, en compagnie de Johann Nepomuk Mälzel, et jusqu'à son incinération à Philadelphie – pourront consulter avec profit deux ouvrages spécialisés publiés récemment : celui de Gerald M. Levitt, *The Turk, Chess Automaton* (McFarland, 2000) et celui de Tom Standage, *The Turk : The Life and Times of the Famous 18th Century Chess Playing Machine* (Walker & Co, 2002). L'ouvrage de Levitt, plus détaillé, est abondamment illustré et reproduit en annexe les textes originaux de Windisch, de Poe et d'autres, ainsi que le déroulement de nombreuses parties disputées par l'automate. *The Turk*, de Standage, est d'une lecture plus récréative et s'intéresse également à l'époque actuelle, abordant par exemple les parties du grand maître mondial des échecs, Garry Kasparov, contre l'ordinateur Deep Blue. Kasparov a subi sa première défaite contre Deep Blue en 1996, à Philadelphie, la ville même où le Turc avait brûlé un siècle et demi auparavant.

Il existe de par le monde quelques copies du *Joueur d'échecs* de Kempelen. La plus récente (parfaitement fonctionnelle) est exposée depuis 2004 au Heinz Nixdorf Museums-Forum de Paderborn, où elle fait figure d'ancêtre indirect de l'ordinateur et de l'intelligence artificielle, en compagnie de mécanismes d'horlogerie, de calculatrices, de vrais automates et d'authentiques ordinateurs joueurs d'échecs. De temps en temps, on présente le Turc de Paderborn « habité ».

Le Technisches Museum de Vienne possède un ordinateur joueur d'échecs tridimensionnel virtuel qui reprend le modèle du Turc. Il initie les spectateurs au secret de la machine à jouer aux échecs et les invite à disputer une partie contre elle. On y trouve également, du reste, l'impressionnante *Machine à tout écrire* construite par Friedrich Knaus en 1760. Le Deutsches Museum de Munich possède la *Machine parlante* de Wolfgang von Kempelen, dont la voix, pourtant, tend à défaillir. Il en existe des copies à l'Académie des sciences de Budapest et à l'université des arts appliqués de Vienne.

Enfin, les trois automates issus de l'atelier de Jaquet-Droz père et fils – l'*Écrivain*, le *Dessinateur* et la *Musicienne* créés de 1768 à 1774 – sont exposés au musée d'Art et d'Histoire de Neuchâtel. Ces androïdes fonctionnent encore comme au premier jour et se livrent à une démonstration publique de leur habileté tous les premiers dimanches du mois.

Je souhaite remercier, pour les aperçus instructifs dans les entrailles du Turc qu'ils m'ont offerts, Stefan Stein, du Heinz Nixdorf MuseumsForum, ainsi qu'Achim « Inside » Schwarzmann (Paderborn) – le cerveau de la machine, successeur de Tibor, d'Allgaier et des autres.

Je remercie Ernst Strouhal, Brigitte Felderer, Andrea Seidler (Vienne), Siegfried Schoenle (Kassel), Swea Starke (Berlin), Silke Berdux (Munich) et Thierry Amstutz (Neuchâtel) de m'avoir fait partager leurs compétences techniques et leur science des échecs.

Surtout, merci infiniment à Uschi Keil, Ulrike Weis et Donat F. Keusch pour le soutien inaltérable qu'ils ont accordé à ce projet.

Cet ouvrage a été imprimé par

FIRMIN DIDOT
GROUPE CPI

Mesnil-sur-l'Estrée

pour le compte des Éditions Robert Laffont
24, avenue Marceau, 75008 Paris
en décembre 2006

Composé par Nord Compo
à Villeneuve-d'Ascq

N° d'édition : 47471/01 - N° d'impression : 82538
Dépôt légal : janvier 2007
Imprimé en France.